DONNA

LEON

DODELIJKE CONCLUSIES

VERTAALD DOOR THEO SCHOLTEN

2011

DE BEZIGE BIJ

AMSTERDAM

Cargo is een imprint van uitgeverij De Bezige Bij, Amsterdam

Oorspronkelijke titel *Drawing Conclusions*
Oorspronkelijke uitgever William Heinemann, Londen
Omslagontwerp Wil Immink Design

Foto auteur Michiel Hendryckx
Vormgeving binnenwerk Peter Verwey, Heemstede
Druk Koninklijke Wöhrmann, Zutphen
ISBN 978 90 234 6380 1
NUR 305

www.uitgeverijcargo.nl

Voor Jenny Liosatou en Giulio D'Alessio

In naam van God, Amen. Ik, Georg Friedrich Händel, rekening houdende met de onzekerheden van het menselijk bestaan, maak hierbij aldus mijn testament op...

Laatste wilsbeschikking van
Georg Friedrich Händel

1

Omdat ze al vele jaren vertaalster was en zowel fictie als non-fictie uit het Engels en Duits naar het Italiaans overzette, was Anna Maria Giusti bekend met een grote verscheidenheid aan onderwerpen. Haar laatste vertaling was een Amerikaans zelfhulpboek geweest over hoe om te gaan met tegenstrijdige emoties. Ze had af en toe moeten grinniken om de oppervlakkige kletskoek die ze was tegengekomen – die altijd nog maller klonk wanneer ze er Italiaans van maakte – maar nu ze de trap op liep naar haar appartement, kwam er weer iets van die tekst in haar naar boven.

'Het is mogelijk om op één en hetzelfde moment twee tegenstrijdige emoties over dezelfde persoon te voelen.' Dat was het geval gebleken met haar gevoelens voor haar geliefde, wiens familie ze zojuist een bezoek had gebracht in Palermo. 'Zelfs mensen die we goed kennen, kunnen ons verrassen wanneer ze in een omgeving terechtkomen die anders is.' 'Anders' was niet het woord dat ze zelf zou hebben gebruikt om Palermo en wat ze daar had aangetroffen te beschrijven. 'Vreemd', 'exotisch', 'zonderling': zelfs die woorden deden geen recht aan wat ze had ervaren, maar hoe moest ze dat verklaren? Hadden ze niet allemaal een *telefonino* op zak? Was niet iedereen die ze had ontmoet voortreffelijk gekleed en even welgemanierd? Het was ook geen kwestie van taal, want ze spraken stuk voor stuk beschaafder Italiaans dan ze ooit uit de mond van haar met het Venetodialect opgegroeide familie en vrienden had gehoord. Ook niet van geld, want de rijkdom van Nico's familie had overal van af gestraald.

Ze was naar Palermo gegaan om kennis te maken met zijn familie, in de veronderstelling dat hij haar in zijn ouderlijk huis zou laten logeren, maar ze had vijf nachten in een hotel doorgebracht, een hotel met meer sterren dan zij zich op grond van haar vertalersinkomen zou hebben kunnen veroorloven, als het al was ingegaan op haar herhaalde verzoeken om zelf de rekening te mogen betalen.

'Nee, dottoressa,' had de glimlachende hotelmanager tegen haar gezegd, 'daar heeft l'avvocato al voor gezorgd.' Nico's vader. 'L'avvocato.' In eerste instantie had ze hem aangesproken met 'dottore', maar hij had die titel weggewuifd alsof haar poging tot beleefdheid een vlieg was geweest. 'Avvocato' had ze niet over haar lippen kunnen krijgen, en dus had ze genoegen genomen met 'Lei', om die formele aanspreekvorm vervolgens voor iedereen in zijn familie te gebruiken.

Nico had haar al gewaarschuwd dat het niet gemakkelijk zou zijn, maar hij had haar niet voorbereid op wat ze die week daadwerkelijk zou meemaken. Hij was eerbiedig jegens zijn ouders; als ze dat gedrag had waargenomen in iemand anders dan de man van wie ze meende te houden, zou ze het als kruiperig hebben omschreven. Hij kuste zijn moeders hand wanneer ze de kamer binnenkwam en ging staan wanneer zijn vader verscheen.

Op een avond had ze geweigerd het familiediner bij te wonen. Hij had haar teruggebracht naar het hotel na hun eigen nerveuze maaltijd samen. Daarna had hij haar in de lobby een kus gegeven, had gewacht tot ze de lift in was gestapt en was toen gedwee teruggekeerd naar het *palazzo* van zijn ouders om daar te gaan slapen. Toen ze de volgende dag van hem wilde weten wat er aan de hand was, had hij geantwoord dat hij het product was van waar hij had geleefd, en dat dit de manier was waarop de mensen zich gedroegen. Die middag, toen hij haar terugbracht naar het hotel en zei dat hij haar om acht uur zou ophalen voor het eten, had ze hem glimlachend bij de ingang van het hotel gedag gezegd, was naar binnen gegaan en had de jongeman van de receptie laten weten dat ze vertrok. Ze ging naar haar kamer, pakte haar koffer, belde een taxi en liet een briefje voor Nico achter bij de receptionist. Op de avondvlucht naar Venetië was er alleen nog plaats in de business class, maar ze vond het prima om zo'n duur ticket te kopen – het nam de plaats in van in ieder geval een deel van de hotelrekening die ze niet had mogen betalen.

Haar koffer was zwaar en maakte een bonkend geluid toen ze hem op de eerste verdieping op de overloop neerzette. Giorgio Bruscutti, de oudste zoon van haar buren, had zijn sportschoenen weer eens voor de deur laten slingeren, maar vanavond was ze bijna blij om ze te zien: een bewijs dat ze thuis was. Ze nam haar koffer weer op en zeulde hem mee naar de tweede verdieping, waar ze, zoals verwacht, keurig bijeengebonden bundeltjes *Famiglia cristiana* en *Il Giornale* aantrof. Signor Volpe, die op zijn oude dag fanatiek milieubewust was geworden, legde altijd al op zondagavond het papier voor de recycling bij de trap, hoewel het pas op dinsdagochtend kon worden weggebracht. Het deed haar zo veel genoegen dit teken van normaal leven te zien dat ze vergat het automatische oordeel te vellen dat de vuilnisbak de beste plek was voor beide publicaties.

De overloop op de derde verdieping was leeg, evenals de tafel links van de deur. Dat was een teleurstelling voor Anna Maria. Het betekende ofwel dat er de afgelopen week helemaal geen post voor haar was gekomen – wat ze niet kon geloven – ofwel dat signora Altavilla had vergeten Anna Maria's post klaar te leggen.

Ze keek op haar horloge en zag dat het bijna tien uur was. Ze wist dat de oude vrouw altijd laat opbleef: ze hadden elkaar ooit eens gevonden in de wederzijdse bekentenis dat het fijnste van alleen wonen was dat je zo lang in bed kon blijven liggen lezen als je maar wilde. Ze deed een stap naar achteren en keek of er licht onder de deur van signora Altavilla's woning door scheen, maar het licht van de overloop maakte het onmogelijk om dat te zien. Ze liep naar de deur toe en legde haar oor ertegen, in de hoop iets van geluid te horen – de televisie alleen al zou een aanwijzing zijn dat signora Altavilla nog wakker was.

Teleurgesteld dat het stil was, pakte ze haar koffer op en liet die met een luide klap op de tegelvloer neerkomen. Ze luisterde, maar er kwam geen geluid van binnen. Ze pakte hem nogmaals op en begon ermee de trap op te lopen, maar zorgde ervoor dat de rand van de koffer hard tegen de eerste tree aan bonkte, nog luider dit keer. Ze liep verder de trap op en maakte zo veel lawaai met de koffer dat ze, als ze het iemand anders had horen doen, een of andere gedachte zou hebben geformuleerd over de onnadenkendheid van mensen of haar hoofd buiten de deur zou hebben gestoken om te kijken wat er aan de hand was.

Boven aan de trap zette ze de koffer weer neer. Ze haalde haar sleutel te voorschijn en maakte de deur van haar eigen woning open, en op het moment dat die opengING nam een gevoel van vrede en zekerheid bezit van haar. Alles hierbinnen was van haar, en in deze vertrekken besliste ze zelf wat ze deed en wanneer en hoe ze het deed. Ze hoefde niemands hand te kussen en zich aan niemands regels te houden, en bij die gedachte verdween alle twijfel en wist ze zeker dat ze er goed aan had gedaan om uit Palermo weg te gaan, bij Nico weg te gaan, en een einde aan de verhouding te maken.

Ze deed het licht aan en keek automatisch naar de bank, waar de militaire precisie waarmee de kussens waren gerangschikt haar vertelde dat tijdens haar afwezigheid de schoonmaakster was geweest. Ze zette haar koffer binnen neer, deed de deur dicht en liet de stilte door zich heen stromen. Thuis.

Anna Maria liep naar de andere kant van de kamer en deed het raam en de luiken open. Aan de overkant van het *campo* stond de kerk San Giacomo dell'Orio: als zijn ronde apsis de voorsteven van een zeilschip was geweest, zou die op haar ramen gericht zijn en haar in een mum van tijd hebben bereikt.

Ze maakte een ronde door het appartement, deed alle ramen open en duwde de luiken naar achteren en zette ze vast. Ze bracht haar koffer naar de logeerkamer en hees hem op het bed, ging toen de woning weer rond en deed de ramen dicht tegen de kilte van de oktoberavond.

Op de tafel in de eetkamer vond Anna Maria een van Luba's wonderlijk geformuleerde briefjes, en daarnaast de opvallende vaalgele kennisgeving die erop duidde dat men tevergeefs had geprobeerd een aangetekende brief te bezorgen. 'Voor u kwam,' stond er op Luba's briefje. Ze bekeek het postbericht wat beter: het was vier dagen geleden achtergelaten. Ze had geen idee wie haar een aangetekende brief kon hebben gestuurd: het adres dat vermeld werd als '*mittente*' was onleesbaar. Haar eerste gedachte was een vage angst dat een of andere overheidsinstantie een onregelmatigheid had ontdekt en haar nu meedeelde dat er een onderzoek tegen haar liep vanwege iets dat ze gedaan had, of juist nagelaten had te doen.

De tweede kennisgeving, wist ze, zou twee dagen na deze zijn gekomen. Dat die er niet lag, betekende dat signora Altavilla, die in de loop der jaren de beheerster van haar post en bezorgingen was geworden, voor de brief had getekend en dat ze deze beneden had liggen. Ze kon haar nieuwsgierigheid niet bedwingen, legde het postbericht op tafel en ging naar haar werkkamer. Uit haar hoofd draaide ze het nummer van signora Altavilla. Ze kon haar maar beter op deze manier lastigvallen dan dat ze tot de volgende ochtend zou liggen piekeren over die brief, die, zo hield ze zichzelf voor, waarschijnlijk niets om het lijf zou hebben.

De telefoon ging vier keer over zonder dat er werd opgenomen. Ze deed een stap opzij, maakte het raam open, leunde naar buiten en hoorde het gerinkel beneden. Waar kon ze zijn op dit tijdstip? Naar de film? Daar ging ze af en toe met vriendinnen naartoe, en soms was ze weg om op haar kleinkinderen te passen, al kwam de oudste ook weleens bij haar logeren.

Anna Maria hing op en ging terug naar de huiskamer. Ook al verschilden ze bijna twee generaties in leeftijd, toch waren de vrouw beneden en zij in de loop der jaren goede buren geworden. Misschien geen goede vriendinnen – ze hadden bijvoorbeeld nooit samen gegeten – maar ze kwamen elkaar weleens op straat tegen en gingen dan samen koffiedrinken, en er waren talloze gesprekken op de trap geweest. Anna Maria werd soms opgeroepen om simultaan te vertalen op congressen en bleef dan dagen, soms weken, achter elkaar weg. En omdat signora Altavilla elk jaar in juli met haar zoon en zijn gezin naar de bergen ging, had Anna

Maria haar sleutels, om haar planten water te kunnen geven en, zoals signora Altavilla had gezegd toen ze ze gaf, 'gewoon voor het geval dat'. Het was Anna Maria te verstaan gegeven dat als ze na een reis signora Altavilla niet thuis trof, ze naar binnen mocht gaan – moest gaan zelfs – om haar post op te halen.

Ze pakte de sleutels uit de tweede la in de keuken, hield haar eigen deur met haar handtas op een kier, deed het licht aan en ging de trap af.

Hoewel ze er zeker van was dat er niemand thuis was, belde Anna Maria toch aan. Taboe? Respect voor privacy? Toen er niet werd opengedaan, stak ze de sleutel in het slot, maar zoals wel vaker bij deze deur gebeurde, kreeg ze hem niet omgedraaid. Ze probeerde het nog een keer, en trok de deur naar zich toe terwijl ze de sleutel omdraaide. Door de druk van haar hand ging de deurkruk naar beneden, en bij haar plotselinge rammelbeweging bleek de weerspannige deur niet op slot te zijn en zonder enige weerstand open te gaan, waardoor ze van de weeromstuit een stap naar binnen deed.

Het eerste wat door haar heen ging, was dat ze probeerde te bedenken hoe oud Costanza eigenlijk was: waarom vergat ze haar deur op slot te doen? Waarom had ze die nooit laten vervangen door een *porta blindata*, die automatisch in het slot viel wanneer hij dichtging? 'Costanza?' riep ze. '*Ci sei?*' Ze bleef even staan luisteren, maar er kwam geen antwoord. Zonder erbij na te denken liep Anna Maria naar het tafeltje schuin tegenover de deuropening, aangetrokken door het kleine stapeltje brieven, niet meer dan vier of vijf, en de *Espresso* van die week. Terwijl ze de naam van het tijdschrift las, drong tot haar door dat het licht in het halletje aan was en dat er meer licht de gang in viel vanuit de huiskamer, waarvan de deur half openstond, en, dichterbij, vanuit de deuropening van de grote slaapkamer.

Signora Altavilla was opgegroeid in het naoorlogse Italië, en hoewel haar huwelijk haar behalve geluk ook voorspoed had gebracht, had ze nooit de gewoonte afgeleerd om zuinig te zijn. Anna Maria, die was opgegroeid in een welgestelde familie in een bloeiend en rijk Italië, had zich die gewoonte nooit eigen gemaakt. Daardoor had de jongere vrouw het altijd een beetje raar gevonden dat de oudere het licht uitdeed wanneer ze een kamer uit ging, of dat ze twee truien droeg in de winter, of zich de koning te rijk kon voelen met een koopje bij Billa.

'Costanza?' riep ze nogmaals, meer om haar eigen gedachten een halt toe te roepen dan omdat ze dacht dat er antwoord zou komen. Uit een onbewuste behoefte haar handen vrij te hebben, legde ze de sleutels boven op de brieven en bleef doodstil staan, terwijl haar blik naar het licht werd getrokken dat uit de deuropening aan het eind van de gang scheen.

Ze haalde diep adem en nam een stap, en toen nog een en nog een. Vervolgens bleef ze staan en merkte dat ze niet verder kon. Ze vond dat ze niet zo kinderachtig moest doen en dwong zich om naar voren te buigen en een blik om de halfopen deur te werpen. 'Costan...' begon ze, maar op datzelfde moment sloeg ze een hand voor haar mond omdat ze een andere hand op de grond zag. En daarna de arm, en de schouder, en het hoofd, of in ieder geval de achterkant van het hoofd. En het korte witte haar. Anna Maria had de oudere vrouw al jaren willen vragen of het ook uit zuinigheid was dat ze weigerde haar haar het obligate rood van vrouwen van haar leeftijd te verven, of dat ze er eenvoudig vrede mee had hoe haar witte haar de lijnen van haar gezicht verzachtte en er een zekere waardigheid aan verleende.

Ze keek neer op de roerloze vrouw, op de hand, de arm, het hoofd. En het drong tot haar door dat ze het haar nu nooit meer zou kunnen vragen.

2

Guido Brunetti, commissario di polizia van de stad Venetië, zat aan tafel tegenover zijn rechtstreekse superieur, vicequestore Giuseppe Patta, en bad dat de wereld zou vergaan. Hij had er ook genoegen mee genomen om te worden ontvoerd door buitenaardse wezens, of te worden opgeschrikt door een gewelddadige inval van bebaarde terroristen, die zich schietend en met moordlust in de ogen een weg door het restaurant zouden banen. De daardoor ontstane chaos zou Brunetti, die zoals gewoonlijk zijn eigen wapen niet bij zich had, in staat hebben gesteld een passerende terrorist er een afhandig te maken en dat te gebruiken om niet alleen de vice-questore dood te schieten, maar ook zijn assistent, hoofdinspecteur Scarpa, die, links van de vice-questore gezeten, op dit moment zijn afgemeten, negatieve oordeel gaf over de grappa die na afloop van de maaltijd was aangeboden.

'Jullie mensen in het Noorden,' zei de hoofdinspecteur met een neerbuigend knikje in Brunetti's richting, 'begrijpen niet wat het is om wijn te maken, dus waarom zouden jullie iets anders wél kunnen maken?' Hij dronk de rest van zijn grappa op, trok een misprijzend pruilmondje – zo subtiel uitgevoerd dat Brunetti moeiteloos het verschil kon zien tussen misprijzen en minachting – en zette zijn glas op tafel. Hij wierp Brunetti een open blik toe, alsof hij hem uitnodigde om nu op zijn beurt zijn oenologische mening ten beste te geven, maar Brunetti speelde het spelletje niet mee en stelde zich tevreden met het opdrinken van zijn eigen grappa. Hoezeer dit diner met Patta en Scarpa ook het verlangen naar een tweede grappa in Brunetti had gewekt, het besef dat daarmee de maaltijd alleen maar langer zou duren bracht hem ertoe het aanbod van de ober af te slaan, net zoals zijn gezonde verstand hem ertoe had gebracht niet toe te happen bij Scarpa.

Brunetti's weigering om met hem in discussie te gaan, spoorde de hoofdinspecteur juist aan om door te gaan, of misschien was het de grappa – zijn tweede – want hij begon: 'Ik begrijp niet waarom die wijnen uit Friuli zo...' maar Brunetti's aandacht werd afgeleid van de tekortkomingen die de hoofdinspecteur op het punt stond te onthullen doordat zijn telefonino overging. Bij sociale verplichtingen waar hij niet onderuit kon – zoals dit etentje met Patta om te bespreken wie er voor promotie in aanmerking kwamen – zorgde Brunetti er altijd voor dat hij zijn telefonino bij zich had, en hij werd vaak gered door een milddadige Paola die hem belde met een verzonnen dringende reden om onmiddellijk weg te moeten.

'*Sì?*' zei hij, teleurgesteld toen hij gezien had dat het de Questura was vanwaar hij gebeld werd.

'Goedenavond, commissario,' zei een stem die hij meende te herkennen als die van Ruffolo. 'We zijn net gebeld door een vrouw in Santa Croce. Die heeft een dode vrouw in haar woning aangetroffen. Er was bloed, dus toen heeft ze ons gebeld.'

'De woning van wie?' vroeg Brunetti. Niet dat het iets uitmaakte of hij dat nu al wist, maar hij had een hekel aan onduidelijkheid.

'Ze zei dat ze in haar eigen woning lag. Die dode vrouw dus. Die woont onder haar.'

'Waar in Santa Croce?'

'Giacomo dell'Orio, meneer. Ze woont recht tegenover de kerk. Eén zeven twee zes.'

'Wie is ernaartoe?' vroeg Brunetti.

'Niemand, meneer. Ik heb eerst u gebeld.'

Brunetti keek op zijn horloge. Het was bijna elf uur, al veel later dan hij had gedacht en gehoopt dat dit etentje afgelopen zou zijn. 'Kijk of je Rizzardi kunt vinden en laat hem daar naartoe gaan. En bel Vianello – die is waarschijnlijk thuis. Stuur een boot om hem op te pikken en daar naartoe te brengen. En laat ook een technisch team komen.'

'En u, meneer?'

Brunetti had de plattegrond die in zijn genen gegrift stond al geraadpleegd. 'Voor mij is het sneller om te lopen. Ik zie ze daar wel.' Hij dacht even na en zei toen: 'Als er ergens in de buurt surveillanten zijn, bel ze dan en zeg dat ze ook moeten komen. En bel die vrouw en zeg tegen haar dat ze in de woning niets moet aanraken.'

'Ze was al teruggegaan naar haar eigen woning, meneer, om te bellen. Ik heb tegen haar gezegd dat ze daar moet blijven.'

'Mooi. Hoe heet ze?'

'Giusti, meneer.'

'Als je de surveillanten spreekt, zeg dan dat ik er over tien minuten ben.'

'Ja, meneer,' zei de agent, en hij hing op.

Vice-questore Patta keek Brunetti onverhuld nieuwsgierig aan. 'Problemen, commissario?' vroeg hij op een toon die Brunetti deed beseffen hoezeer nieuwsgierigheid verschilde van belangstelling.

'Ja, meneer. Er is een vrouw dood gevonden in Santa Croce.'

'En dan bellen ze jou?' zei Scarpa. Er lag een zweem van beleefde argwaan in dat laatste woord.

'Griffoni is nog niet terug van vakantie, en ik woon het dichtst bij,' antwoordde Brunetti met geoefende onverstoorbaarheid.

'Natuurlijk,' zei Scarpa, en hij boog zich opzij om iets tegen de ober te zeggen.

Tegen Patta zei Brunetti: 'Ik ga wel even kijken, vicequestore.' Hij zette het gezicht op van de belaagde bureaucraat die werd afgehouden van wat hij wílde doen door wat hij móest doen, schoof vervolgens zijn stoel naar achteren en stond op. Hij gaf Patta nog even de kans om iets te zeggen, maar het moment ging in stilte voorbij.

Buiten liet Brunetti het aan zijn geheugen over om hem de goede kant op te sturen, terwijl hij ondertussen zijn telefonino te voorschijn haalde en het nummer van thuis belde.

'Bel je voor morele steun?' vroeg Paola toen ze de telefoon opnam.

'Scarpa heeft net gezegd dat wij noorderlingen geen verstand hebben van wijn maken,' zei hij.

Het was even stil en toen zei ze: 'Ik hoor wat je zegt, maar het klinkt alsof er iets anders aan de hand is.'

'Ik ben gebeld. Er ligt een vrouw dood in Santa Croce, bij de San Giacomo.'

'Waarom hebben ze jou gebeld?'

'Waarschijnlijk hadden ze geen zin om Patta of Scarpa te bellen.'

'Dus bellen ze jou terwijl je bij hen aan tafel zit. Mooi is dat.'

'Ze wisten niet waar ik was. Trouwens, ik ben allang blij dat ik daar weg kon. Ik ga even kijken wat er gebeurd is. Ik woon toch het dichtst bij.'

‘Wil je dat ik op je wacht?’

‘Nee. Ik heb geen idee hoe lang het duurt.’

‘Ik word wel wakker als je thuiskomt,’ zei ze. ‘En anders geef je me maar een por.’

Brunetti moest hierom glimlachen, maar beperkte zich tot een instemmend geluid.

‘Ik heb heus weleens niet de hele nacht geslapen,’ zei ze met gespeelde verontwaardiging. Haar gehoorradar had feilloos de precieze nuance in zijn stem opgevangen.

De laatste keer, herinnerde Brunetti zich, was de nacht geweest dat de Fenice was afgebrand, toen het geluid van de helikopter die steeds weer overvloog haar uiteindelijk had gewekt uit de afgrondelijke slaap waarin ze elke nacht verzonk.

Op een meer verzoenende toon zei ze: ‘Ik hoop dat het niet al te erg is.’

Hij bedankte haar, zei daarna gedag en stopte het mobieltje in zijn zak. Hij richtte zijn aandacht weer op de plek waar hij liep. De straten waren helder verlicht: meer goede gaven van de spilzieke bureaucraten in Brussel. Als hij had gewild, had hij een krant kunnen lezen bij het licht van de straatlantaarns. Er stroomde nog licht uit vele etalages: hij dacht aan de satellietfoto’s die hij had gezien van de oplichtende nachtelijke planeet. Alleen donker Afrika deed zijn naam eer aan.

Aan het einde van de Scaleter Ca’ Bernardo ging hij linksaf, langs de toren van San Boldo, waarna hij via de brug de Calle del Tintor in liep. Hij kwam voorbij de pizzeria en zag dat de winkel ernaast, die goedkope tassen verkocht, nog open was; achter de toonbank zat een jong Chinees meisje een Chinese krant te lezen. Hij had geen idee wat de huidige winkelsluitingswet precies toestond, maar een atavistische stem in hem fluisterde dat het ongepast was om je op dit tijdstip nog over te geven aan commerciële activiteiten.

Een paar weken geleden had hij gegeten met een commandant van de grenspolitie, die hem onder meer had verteld dat ze geen nauwkeuriger schatting konden geven van het aantal Chinezen dat in Italië woonde dan dat het er ergens tussen de 500000 en vijf miljoen waren. Toen hij dat gezegd had, leunde hij achterover om beter te kunnen genieten van Brunetti's verbazing, waarna hij eraan toevoegde: 'Als de Chinezen in Europa allemaal een uniform zouden dragen, zouden we pas goed zien wat voor invasie het eigenlijk is.' Daarna had hij zijn aandacht weer op zijn gegrilde calamari gericht.

Twee deuren verderop trof hij een andere winkel aan, met een ander Chinees meisje achter de kassa. Meer licht viel er op straat vanuit een bar; ervoor stonden vier of vijf jonge mensen te roken en te drinken. Hij zag dat drie van hen Coca-Cola dronken: dat was nou het uitgaansleven van Venetië.

Hij kwam op het campo uit; ook dat baadde in het licht. Jaren geleden, toen hij nog maar net vanuit Napels weer naar Venetië was overgeplaatst, was dit plein berucht geweest als plek waar drugs werden verkocht. Hij dacht terug aan de verhalen die hij had gehoord over de weggegooide naalden die elke ochtend moesten worden opgeveegd, en herinnerde zich vaag iets over een jongere die dood gevonden was, na een overdosis, op een van de banken. Maar de veryupping had het plein schoongeveegd, of anders de verschuiving naar designerdrugs die de naalden overbodig hadden gemaakt.

Hij keek naar de panden rechts, precies tegenover de apsis. De donkere gedaante van een vrouw stond afgetekend in het licht achter een raam op de vierde verdieping van één ervan. Brunetti onderdrukte de neiging om zijn hand naar haar op te steken en liep naar het gebouw toe. Het nummer was nergens op de gevel te vinden, maar haar naam stond bij de bovenste bel.

Hij belde aan en de deur ging bijna meteen open, wat deed vermoeden dat ze naar de deur was gelopen zodra ze een man op het campo had zien verschijnen. Brunetti was de enige wandelaar geweest op dit tijdstip. De toeristen waren kennelijk verdampt en alle andere mensen waren thuis en in bed, dus die ene man buiten moest wel de politieman zijn.

Hij liep de trap op, langs de schoenen en de kranten; voor een Venetiaan was deze amoebe-achtige neiging om het territorium uit te breiden tot voorbij de muren van een woning zo volkomen vanzelfsprekend dat het nauwelijks aandacht verdiende.

Toen hij de laatste traparm op liep, hoorde hij een vrouw boven hem vragen: 'Bent u van de politie?'

'*Sì*, signora,' zei hij, en hij haalde zijn pas te voorschijn en slikte de opmerking in dat ze een beetje voorzichtiger zou moeten zijn met wie ze 's avonds binnenliet. Toen hij de overloop bereikte, deed ze een half stapje naar voren en stak haar hand uit.

'Anna Maria Giusti,' zei ze.

'Brunetti,' antwoordde hij terwijl hij haar een hand gaf. Hij liet zijn pas zien, maar ze keek er amper naar. Hij schatte haar begin dertig. Ze was lang en slungelig, met een aristocratische neus en donkerbruine ogen. Haar gezicht stond strak van de spanning of van vermoeidheid; hij vermoedde dat het zich in rust zou verzachten tot iets wat in de buurt van schoonheid kwam. Ze trok hem mee het appartement in en liet toen zijn hand los en deed een stap bij hem vandaan. 'Dank u dat u gekomen bent,' zei ze. Ze keek langs hem heen en achter hem om er zeker van te zijn dat er niemand anders was meegekomen.

'Mijn assistent en de anderen zijn onderweg, signora,' zei Brunetti, die geen aanstalten maakte verder de woning in te lopen. 'Terwijl we op ze wachten, kunt u misschien vertellen wat er gebeurd is.'

'Ik weet het niet,' zei ze. Ze bracht haar handen vlak voor haar middel bij elkaar in een visueel cliché van verwarring, het soort gebaar dat vrouwen maakten in films uit de jaren vijftig om hun ontsteltenis uit te drukken. 'Ik ben ongeveer een uur geleden teruggekomen van vakantie, en toen ik naar beneden ging, naar de woning van signora Altavilla, vond ik haar daar. Ze was dood.'

'Weet u dat zeker?' vroeg Brunetti, die dacht dat het haar minder van streek zou maken als hij het op die manier vroeg in plaats van haar te vragen om te beschrijven wat ze gezien had.

'Ik heb de rug van haar hand aangeraakt. Die was koud,' zei ze. Ze perste haar lippen op elkaar. Daarna keek ze naar de grond en vervolgde: 'Ik heb mijn vingers tegen haar pols gehouden. Om te kijken of ik haar hart voelde kloppen. Maar ik voelde niets.'

'Signora, toen u belde zei u dat u bloed had gezien.'

'Op de grond bij haar hoofd. Toen ik dat zag, ben ik naar boven gegaan om u te bellen.'

'Is u verder nog iets opgevallen, signora?'

Ze hief haar hand op en gebaarde naar de trap achter hem. 'De voordeur was open.' Toen ze zijn vragende blik zag, verduidelijkte ze dit gauw. 'Niet op slot, bedoel ik. Wel dicht, maar niet op slot.'

'Juist ja,' zei Brunetti. Hij bleef een tijdje zwijgen en

vroeg toen: 'Kunt u me vertellen hoe lang u weg geweest bent, signora?'

'Vijf dagen. Ik ben afgelopen woensdag naar Palermo vertrokken, en net vanavond teruggekomen.'

'Dank u,' zei Brunetti, en vervolgens vroeg hij bedachtzaam: 'Was u met vrienden, signora?'

De blik die ze hem toewierp maakte duidelijk hoe intelligent ze was en hoezeer de vraag haar krenkte.

'Ik wil dingen uitsluiten, signora,' zei hij op normale toon.

Haar eigen toon was wat luider, haar uitspraak duidelijker, toen ze zei: 'Ik heb in een hotel gelogeerd, Villa Igiea. U kunt het controleren.' Ze wendde haar blik af, gegeneerd misschien, dacht Brunetti. 'Iemand anders heeft de rekening betaald, maar ik stond er ingeschreven.'

Brunetti wist dat dit gemakkelijk kon worden nagegaan en vroeg dus slechts: 'U bent signora Altavilla's woning binnengegaan om...?'

'Om mijn post te halen.' Ze draaide zich om en liep de kamer achter haar in, een groot, open vertrek, waarvan het in een punt toelopende plafond aangaf dat de ruimte oorspronkelijk – hoeveel eeuwen geleden? – een zolder was geweest. Brunetti liep achter haar aan naar binnen en wierp een blik omhoog naar de twee dakramen, in de hoop de sterren erachter te zien, maar het enige wat hij zag was de weerschijn van het licht eronder.

Ze pakte een blaadje papier van een tafel. Brunetti nam het van haar aan en herkende het als de beige kennisgeving voor een aangetekende brief. 'Ik had geen idee wat het kon zijn en dacht dat het misschien iets belangrijks was,' zei ze. 'Ik wilde niet tot morgen wachten, dus ik ben naar beneden gegaan om te kijken of die brief er was.'

Als reactie op Brunetti's vragende blik vervolgde ze: 'Als ik weg ben, haalt zij mijn post op, en die legt ze dan op de overloop klaar wanneer ik terugkom, of ik ga naar beneden om hem bij haar op te halen.'

'En als ze niet thuis is wanneer u terugkomt?' vroeg Brunetti.

'Ze heeft me de sleutels gegeven. Ik kan naar binnen als het nodig is.' Ze draaide zich om naar de ramen, waarachter Brunetti de verlichte apsis van de kerk zag. 'Dus ik ben naar beneden gegaan om te kijken. En de post lag waar ze die altijd neerlegt: op een tafeltje bij de voordeur.' Ze wist niet wat ze verder moest zeggen, maar Brunetti wachtte.

'En toen ben ik doorgelopen naar de huiskamer. Zonder reden eigenlijk, maar er brandde licht – ze doet het licht altijd uit als ze een kamer uit gaat – en ik dacht dat ze me misschien niet gehoord had. Hoewel dat eigenlijk onzin is, hè? En toen zag ik haar. En ik heb haar hand gevoeld. En ik zag het bloed. En toen ben ik weer naar boven gegaan en heb u gebeld.'

'Wilt u even zitten, signora?' vroeg Brunetti, en hij gebaarde naar een houten stoel die tegen de dichtstbijzijnde muur stond.

Ze schudde haar hoofd, maar deed er tegelijkertijd een stap naartoe. Ze liet zich met een plof op de stoel vallen en zakte daarna naar achteren tegen de rugleuning. 'Het is verschrikkelijk. Hoe kan iemand…?'

Voor ze haar vraag kon afmaken, ging de deurbel. Hij liep naar de deurtelefoon en hoorde Vianello zijn naam noemen en zeggen dat hij samen met dottor Rizzardi was. Brunetti drukte op de knop om de benedendeur te openen en hing de telefoon terug. Tegen de vrouw die zat zei hij: 'De anderen zijn er, signora.' Vervolgens, omdat hij dat moest vragen, zei hij: 'Is de deur op slot?'

Ze keek naar hem, haar gezicht een en al verwarring. 'Wat?'

'De deur beneden. Van de woning. Is die op slot?'

Ze schudde haar hoofd twee, drie keer en leek zich zo weinig bewust van die beweging dat hij opgelucht was toen ze ermee ophield. 'Ik weet het niet. Ik had de sleutels bij me.' Ze zocht in de zakken van haar jasje, maar vond geen sleutels. Ze keek hem niet-begrijpend aan. 'Ik moet ze beneden hebben laten liggen, boven op de post.' Ze deed haar ogen dicht en zei even later: 'Maar u kunt naar binnen. De deur valt niet vanzelf in het slot.' Toen hief ze haar hand op om zijn aandacht voor iets te vragen. 'Ze was een goede buurvrouw,' zei ze.

Brunetti bedankte haar en ging naar beneden om zich bij de anderen te voegen.

3

Brunetti zag dat Vianello en Rizzardi voor de deur van het appartement stonden te wachten. Vianello en hij groetten elkaar met een knikje, want ze hadden elkaar die middag nog gezien; Brunetti gaf de patholoog-anatoom een hand. Net als anders was de dokter gekleed als een Engelse gentleman die zo uit zijn club kwam. Hij droeg een donkerblauw krijtstreeppak met de opvallend onzichtbare tekenen van handgemaaktheid. Zijn overhemd zag eruit alsof hij het pas had aangetrokken toen hij de trap op liep naar het appartement en zijn stropdas werd door Brunetti vaag geclassificeerd als 'regimentair', ook al wist hij niet precies wat hij daarmee wilde zeggen.

Hoewel hij wist dat de arts net terug was van een vakantie op Sardinië, vond Brunetti dat Rizzardi er moe uitzag, wat hem enigszins zorgen baarde. Maar hoe vroeg je een dokter naar zijn gezondheid?

'Goed om je te zien, Ettore,' zei hij. 'Hoe...' begon hij, maar hij veranderde zijn vraag gauw in het minder opdringerige '... was je vakantie?'

'Druk. Giovanna en ik waren eigenlijk van plan om lekker onder een parasol op het strand te blijven zitten en een beetje te lezen en naar de zee te kijken. Maar op het laatste moment vroeg Ricardo of we de kleinkinderen mee wilden nemen, en we konden geen nee zeggen, dus toen hadden we er eentje van acht en een van zes bij ons.' Brunetti zag een uitdrukking over zijn gezicht glijden die je vaak zag bij mensen die het slachtoffer van geweld waren geweest. 'Ik was vergeten hoe het is om kinderen om je heen te hebben.'

'En lekker onder een parasol zitten lezen en naar de zee kijken, ho maar,' zei Brunetti.

Rizzardi glimlachte en haalde zijn schouders op. 'We hebben allebei genoten, maar ik vind het leuk om net te doen alsof dat niet zo was.' Vervolgens – genoeg gepraat – veranderde de arts van toon. 'Wat is er gebeurd?'

'De vrouw hierboven kwam terug van vakantie, zag dat de post niet voor haar klaargelegd was, is toen beneden gaan kijken of die hier binnen lag en trof de vrouw dood in haar woning aan.'

'En toen heeft ze de politie gebeld en niet het ziekenhuis?' mengde Vianello zich in het gesprek.

'Ze zei dat ze bloed gezien had, daarom heeft ze gebeld,' legde Brunetti uit.

De deur, zag Brunetti, was zo'n ouderwetse houten met een horizontale metalen kruk, het type deur dat je nog maar zelden zag in deze door inbraak geteisterde stad. Hoewel eventuele vingerafdrukken op de deurkruk zeker zouden zijn beschadigd of weggevaagd door de komst van signora Giusti, zorgde Brunetti er toch voor dat hij de deur opendeed door het uiteinde van de kruk met zijn handpalm omlaag te duwen.

Toen hij binnenkwam zag hij links een tafeltje tegen de muur staan, met een sleutelbos boven op een paar enveloppen. Er kwam licht door een open deur rechts van hem en door een andere deur aan het eind van de gang, aan de voorkant van de woning. Hij liep naar de eerste en keek naar binnen, maar zag alleen maar een eenvoudig ingerichte slaapkamer met een eenpersoonsbed en een ladekast.

Uit gewoonte maakte hij ook de deur aan de overkant van de gang open, er opnieuw zorg voor dragend dat hij alleen het uiteinde van de deurkruk aanraakte. Er viel genoeg licht naar binnen om te zien dat het een kleinere slaapkamer was, ook weer met een eenpersoonsbed, en met een nachtkastje en een lage ladekast. De deur naar een badkamer stond op een kier.

Hij draaide zich om en liep naar de kamer aan het eind van de gang, zich er vaag van bewust dat de andere twee mannen ook een blik in de kamers wierpen. Binnen zag hij de vrouw op haar rechterzij liggen, met haar rug naar hem toe. Ze hield de deur tegen met de zijkant van haar voet en had één arm uitgestrekt, de andere lag onder haar. Ze oogde niet groter dan een kind; ze woog vast niet meer dan vijftig kilo. Er lag een bloedvlek net iets kleiner dan een compact disc, droog en donker inmiddels, op de grond naast haar, deels bedekt door haar hoofd. Brunetti keek naar haar korte witte haar, het donkerblauwe vest van dik kasjmier, de kraag van een gele blouse, en het dunne streepje goud aan haar ringvinger.

Brunetti beschouwde zichzelf als een volstrekt niet bijgelovig mens en stelde eer in zijn diepe respect voor de rede en het gezonde verstand en voor alle deugden die hij associeerde met een goed functionerende geest. Dat weerhield hem er echter niet van te accepteren dat er ook minder tastbare verschijnselen mogelijk waren – duidelijker dan dat had hij het nooit kunnen uitdrukken. Iets wat onzichtbare sporen achterliet. Hij voelde die sporen hier: dit was een moeilijke dood geweest. Niet per se gewelddadig of crimineel, alleen maar moeilijk. Hij voelde het, zij het heel vaag en vluchtig, en zodra die gewaarwording het niveau van bewust besef bereikte, verdween ze, om te worden weggewuifd als niet meer dan een sterkere reactie dan gewoonlijk bij de aanblik van een plotselinge dood.

Hij liet zijn blik even door de kamer gaan en zag wat meubels, twee staande lampen, een rij ramen, maar was zich zo intens bewust van de vrouw aan zijn voeten dat hij moeite had zich op iets anders te concentreren.

Hij liep terug naar de gang. Vianello was nergens te bekennen, maar de patholoog stond een paar passen verderop te wachten. 'Ze ligt hier, Ettore,' zei Brunetti. Toen de arts zijn kant op kwam, werd Brunetti afgeleid door het geluid van voetstappen beneden. Hij hoorde mannenstemmen, een zware gevolgd door een lichtere, en daarna een deur die dichtging.

De voetstappen kwamen naar het appartement toe, en even later verscheen Marillo, de laboratoriumassistent, in de deuropening, met vlak achter zich twee mannen gewapend met de koffers die bij hun vak hoorden. Marillo, een lange, magere Lombardijn die niet in staat leek iets anders te begrijpen dan de simpele, letterlijke waarheid van een bewering of situatie, groette Brunetti en liep toen de gang in, ver genoeg om ook de twee anderen binnen te laten. De laatste man deed de deur achter zich dicht en Marillo zei: 'Een man beneden wilde weten wat al dat lawaai te betekenen had.'

Brunetti groette de mannen en toen hij zich weer omdraaide naar waar Rizzardi had gestaan, merkte hij dat die de kamer al binnengegaan was. Hij zei tegen de mannen dat Vianello zou vertellen waar ze moesten beginnen met foto's en vingerafdrukken nemen. Hij trof Rizzardi voorovergebogen over het lichaam van de vrouw aan, zijn handen behoedzaam in zijn broekzakken gestoken. Hij ging rechtop staan toen Brunetti dichterbij kwam en zei: 'Het kan een hartaanval zijn geweest. Misschien een beroerte.'

Brunetti wees zonder iets te zeggen naar de kleine kring van bloed, en Rizzardi, die lang genoeg in de kamer was geweest om goed om zich heen te kunnen kijken, wees op zijn beurt naar een radiator onder een raam niet ver van waar de vrouw lag.

'Daar kan ze tegenaan gevallen zijn,' zei Rizzardi. 'Dat kan ik beter beoordelen zodra ik haar kan omdraaien.' Hij deed een stap bij het lichaam van de vrouw vandaan. 'Dus zullen we ze maar foto's laten maken?' vroeg hij.

Bij een andere arts zou Brunetti zich misschien geërgerd hebben aan zijn weigering om de bloedvlek als een teken van geweld op te vatten, maar hij wist inmiddels hoezeer Rizzardi eraan hechtte om zich alleen met de onmiddellijk aanwijsbare fysieke doodsoorzaak bezig te houden, en alleen wanneer hij die kon zien of voor zichzelf kon bewijzen. Een doodenkele keer had Brunetti de arts tot speculaties kunnen verleiden, maar dat was niet gemakkelijk geweest.

Brunetti liet de arts en de vrouw aan zijn voeten voor wat ze waren en richtte zijn aandacht op de kamer om hem heen. Daar leek niets mis mee, afgezien van twee bankkussens op de grond en een in leer gebonden boek dat er ondersteboven naast lag. Er stond een kleerkast, maar beide deuren waren dicht.

De fotograaf kwam binnen en zei: 'Marillo en Bobbio zijn bezig vingerafdrukken te nemen, dus ik kom haar maar eerst doen.' Hij liep langs Brunetti naar het lijk, terwijl hij met zijn rechterhand aan een knopje op zijn camera draaide.

Brunetti liet hem zijn werk doen. Hij hoorde het lage gemompel van Rizzardi's stem achter zich, maar negeerde het en liep de gang weer in.

In de grotere slaapkamer stond Vianello met dunne plastic handschoenen aan voor de open laden van de kast. Hij stond voorovergebogen en bekeek wat papieren die boven op de kast lagen. Brunetti keek toe hoe Vianello met zijn vingertop het bovenste papier wegduwde om dat eronder te lezen, waarna hij ook dat opzij schoof om het laatste te lezen.

Reagerend op Brunetti's zwijgende aanwezigheid zei hij: 'Het is een brief van een meisje uit India. "Aan Mamma Costanza." Zal wel van zo'n organisatie zijn waarbij je een kind kunt sponsoren.'

'Wat schrijft ze?' vroeg Brunetti.

'Het is in het Engels,' antwoordde Vianello met een gebaar naar de papieren. 'En het is met de hand geschreven. Wat ik ervan begrijp is dat ze haar bedankt voor het verjaardagscadeau, en ze zegt dat ze het aan haar vader zal geven zodat hij rijst kan kopen om te planten in het voorjaar.' Met een knikje naar de papieren voegde hij eraan toe: 'Ze heeft ook haar rapport van school en een foto meegestuurd.'

Voorzichtig tikte Vianello de papieren weer op hun plaats. 'Denk je dat ze allemaal deugen, die liefdadigheidsinstellingen?' vroeg hij.

'Ik hoop het,' zei Brunetti. 'Anders komt er al heel lang een heleboel geld verkeerd terecht.'

'Doe jij het ook?' vroeg Vianello.

'Ja.'

'India?'

'Ja,' zei Brunetti, en hij voelde iets dat in de buurt kwam van gêne. 'Paola regelt dat.'

'Nadia ook,' zei Vianello gauw. 'Maar waarom we geld geven aan landen als India en China begrijp ik niet. Je kunt geen krant inkijken of je leest weer dat ze zo machtig zijn, economisch gezien, en dat ze over tien jaar de hele wereld in hun zak hebben. Of over twintig jaar. Dus waarom zouden we hun kinderen spekken?' Hij zweeg even, en zei toen: 'Tenminste, dat vraag ik me wel af.'

'Als ik Fazio mag geloven,' zei Brunetti, de naam noemend van zijn vriend die bij de grenspolitie werkte, 'moeten we in ieder geval niet hun kleren en speelgoed en elektronische apparatuur kopen. Maar het kan geen kwaad om een paar honderd euro te geven om een kind naar school te sturen.'

Vianello knikte. 'Die kinderen daar moeten toch eten, natuurlijk. En boeken kopen.' Hij trok zijn handschoenen uit en deed ze in zijn jaszak.

Precies op dat moment kwam de fotograaf binnen en hij zei tegen Brunetti dat Rizzardi hem wilde spreken. De dode vrouw lag inmiddels op haar rug, met haar armen langs haar lichaam. Nu hij opnieuw naar haar keek, kon Brunetti het gevoel niet meer terugroepen dat hem had bekropen toen hij het lijk voor het eerst zag. Haar ogen waren dicht, haar mond was open, haar ziel verdwenen. Er was geen hoop meer dat zich bij dit lichaam nog een ziel ophield. Het was misschien voor discussie vatbaar waar die heen gegaan was, of zelfs of hij ooit bestaan had, maar het stond buiten kijf dat hier sprake was van een afwezigheid van leven.

Boven de ooghoek van haar rechteroog, vlak boven de wenkbrauw, zag Brunetti een wond. Het vlees eromheen was opgezwollen en verkleurd. Uit de wond was een donkere substantie in haar haar gelopen, met dezelfde stroperigheid als zegellak, en het was duidelijk dat het bloed op de grond er ook vandaan kwam. Haar vest hing open, en haar gele blouse was opzij getrokken doordat ze op haar rug gedraaid was. Vlak boven haar sleutelbeen was een langwerpige veeg te zien.

Onwillekeurig bracht Brunetti zijn handen bij elkaar, met gebogen vingers, om de afstand tussen zijn duimen te meten. Toen hij een blik op Rizzardi wierp, zag hij dat de dokter naar zijn handen keek.

'Dan zouden haar ogen bloeddoorlopen moeten zijn,' zei Rizzardi, die de boodschap van geweld uit zijn handen las.

Brunetti hoorde achter zich iemand diep uitademen. Hij draaide zich om en zag Vianello, die hij niet had horen aankomen. De neutrale uitdrukking op het gezicht van de inspecteur was door oefening verworven.

Brunetti keek weer naar de dode vrouw. Een van haar handen was dichtgeknepen, alsof ze daarmee had proberen te voorkomen dat haar ziel haar lichaam zou verlaten. De andere lag open, met de vingers los, als aanmoediging aan de ziel om te vertrekken.

'Kun je het morgenochtend doen?' vroeg Brunetti.

'Ja.'

'Wil je overal naar kijken?'

Rizzardi's reactie was een zucht, gevolgd door een op zachte toon uitgesproken 'Guido', waarin te horen was dat hij geduld oefende.

Rizzardi keek op zijn horloge. Brunetti wist dat de dokter op de overlijdensakte moest vermelden hoe laat ze dood was verklaard, maar hij leek wel erg veel tijd nodig te hebben om dat te bepalen. Uiteindelijk keek hij Brunetti aan. 'Ik kan hier verder niets meer doen, Guido. Ik stuur je het rapport zo snel mogelijk.'

Brunetti gaf een knikje, zag dat het al bijna één uur 's nachts was en bedankte de arts voor zijn komst, ook al wist hij dat Rizzardi geen keus had gehad. De patholoog-anatoom maakte aanstalten om te vertrekken, maar Brunetti kwam dichter bij hem staan en legde zonder iets te zeggen zijn hand even op zijn bovenarm.

'Ik bel je zodra ik klaar ben,' zei Rizzardi. Hij stapte bij Brunetti's hand vandaan en verliet de woning.

4

Brunetti deed de deur dicht, ontevreden over zijn communicatie met Rizzardi en teleurgesteld over zijn eigen behoefte om de arts de dingen te laten zien zoals hij wilde dat hij ze zag. Voor hij iets tegen Vianello kon zeggen, hoorden ze beneden geluiden: weer een deur die openging, daarna afwisselende mannenstemmen. Marillo kwam naar de deur van de slaapkamer waar hij met zijn collega's aan het werk was en zei: 'De dokter heeft een tijdje geleden gebeld dat ze haar moesten komen halen, dus dat zullen ze wel zijn.'

Noch Brunetti, noch Vianello gaf antwoord, en de geluiden van de technisch rechercheurs in de slaapkamer vielen stil. De mannen in het appartement wachtten op de komst van hun collega's die zich over de doden ontfermden, verstard en tot zwijgen gebracht door het magische dat naderbij kwam. Brunetti deed de deur open. De twee mannen die op de overloop verschenen, zagen er echter heel gewoon uit en droegen de lange blauwe jassen van ziekenhuisbroeders. Een van hen droeg een opgerolde brancard onder zijn arm en alle mannen in de woning wisten dat een derde lid van het team beneden stond te wachten met de zwarte plastic doodskist waarin het lijk zou worden gelegd voordat ze het naar buiten brachten naar de boot die klaarlag.

Er werden knikjes en gemompelde groeten uitgewisseld; de meesten hadden elkaar al eerder onder soortgelijke omstandigheden ontmoet. Brunetti, die de twee mannen van gezicht maar niet van naam kende, wees hun de kamer aan het eind van de gang. Toen ze daar naar binnen waren gegaan, bleven Brunetti, Vianello en Marillo, en achter hem de twee andere TR-mannen, staan wachten, terwijl ze net deden alsof ze de geluiden in de woonkamer niet hoorden en ondertussen hun best deden om ze niet te interpreteren. Korte tijd later kwamen de mannen weer te voorschijn met de brancard. De gedaante die erop lag, was afgedekt met een donkerblauw laken. Brunetti was blij om te zien dat het laken schoon was en pas gestreken, ook al wist hij dat het geen verschil maakte.

Met een knikje naar Brunetti verlieten de twee mannen de woning. Vianello deed de deur achter hen dicht. Niemand zei iets; ze luisterden allemaal naar de mannen die de trap afdaalden. Toen het geluid ophield, namen ze aan dat dit betekende dat de dode vrouw naar buiten was gebracht, maar nog steeds verroerde niemand zich. Marillo brak uiteindelijk de ban door zich om te draaien en zijn mannen in de slaapkamer weer aan het werk te zetten.

Vianello ging naar de kleinere logeerkamer, en Brunetti voegde zich bij hem. Het bed was netjes opgemaakt, het witte laken teruggeslagen over een eenvoudige grijze wollen deken. Ze zagen niets dat duidde op verstoring. De kamer was militair – of kloosterlijk – in zijn eenvoud. Zelfs de tekenen die erop wezen dat de TR het vertrek op vingerafdrukken had onderzocht, leken schaars.

Brunetti liep de kamer door en duwde de deur naar de badkamer open. Degene die het bed had opgemaakt, moest ook de dingen op de planken hier netjes hebben gerangschikt: hij zag monsterflesjes shampoo en een in papier verpakt stukje zeep, van het soort dat je in hotelkamers aantrof; een kam verpakt in plastic; een op dezelfde manier verpakte tandenborstel. Schone handdoeken en een washand hingen op een rek naast de douchecabine.

Een mannenstem riep Brunetti's naam. Hij en Vianello traceerden het geluid naar de grotere slaapkamer en zagen Marillo naast een van de ramen staan. 'Wij zijn hier klaar, commissario,' zei hij. Terwijl hij sprak klapte een van zijn mannen zijn driepoot in, hees die op zijn schouder en glipte langs Vianello en Brunetti heen de gang in.

'Hebben jullie iets gevonden?' vroeg Brunetti, die om zich heen keek naar de met poeder bedekte oppervlakken in het vertrek, bijna alsof hij wilde dat Marillo zijn blik zou volgen en iets zou vinden, precies dáár, wat zijn onderzoek de moeite waard en belangrijk zou maken.

Het residu op al die oppervlakken illustreerde voor Brunetti hoe moeilijk het voor hem te geloven was dat er enig betrouwbaar fysiek bewijs te vinden zou zijn in de wirwar van vinger- en handpalmafdrukken die ze aantroffen op elk oppervlak in elke kamer die hij ooit had onderzocht. Er was wat poeder in de onderste la gevallen, die openstond. Sporen ervan waren te zien op de zijden sjaals en de truien die daar door elkaar lagen.

'U weet dat ik daar liever niks over zeg, meneer,' antwoordde Marillo ten slotte met merkbare tegenzin. 'Voordat ik het rapport heb geschreven, bedoel ik.'

'Dat weet ik, Marillo,' zei Brunetti. 'En dat vind ik ook het beste. Maar ik vroeg me af of je ons enig idee kunt geven hoe grondig Vianello en ik te werk moeten gaan als we...' begon hij, en hij maakte een vaag gebaar naar de kamer, alsof hij de handvatten van de laden vroeg om Marillo iets te vertellen over wat er in ze te vinden was.

De tweede TR-man, die nog op zijn knieën naast het bed zat, keek op van het licht dat hij in de ruimte eronder scheen, eerst naar Brunetti en toen naar zijn chef. Zich bewust van zijn blik schudde Marillo zijn hoofd, en hij maakte aanstalten om weg te lopen.

'Kom op, Stefano,' zei de rechercheur, die zijn ergernis niet probeerde te verbergen. 'Ze staan aan onze kant. En het scheelt ze tijd.' Brunetti vroeg zich af of de rechercheur gewoon een cliché gebruikte, of dat het tegenwoordig nodig was dat de ene politieman instond voor de integriteit van de andere.

Marillo verstarde, misschien omdat hij door een van zijn mensen op deze manier werd toegesproken ten overstaan van zijn meerdere, of anders bij de gedachte dat hij een mening ten beste zou moeten geven in plaats van simpelweg te rapporteren over wat er was waargenomen en vastgelegd. 'Het enige wat wij doen is foto's en vingerafdrukken nemen, dottore. Mensen zoals u en Vianello moeten uitzoeken wat de resultaten betekenen.' Dit zou misschien kunnen worden opgevat als tegenwerking of obstructie, maar voor Marillo betekende het niets anders dan dat hij duidelijk wilde maken wat volgens hem zijn plicht was, en die van hen.

'Ach, hou toch op!' riep de andere rechercheur uit, nog steeds op zijn knieën naast het bed. 'We zijn op wel honderd plekken geweest, Stefano, en we weten allebei dat hier niets verdachts is.' Hij leek nog meer te willen zeggen, maar Marillo legde hem met een boze blik het zwijgen op. Er was al enige tijd verstreken sinds Brunetti dat onbehaaglijke gevoel had gekregen bij de aanblik van het lijk, en de opmerking van de man versterkte zijn behoefte om feiten te zien en te interpreteren, geen gevoelens. Hier was geen dief aan het werk geweest, althans niet het soort dief dat inbrak in de huizen in Venetië. Iemand die op zoek was geweest naar goud of juwelen of geld zou de laden hebben opengetrokken en de inhoud op de grond hebben gegooid en uit elkaar hebben geschopt om alles beter te kunnen scheiden en zien. Maar de onderste la, besefte Brunetti, zag er niet erger uit dan die van zijn dochter wanneer ze op zoek was geweest naar een bepaalde trui. Of die van zijn zoon.

De rechercheur bij het bed verbrak de stilte door stommelend over de vloer naar het stopcontact te kruipen om de stekker van zijn lamp eruit te halen. Hij kwam langzaam overeind en wikkelde het snoer luidruchtig om het handvat, waarna hij de stekker onder de laatste lus van het snoer door trok om hem op zijn plaats te houden. 'Ik ben klaar hier, Stefano,' zei hij kortaf.

'Dat was het dan,' zei Marillo hoorbaar opgelucht. 'Ik zal de foto's aan Bocchese geven, en hij mag de vingerafdrukken door de computer halen. Er zijn er een heleboel, sommige heel duidelijk. U krijgt van hem een rapport, meneer.'

'Bedankt, Marillo,' zei Brunetti.

Marillo knikte op een manier die zowel een reactie was op het bedankje als uiting gaf aan zijn ongemakkelijkheid over het feit dat hij niet bereid was geweest om Brunetti meer tegemoet te komen. De andere rechercheur volgde hem naar de deur, waar de derde man bezig was zijn camera en flitslicht in de koffer te doen. Samen waren de drie mannen gauw klaar met het inpakken van hun spullen. Marillo zei alleen maar 'tot ziens', en zijn mensen liepen zonder een woord achter hem aan het appartement uit.

'Ik maak het daar wel af,' zei Brunetti, die besloot terug te keren naar de kleinere slaapkamer. Toen hij er eerder naar binnen was gelopen, was hem al opgevallen hoe eenvoudig de kamer was, maar nu hij tijd had om er echt rond te kijken, zag hij dat het vertrek nog soberder was dan hij al dacht. Er lag geen enkele vorm van bekleding op de houten vloer. Het was geen parket, maar het waren de smalle houten planken van een renovatie – en geen kostbare – die ongeveer vijftig jaar eerder moest zijn uitgevoerd. Naast het bed stond een laag kastje op bolle poten, met daarop een kleine lamp met een gele stoffen lampenkap, waarvan de onderste rand behangen was met verschoten gele kwastjes. Dit had een kamer in het huis van zijn oma kunnen zijn, als hij met een tijdmachine was teruggereisd.

In de halfopen bovenste la van het kastje lag een aantal plastic verpakkingen met damesonderbroeken, drie in elke verpakking, eenvoudige witkatoenen onderbroeken, in drie verschillende maten. Paola had hij dit soort ondergoed nooit zien dragen. Dit waren functionele onderbroeken die een vrouw in een supermarkt zou kopen, niet in een lingeriewinkel, functioneel, niet stijlvol, en zeker niet bedoeld om de aandacht te trekken. Er lagen ook ongeopende verpakkingen met witkatoenen T-shirts, ook in drie maten. De verpakkingen lagen netjes op afzonderlijke stapels in de la, van elkaar gescheiden door een stapeltje gestreken witkatoenen zakdoeken.

Hij schoof de la dicht, zonder nog voorzichtig te hoeven zijn met wat hij aanraakte. De volgende la bevatte een paar ongeopende verpakkingen met panty's en zes of zeven paar sokken, ook helemaal nieuw, allemaal grijs of zwart, ook weer in verschillende maten en met militaire precisie gerangschikt. In de onderste la lagen truien, katoenen aan de ene kant, wollen aan de andere, al waren hier de stapels een beetje door elkaar geraakt. De kleuren waren in ieder geval wat vrolijker: eentje was er rood, één oranje, een andere lichtgroen, en hoewel ze allemaal weleens gedragen waren, zagen ze eruit als kleren die gewassen en gestreken waren voordat ze in de la waren gelegd. Rechts van de truien lag een gewassen en gestreken blauwe flanellen pyjama, met daarachter een pakje reukzakjes met lavendelgeur.

Brunetti deed de laatste la dicht. Hij stapte naar het bed toe en liet zich op één knie zakken om eronder te kijken, maar er lag niets.

Hij hoorde Vianello achter zich de kamer binnenkomen. 'Heb je verder nog iets gevonden in haar slaapkamer?' vroeg Brunetti.

'Nee. Niet veel. Behalve dan dat ze van mooi ondergoed en dure truien hield.'

Brunetti kwam overeind en liep naar het ladekastje. Hij deed de bovenste la open en wees naar de cellofaanverpakkingen. 'Het zijn allemaal verschillende maten en er is er geen een open.' Vianello kwam naast hem staan en keek in de la. 'Idem dito met de panty's,' vervolgde Brunetti. 'En er liggen truien – geen kasjmier – en een pyjama in de onderste la, en het ziet er allemaal uit alsof het net gewassen is.'

'Wat maak je daaruit op?' vroeg Vianello. Hij haalde zijn schouders op en bekende: 'Ik heb zelf geen idee.'

'Gasten nemen hun eigen kleren mee,' zei Brunetti. Vianello zei niets. 'Zeker hun eigen ondergoed.'

Brunetti en Vianello liepen terug naar de kamer waar het lichaam van de vrouw was gevonden. Vanuit de deuropening zag Brunetti dat de bloedvlek niet was verwijderd, en hij dacht eraan hoe het voor de familie zou zijn als ze hier binnenkwamen en de vlek nog aantroffen. In al die jaren dat hij zich had opgehouden te midden van de tekenen achtergelaten door de dood, had hij zich vaak afgevraagd hoe het moest voelen om de laatste sporen van een voormalig leven uit te wissen, en hoe iemand het kon opbrengen om dat te doen.

Nu het lichaam van de vrouw verdwenen was, kon Brunetti zich voldoende concentreren om de kamer voor het eerst goed te bekijken. Hij was groter dan hij aanvankelijk had gedacht. Aan de rechterkant zag hij een schuifdeur en daarachter een klein keukentje met houten kastjes en zo te zien Marokkaanse borden en tegels aan de muren.

De keuken was te klein om plaats te kunnen bieden aan een tafel, dus die was in de grotere kamer neergezet, een functionele rechthoek met vier houten stoelen. Het duurde even voordat het tot Brunetti doordrong dat de kamer vrijwel gespeend was van decoratieve elementen. Er lag een beige kleed van een of andere vezel op de vloer, maar het enige wat de muren sierde was een middelgroot kruisbeeld dat eruitzag alsof het een massaproduct uit een niet-christelijk land was: Christus hoorde toch niet zulke roze lippen en wangen te hebben, en er was ook niet veel om zijn glimlach te rechtvaardigen.

Aan de andere kant van de kamer stond een donkerbruine bank met zijn rug naar de ramen, die uitkeken op het campo en de verlichte apsis van de kerk. Er moest ooit een deuropening hebben gezeten in de muur rechts van de bank, maar tijdens een van de restauraties die dit gebouw in de loop der eeuwen had ondergaan, had iemand besloten die dicht te metselen. Bij de laatste verbouwing was een deel van de stenen weggehaald, waarna de achterkant van de opening was dichtgepleisterd en er planken waren bevestigd om er een ingebouwde boekenkast van te maken.

Niet ver van de bank stond een bureau met een schrijfmachine, eveneens met de achterkant naar het raam. Brunetti keek nog eens goed om te zien of het inderdaad was wat hij dacht dat het was. Ja, een oude draagbare Olympia, zo eentje als zijn vrienden tientallen jaren geleden plachten mee te nemen naar de universiteit. Zijn eigen familie was niet in staat geweest hem er ook een te geven. Hij ging aan het bureau zitten en hield zijn vingers boven de toetsen, terwijl hij ervoor zorgde ze niet aan te raken. Hij moest zijn hoofd ver opzij draaien om uit het raam te kunnen kijken, en nadat hij zich met behulp van de klokkentoren van de kerk had georiënteerd, realiseerde hij zich dat het genegeerde uitzicht vanuit deze ramen op de derde verdieping bij daglicht helemaal tot aan de bergen in het noorden moest reiken.

Achter zich hoorde hij Vianello laden open- en dichtdoen in de keuken, en daarna klonk het zuigende geluid van de opengaande koelkastdeur. Hij hoorde het geruis van stromend water en het gerinkel van glas. Brunetti vond die geluiden geruststellend.

Hoewel het bureau op vingerafdrukken leek te zijn gecontroleerd, deed hij uit gewoonte plastic handschoenen aan voordat hij, zonder te weten waarnaar hij op zoek was, de enkele la in het midden opendeed. Hij was opgelucht toen hij daar een rommeltje aantrof: ongeslepen potloden, een paar paperclips die over de bodem zwierven, een pen zonder dop, een enkele manchetknoop, twee gewone knopen en een blauw schrift, het soort schrift dat studenten gebruiken en, zoals de schriften van zo veel studenten, leeg.

Hij trok de la eruit en zette hem naast de schrijfmachine neer. Hij bukte zich en keek in de lege ruimte, maar er zat niets verstopt. Ook zag hij, toen hij de la optilde, dat er niets tegen de onderkant geplakt zat. Hoewel hij zich behoorlijk belachelijk voelde en ervan overtuigd was dat Marillo's mensen dit al hadden gedaan, ging Brunetti op zijn knieën zitten en stak zijn hoofd onder het bureau, maar ook daar was niets vastgeplakt.

'Waar ben je naar op zoek?' vroeg Vianello achter hem.

'Ik weet het niet,' gaf Brunetti toe, en hij hees zich weer overeind. 'Het is allemaal zo netjes.'

'Is dat niet juist goed?' vroeg Vianello.

'In theorie wel, ja… neem ik aan,' erkende Brunetti. 'Maar…'

'Maar je wilt niet accepteren dat ze aan een hartaanval of aan een beroerte kan zijn gestorven, zoals Rizzardi zei.'

'Het is niet zo dat ik iets wil,' zei Brunetti afgemeten, 'maar je hebt zelf ook die plek bij haar gezien.'

In plaats van te antwoorden, slaakte Vianello een diepe zucht, een geluid dat net zo goed iets als niets kon betekenen. Brunetti wilde liever niet beginnen over het gevoel dat hij in de gang had gehad, uit angst dat Vianello het als onzin weg zou wuiven.

'Er zijn geen aanwijzingen dat hier iemand is geweest,' zei Vianello. Hij wierp een blik op de klok die naast de koelkast hing. 'Het is bijna drie uur, Guido. Kunnen we de boel afsluiten en dicht tapen en dan morg… straks weer verder gaan?'

De naam van het tijdstip viel als een zware mantel op Brunetti's schouders en voerde hem terug naar de vermoeidheid die hij al had gevoeld nog voor hij met Patta en Scarpa was gaan eten.

Hij knikte, en de twee mannen liepen door het huis en deden de lichten uit. Ze lieten de luiken open, zoals ze ze hadden aangetroffen, en er viel genoeg licht vanaf het campo naar binnen om ook toen de lichten uit waren nog iets te kunnen zien. Brunetti opende de deur van de woning en deed het licht op de trap aan. Vianello haalde een rol roodwit tape te voorschijn en plakte daarmee een enorme X over de deur. Brunetti deed hem op slot en stopte de sleutels, die hij van het tafeltje bij de deur had gepakt, in zijn zak. Ze hadden geen adresboekje gevonden. Er was alleen maar een eenvoudige telefoon geweest zonder opgeslagen nummers, en het was nu te laat om de buurvrouw boven nog lastig te vallen en bij haar naar de familie van de dode vrouw te informeren. Brunetti draaide het appartement de rug toe en begon de trap af te lopen.

'Die vrouw van boven zei dat ze vijf dagen in een hotel in Palermo had gezeten. Dat zal ik nog controleren,' zei Brunetti.

Toen ze langs de deur van de woning beneden kwamen, maakte Vianello er een hoofdbeweging naar. 'Die mensen daar hebben ons naar boven en naar beneden horen gaan, dus als die ons iets te zeggen hadden gehad, hadden ze dat waarschijnlijk wel gedaan.' Vervolgens, voordat Brunetti iets kon zeggen, voegde hij eraan toe: 'Maar ik kom later vandaag nog wel even terug om het ze te vragen. Je weet maar nooit.'

Buiten belde de inspecteur naar het bureau op het Piazzale Roma en vroeg of ze een boot wilden sturen om hem op te pikken bij de halte op de Riva di Biasio. Brunetti wist dat het voor hem sneller was om te lopen, dus hij gaf zijn assistent een hand en ging op weg naar huis.

5

Tegen de tijd dat Brunetti wakker werd uit een onrustige slaap was iedereen in huis al weg, en een halfuur lang schommelde hij heen en weer tussen waken en slapen, achtervolgd door signora Giusti's uitroep: 'Ze was een goede buurvrouw', en de herinnering aan de stroperige rode hars die in het witte haar van die goede buurvrouw was gelopen. Zijn selectieve geheugen hervond Marillo's opgelaten terughoudendheid en speelde opnieuw Rizzardi's koele grondigheid af. Hij draaide zich op zijn rug en keek naar het plafond. Zou hij willen dat iemand dat over hem zou zeggen, iemand die een aantal jaren vlak bij hem had gewoond? Dat hij een goede buurman was geweest? Kon er niet meer over iemand gezegd worden die jarenlang een kennis was geweest?

Na een tijdje stapte hij uit bed en liep mopperend op de dag naar de keuken, waar hij een briefje van Paola vond. 'Niet zo mopperen. Koffie op het fornuis. Alleen maar aansteken. Verse koffiebroodjes op het aanrecht.' Hij zag het tweede en het vierde, en deed het eerste en het derde. Terwijl de koffie stond te pruttelen, liep hij naar het raam aan de achterkant en keek naar het noorden. De Dolomieten waren duidelijk te zien, dezelfde bergen die signora Altavilla de rug had toegekeerd en die signora Giusti zou zien vanuit haar ramen op de vierde verdieping.

Hoewel Brunetti een zoon, kleinzoon, achterkleinzoon – en meer – van Venetianen was, had de aanblik van de bergen hem altijd meer vertrouwen ingeboezemd dan die van de zee. Altijd wanneer hij hoorde over een naderend 'iets' dat korte metten zou maken met de mensheid, of las over het voortdurend toenemende aantal schepen gevuld met giftig en radioactief afval dat door de maffia uit de kust van Italië tot zinken werd gebracht, dacht hij aan de majestueuze macht van de bergen, en vond daar troost in. Hij had geen idee hoeveel tijd de mensheid nog beschoren was, maar Brunetti was ervan overtuigd dat de bergen alles zouden overleven en dat er daarna iets anders zou komen. Hij had nooit iemand, zelfs Paola niet, over die gedachte verteld, noch over de vreemde troost die hij eruit putte. Bergen bleven zichzelf altijd zo gelijk, vond hij, terwijl de zee, die altijd veranderde, voor hem zichtbaar te lijden had onder wat haar werd aangedaan en een onmiskenbaar slachtoffer was van de verwoestingen die de mens aanrichtte.

Zijn gedachten waren net afgedwaald naar de massa afval en plastic die zo groot als een continent in de Stille Oceaan dreef, toen het geluid van borrelende koffie hem weer terugbracht naar een bescheidener realiteit. Hij goot het potje leeg in zijn beker, schepte er suiker in en haalde een koffiebroodje uit de zak. Met de beker in de ene hand en het broodje in de andere begon hij weer over de bergen te mijmeren.

Dit keer was het de telefoon die zijn gedachten onderbrak. Hij liep de huiskamer in, en terwijl zijn mond nog druk doende was met zijn koffiebroodje nam hij op met zijn naam.

'Waar zit je, Brunetti?' schreeuwde Patta in zijn oor.

Toen hij jonger was en meer geneigd tot kwajongensachtig verzet, zou Brunetti hebben geantwoord dat hij in zijn huiskamer was, maar hij had in de loop der jaren geleerd hoe hij Patta's woorden moest interpreteren en wist dus dat hij nu diende te verklaren waarom hij niet op het bureau aanwezig was.

Hij slikte de hap door en zei: 'Het spijt me dat ik verlaat ben, meneer, maar Rizzardi's assistent zei dat de dokter me zou bellen.'

'Godallemachtig, heb je dan geen telefonino?' wilde zijn meerdere weten.

'Natuurlijk wel, meneer, maar zijn assistent zei dat de dokter misschien wilde dat ik in het ziekenhuis met hem zou komen praten, dus ik wacht liever tot hij gebeld heeft voordat ik van huis ga. Als ik eerst naar de Questura ga en daarna weer terug moet naar het ziekenhuis, dan is dat een verspilling van...'

Op hetzelfde moment dat Brunetti zich realiseerde dat hij te veel praatte, viel Patta hem in de rede. 'Hou op met liegen, Brunetti.'

'Meneer,' zei Brunetti, en hij zorgde ervoor dat hij de toon kopieerde waarmee Chiara had gereageerd op Paola's laatste commentaar op haar kledingkeuze.

'Kom hiernaartoe. Nu.'

'Jawel, meneer,' zei Brunetti, en hij legde de telefoon neer.

Gedoucht en geschoren en aanzienlijk opgeknapt door het equivalent van drie kopjes koffie, gevoegd bij de suikerroes van twee koffiebroodjes, ging Brunetti met een vreemd opgewekt gevoel de deur uit, een stemming die hij overal weerspiegeld zag, want het was een van die glorieuze zonnige dagen waarop de herfst en de natuur eensgezind alle registers opentrekken om de mensen iets te geven om over te juichen. Hoewel zijn humeur hem smeekte om te gaan lopen, ging hij niet verder dan de halte bij Rialto, waar hij de Nummer Twee richting Lido nam. Het zou maar een paar minuten schelen, maar de herinnering aan Patta's toon moedigde aan tot snelheid.

Hij had geen tijd gehad om een krant te kopen en stelde zich dus tevreden met het lezen van de koppen die hij om zich heen zag. Alweer een politicus op video betrapt in gezelschap van een Braziliaanse transseksueel; nieuwe verzekeringen van de minister van Economische Zaken dat alles goed ging en alleen maar beter werd en dat de berichten over fabriekssluitingen en werkloosheid opzettelijke overdrijvingen waren, een welbewuste poging van de oppositie om de mensen angst en wantrouwen in te boezemen. Opnieuw had een werkloze arbeider zichzelf midden in een stad in brand gestoken, dit keer in Triëst.

Hij keek op van de krantenkoppen toen ze langs de universiteit kwamen. Ook daar zag hij niets nieuws. Wat zou het leuk zijn als op een dag, precies op het moment dat hij langs voer, Paola een van de ramen daarboven open zou gooien en naar hem zou zwaaien, misschien zijn naam zou roepen, uit zou schreeuwen dat ze absoluut en altijd van hem zou houden. Hij wist dat hij dan zijn mannetje zou staan en dezelfde dingen naar haar terug zou schreeuwen. De man naast hem sloeg de pagina van zijn krant om, en Brunetti richtte zijn blik weer op de *Gazzettino* en het nieuws dat nooit nieuw was. Minderjarige bestuurder verloor om twee uur 's nachts de macht over het stuur van zijn vaders auto en reed tegen een plataan aan; oude vrouw pensioen afhandig gemaakt door iemand die beweerde een inspecteur van het elektriciteitsbedrijf te zijn; bevroren vlees in grote supermarkt vol wormen.

Hij stapte uit bij San Zaccaria en liep langs het water, opgepept door de aanblik van de wind op de golven. Een paar minuten voor tien liep hij door de voordeur de Questura binnen, waar hij meteen de trap op ging, rechtstreeks naar Patta's kamer. De secretaresse van zijn superieur, signorina Elettra Zorzi, zat achter haar computer. Ze was bekleed, gelijk de leliën des velds, met een blouse die wel van zijde moest zijn, want het patroon in goud en wit zou met een mindere stof tekort zijn gedaan.

'Goedemorgen, commissario,' zei ze formeel toen hij binnenkwam. 'De vice-questore wil u dolgraag even spreken.'

'Anders ik wel, signorina,' antwoordde Brunetti, en hij liep naar de deur en klopte aan.

Bij het gebrulde '*Avanti!*' trok Brunetti zijn wenkbrauwen op en signorina Elettra haar handen terug van de toetsen.

'O jee,' zei ze bij wijze van waarschuwing.

'*I'm just going inside and may be some time*,' zei Brunetti in bijna accentloos Engels, waarna hij haar perplex achterliet.

Binnen trof hij Patta in zijn no-nonsense houwdegenmodus aan, die Brunetti maar al te goed kende. Hij paste zijn eigen houding dienovereenkomstig aan en liep naar de stoel die Patta aanwees, vóór zijn bureau.

'Waarom ben ik gisteravond niet gebeld? Waarom ben ik hier onkundig van gelaten?' Patta's toon was woedend, maar kalm, zoals paste bij een gezagdrager met een moeilijke taak die het moest stellen zonder hulp van de mensen om hem heen, vooral van degene die vlak voor hem zat.

'Ik heb u van de lijkvinding op de hoogte gebracht toen ik het restaurant verliet, dottore,' zei Brunetti. 'Tegen de tijd dat we klaar waren met ons eerste onderzoek was het drie uur vannacht, en ik wilde u op dat tijdstip niet meer lastigvallen.' Voordat Patta kon zeggen, zoals hij meestal deed op zo'n moment, dat er geen tijdstip bestond, 's nachts of overdag, waarop hij niet bereid was de verantwoordelijkheden van zijn ambt op zich te nemen, zei Brunetti: 'Ik weet dat ik dat had moeten doen, meneer, maar ik dacht dat een paar uur niet uit zou maken en dat we allebei beter in staat zouden zijn onze taak te vervullen als we een goede nacht slaap hadden gehad.'

'Me dunkt dat jij die wel gehad hebt,' kon Patta niet nalaten te zeggen. Brunetti negeerde die opmerking, of in ieder geval verried het gezicht dat hij naar zijn meerdere ophief geen enkele reactie.

'Je hebt blijkbaar geen idee wie die dode vrouw is,' zei Patta.

'De vrouw die boven haar woont zei dat ze Costanza Altavilla heet, dottore,' zei Brunetti op een toon die hij behulpzaam probeerde te laten klinken.

Nauwelijks in staat zijn ergernis te bedwingen, antwoordde Patta: 'Ze is de moeder van de vroegere dierenarts van mijn zoon, als je het weten wil.' Hij zweeg even om het gewicht van zijn woorden tot Brunetti te laten doordringen en voegde er toen aan toe: 'Ik heb haar ooit ontmoet.'

Het kwam maar zelden voor dat Brunetti door Patta met stomheid werd geslagen, maar toch had hij zelfs voor dat uitzonderlijke geval in de loop der jaren een defensieve reactie ontwikkeld. Hij trok zijn ernstigste gezicht, knikte een paar keer nadenkend en bracht een langdurig en zeer bedachtzaam 'Hmmmm' voort. Hij begreep niet waarom Patta daar iedere keer weer intrapte, ook nu weer. Misschien had zijn baas geen coherent geheugen, of misschien was hij niet in staat om op een andere manier op dit soort uiterlijke blijken van eerbied te reageren, zoals een alfahond niet in staat is een hond aan te vallen die op zijn rug gaat liggen en zijn zachte onderbuik en keel toont.

Brunetti wist dat hij verder niets kon zeggen. Hij kon niet het risico nemen om te zeggen 'Dat heb ik me niet gerealiseerd' zonder dat Patta sarcasme in zijn stem zou horen, net zomin als hij Patta kon vragen een relatie te verduidelijken waarvan deze kennelijk vond dat ze geen nadere uitleg behoefde. En hij was te zeer aan zijn baan gehecht om uiting te geven aan zijn nieuwsgierigheid naar het feit dat Patta's zoon een dierenarts had in plaats van een dokter. Hij wachtte, zijn hoofd een beetje schuin, op de wijze van een zeer oplettende hond.

'Salvo had vroeger een husky. Die zijn heel kwetsbaar, vooral in dit klimaat. Hij werd geplaagd door eczeem vanwege de hitte. Dottor Niccolini was de enige die in staat leek te zijn daar iets aan te doen.'

'Wat is er gebeurd, meneer?' vroeg Brunetti oprecht nieuwsgierig.

'O, Salvo heeft die hond aan iemand anders moeten geven. Het werd te veel gedoe voor hem. Maar hij was zeer te spreken over die dokter, en hij zou zeker willen dat we al het mogelijke zouden doen om hem te helpen.' Er was geen twijfel over mogelijk: Brunetti hoorde echte menselijke betrokkenheid in Patta's stem.

Zelfs na al die jaren kon Brunetti niet voorspellen wanneer Patta, op een onbewaakt ogenblik, blijk zou geven van medeleven met anderen. Het stemde hem altijd mild, verleidde hem tot de gedachte dat er toch nog sporen van menselijkheid in de ziel van zijn baas te vinden waren. Dat Patta steeds weer tot zijn gewone harteloosheid verviel, was vooralsnog niet funest geweest voor Brunetti's bereidheid zich voor de gek te laten houden.

'Woont hij hier nog steeds?' zei Brunetti, die zich afvroeg of Patta contact had opgenomen met signora Altavilla's zoon, maar dat niet wilde vragen.

'Nee, nee. Hij werkt nu ergens anders. Vicenza. Verona. Een van die twee.'

'Juist ja,' zei Brunetti, en hij knikte alsof hij het begreep. 'En werkt hij nog steeds als dierenarts, denkt u?'

Patta hief zijn hoofd op, alsof hij plotseling een vreemde geur gewaarwerd. 'Waarom vraag je dat?'

'We moeten contact met hem opnemen. Er lag geen adresboekje in de woning, en ik kon op dat tijdstip niet meer naar boven gaan om het te vragen aan de vrouw die daar woont. Maar als hij nog steeds dierenarts is, zou hij in een van die twee steden geregistreerd moeten staan.'

'Natuurlijk moeten we contact met hem opnemen,' zei Patta met snel gefabriceerde ergernis, alsof Brunetti zich tegen dat idee verzet had. 'Ik had niet gedacht dat ik zoiets simpels nog zou hoeven uitleggen, Brunetti.' Om te voorkomen dat Brunetti ging staan vervolgde hij: 'Ik wil dit snel afgehandeld hebben. We kunnen niet hebben dat de mensen hier in de stad gaan denken dat ze niet meer veilig zijn in hun eigen huis.'

'Inderdaad, vice-questore,' zei Brunetti meteen, benieuwd wie Patta het idee zou hebben gegeven dat de dood van signora Altavilla tot gedachten van onveiligheid zou kunnen leiden. 'Ik zal het uitzoeken, en ik zal signora Giusti bellen...'

'Wie?' vroeg Patta argwanend.

'De vrouw die boven woont, meneer. Ze schijnt die dode vrouw vrij goed gekend te hebben.'

'Dan moet zij wel weten hoe we die zoon te pakken kunnen krijgen,' zei Patta.

'Ik hoop het, dottore,' zei Brunetti, en hij maakte aanstalten om overeind te komen.

'Wat ben je van plan met de pers te doen?' vroeg Patta op behoedzame toon.

'Hebben ze u al benaderd, meneer?' vroeg Brunetti, die zich weer terug liet zakken in zijn stoel.

'Ja,' antwoordde Patta, en hij keek Brunetti doordringend aan, alsof hij vermoedde dat hij of Vianello – of misschien zelfs Rizzardi – vanochtend in alle vroegte urenlang met verslaggevers aan de telefoon had gehangen.

'Wat hebben ze gevraagd?'

'Ze kennen de naam van die vrouw, en ze hebben gevraagd naar de omstandigheden van haar dood, maar geen dingen die afweken van wat ze normaal gesproken vragen.'

'Wat heeft u hun verteld, meneer?'

'Dat de omstandigheden van haar dood al onderzocht worden, en dat we in de loop van vandaag of morgen een rapport van de *medico legale* verwachten.'

Brunetti knikte goedkeurend. 'Dan zal ik zorgen dat we contact opnemen met die zoon, meneer. De vrouw die boven woont zal zeker weten waar we hem kunnen vinden.' Vervolgens, voordat Patta ernaar kon vragen, zei hij: 'Ze was gisteravond absoluut niet in staat om vragen te beantwoorden, meneer.' Toen Patta niet reageerde, zei hij: 'Ik zal nog een keer met haar gaan praten.'

'Waarover?'

'Over haar leven, over die zoon, over alles wat ze kan bedenken wat voor ons een reden tot zorg zou kunnen zijn.' Hij zei niets over Palermo, en ook niet dat Vianello met de benedenburen ging praten, uit vrees dat Patta dan meteen de conclusie zou trekken dat signora Giusti met de dood van haar buurvrouw te maken had.

'"Zorg", Brunetti? Ik denk dat het verstandiger is om eerst het sectierapport af te wachten voordat je woorden als "zorg" in de mond neemt, denk je ook niet?' Brunetti voelde zich bijna opgebeurd door de terugkeer van de Patta die hij kende, de meester van het ontwijken, die zo goed in staat was alle aandacht die niet alleen maar positief of lovend was van zich af te laten glijden. 'Als die vrouw een natuurlijke dood is gestorven, is het verder onze zorg niet, en dus denk ik dat we dat woord maar niet moeten gebruiken.'

Meteen daarna, alsof hij vreesde dat de pers op de een of andere manier lucht zou kunnen krijgen van die opmerking en de hardvochtigheid ervan aan de kaak zou stellen, verbeterde Patta zichzelf voor die stille luisteraars: 'Professioneel gesproken, bedoel ik natuurlijk. In menselijk opzicht is haar dood, zoals die van iedereen, verschrikkelijk.' Daarna, alsof hij werd aangespoord door de stem van zijn zoon, voegde hij eraan toe: 'En al helemaal gezien de omstandigheden.'

'Inderdaad,' bevestigde Brunetti, die de neiging onderdrukte om eerbiedig het hoofd te buigen voor de sibillijnse ondoorzichtigheid van de woorden van zijn meerdere. Na een moment stilte zei hij: 'Ik denk dat we op dit moment nog niets tegen de pers kunnen zeggen, meneer, zeker niet zolang Rizzardi nog niet verteld heeft wat hij heeft gevonden.'

Patta stortte zich hongerig op Brunetti's onzekerheid. 'Je denkt dus dat het een natuurlijke dood is geweest?'

'Ik weet het niet, meneer,' antwoordde Brunetti, die zijn mond hield over de plek die hij had gezien bij het sleutelbeen van de vrouw. Als het fysieke bewijs daadwerkelijk in de richting van een misdrijf wees, zou het aan Patta zijn om dit nieuws bekend te maken, waarmee hij zijn rol van opperste hoeder van de veiligheid van de stad zou bevestigen.

'Zodra we het rapport hebben, kunt u het beste de pers te woord staan, meneer. Ze zullen hoe dan ook meer aandacht hebben voor alles wat u te zeggen hebt.' Brunetti balde zijn rechterhand tot een vuist. Zelfs een bètahond hoefde niet zo lang op zijn rug te blijven liggen, dacht hij, en hij had opeens genoeg van zijn rol.

'Goed,' zei Patta, die weer in een opperbest humeur was. 'Laat me weten wat Rizzardi te zeggen heeft zodra je hem ziet.' Vervolgens, enigszins verstrooid: 'En ga op zoek naar die zoon. Hij heet Claudio Niccolini.'

Brunetti wenste de vice-questore goedemorgen en ging naar het aangrenzende vertrek om signorina Elettra te spreken, ervan overtuigd dat het haar geen enkele moeite zou kosten om ergens in Veneto een dierenarts te vinden die Claudio Niccolini heette.

6

Het bleek nog veel makkelijker dan hij had gedacht: signorina Elettra hoefde alleen maar 'dierenarts' in te tikken en de beroepengidsen van beide steden na te lopen, en had in een mum van tijd het nummer van de praktijk van dott. Claudio Niccolini in Vicenza gevonden.

Brunetti ging naar zijn kamer om hem te bellen, maar kreeg te horen dat de dokter die dag niet op de praktijk was. Toen hij zijn naam en rang noemde en uitlegde dat hij de dokter moest spreken in verband met de dood van zijn moeder, zei de vrouw die hij aan de lijn had dat dokter Niccolini inmiddels op de hoogte was gebracht en al op weg was naar Venetië, daar waarschijnlijk al wás zelfs. Het verwijt in haar stem was onmiskenbaar. Brunetti legde niet uit waarom hij zo laat was met bellen, maar vroeg in plaats daarvan het nummer van Niccolini's telefonino. De vrouw gaf het hem en hing zonder verder iets te zeggen op.

Brunetti draaide het nummer. Een man nam op bij de vierde toon. 'Sì?'

'Dottor Niccolini?'

'*Sì. Chi parla?*'

'U spreekt met commissario Guido Brunetti, dottore. Allereerst wil ik u condoleren met uw verlies,' zei Brunetti. Hij zweeg even en vervolgde toen: 'Ik zou graag even met u willen praten over uw moeder, als dan kan.' Brunetti had geen idee wat zijn bevoegdheden waren, want hij was alleen maar naar het huis van de vrouw toe gegaan omdat er niemand anders was, en hij had zeker niet formeel opdracht gekregen de omstandigheden van haar dood te onderzoeken.

Het duurde een hele tijd voordat de ander antwoord gaf, en toen hij dat deed, flapte hij eruit: 'Waarom...' en hield vervolgens zijn mond. Na nog een keer schijnbaar eindeloos te hebben gezwegen, zei hij enigszins verontrust: 'Ik wist niet dat dit een zaak voor de politie was.'

Als hij dat toch al dacht, leek het Brunetti het beste om hem maar in die waan te laten. 'Alleen maar omdat wij als eersten gebeld zijn, dottore,' zei Brunetti op zijn meest neutrale bureaucratische toon. Daarna schakelde hij over op het register van de op de proef gestelde ambtenaar die van alles te stellen had met de incompetentie van anderen, en zei: 'Normaal gesproken zou het ziekenhuis mensen hebben gestuurd, maar omdat degene die het sterfgeval heeft gemeld ons gebeld heeft, waren wij verplicht om te gaan.'

'Ah, op die manier,' zei Niccolini op kalmere toon.

Vervolgens vroeg Brunetti: 'Mag ik vragen waar u bent, dottore?'

'Ik ben in het ziekenhuis. Ik heb zo dadelijk een gesprek met de patholoog-anatoom.'

'Daar ben ik zelf ook op weg naartoe,' loog Brunetti moeiteloos. 'Er zijn nog wat formaliteiten; op deze manier kan ik die afhandelen en meteen ook met u spreken.' Zonder Niccolini's reactie af te wachten zei Brunetti: 'Ik ben er over tien minuten,' en klapte zijn mobiel dicht.

Hij nam niet de moeite om te kijken of Vianello in de agentenkamer was, maar verliet snel de Questura en ging op weg naar het ziekenhuis. Onder het lopen dacht hij na over Niccolini's toon en over zijn woorden. Angst om in aanraking te komen met de politie was een normale reactie van iedere burger, besefte hij, dus misschien was de nervositeit die hij in de stem van de man had gehoord niets bijzonders. Daar kwam bij dat dottor Nicolini had gesproken vanuit het ziekenhuis, waar het lichaam van zijn dode moeder lag.

Hij werd van zijn bespiegelingen afgeleid door de schoonheid van de dag. Die had alleen nog de geur van verbrande bladeren nodig om hem weer helemaal terug te voeren naar die lang vervlogen dagen in het late najaar waarop hij samen met zijn broer naar hartenlust had rondgezworven op de eilanden van de *laguna*, waar ze soms de boeren hielpen met de laatste oogsten van het jaar om daarna thuis vol trots de zakken met fruit of groente te laten zien waarmee ze betaald waren.

Hij stak het Campo SS. Giovanni e Paolo over, zich ervan bewust hoe perfect het licht vandaag zou zijn voor de glas-in-loodramen van de basiliek. Hij ging het Ospedale binnen. De enorme toegangshal slokte het meeste licht op, en hoewel hij op weg naar het *obitorio* over binnenplaatsen en door open ruimten liep, had hij door de omringende muren niet het gevoel dat hij zich daar in de open lucht bevond.

Er stond een man in de wachtkamer voor het mortuarium. Hij was groot en zwaargebouwd, met het lichaam van een worstelaar aan het eind van zijn carrière, bij wie het spierweefsel zijn tonus al begint te verliezen, maar nog niet wordt omgezet in vet. Hij keek op toen Brunetti binnenkwam en zag hem weliswaar, maar gaf geen enkele reactie.

'Dottor Niccolini?' vroeg Brunetti, en hij stak hem zijn hand toe.

Het duurde even voor Brunetti tot de dierenarts doordrong, alsof deze eerst andere gedachten uit zijn hoofd moest verdrijven voor hij kon bevatten dat er iemand voor hem stond. 'Ja,' zei hij uiteindelijk. 'Bent u de politieman? Het spijt me, maar ik weet uw naam niet meer.'

'Brunetti,' zei hij.

De ander gaf Brunetti een hand, meer uit gewoonte dan uit behoefte. Zijn handdruk was stevig, maar beslist ook vluchtig. Brunetti zag dat zijn linkeroog net iets kleiner was dan het rechter, of net iets schuiner stond. Beide ogen waren donkerbruin, evenals zijn haar, dat al grijs begon te worden bij de slapen. Zijn neus en mond waren verrassend fijn voor een man van zijn postuur, alsof ze waren ontworpen voor een kleiner gezicht.

'Het spijt me dat ik u onder deze omstandigheden moet treffen,' zei Brunetti. 'Dit moet erg moeilijk voor u zijn.' Er zouden een soort vaste formuleringen moeten bestaan voor dit soort situaties, dacht Brunetti, een manier om de ongemakkelijkheid te ondervangen.

Niccolini knikte, perste zijn lippen samen en sloot zijn ogen, waarna hij zich snel van Brunetti afwendde alsof hij iets hoorde achter de deur van het mortuarium.

Brunetti stond daar met zijn handen op zijn rug, zijn ene hand om de andere pols. Hij werd zich bewust van de geur in het vertrek, een geur die hij al te vaak had geroken: iets chemisch en scherps dat iets anders, iets wilds en warms en vloeibaars, vergeefs probeerde te verdringen. Aan de muur tegenover hem zag hij een van die gruwelposters hangen waar ziekenhuizen het patent op hebben: deze toonde sterk vergrote afbeeldingen van wat volgens hem de teken waren die encefalitis en de ziekte van Lyme verspreidden.

Brunetti richtte het woord tot de rug van de man en kon niets anders dan banaliteiten bedenken. 'Ik wil u graag condoleren, dottore,' zei hij, voordat hij zich herinnerde dat hij dat al gedaan had.

De dokter gaf niet meteen antwoord en draaide zich ook

niet om. Na een tijdje zei hij met zachte, gekwelde stem: 'Ik heb ook secties verricht, weet u.'

Brunetti zei niets. De ander haalde een zakdoek uit zijn broekzak, veegde zijn gezicht af en snoot zijn neus. Toen hij zich omdraaide leek zijn gezicht even het gezicht van een andere man, ouder op de een of andere manier. 'Ze willen niets zeggen – niet hoe ze gestorven is en ook niet waarom ze een autopsie doen. Dus sta ik hier maar te staan en probeer te bedenken wat er allemaal gebeurd kan zijn.' Zijn mond vertrok zich tot een grimas, en Brunetti was heel even bang dat de dierenarts in huilen uit zou barsten.

Omdat hier geen gepaste repliek bestond, wachtte Brunetti een paar tellen, ging toen naar Niccolini toe en pakte zonder iets te zeggen zijn arm. De man verstarde, alsof Brunetti's aanraking de voorbode van een klap was. Hij draaide met een ruk zijn hoofd om en keek Brunetti aan met de ogen van een verschrikt dier. 'Kom, dottore,' zei Brunetti sussend. 'Misschien moet u even gaan zitten.' De weerstand van de ander verdween, en Brunetti nam hem mee naar de rij plastic stoelen, liet langzaam zijn arm los en wachtte tot de dierenarts ging zitten. Daarna draaide Brunetti een andere stoel een kwart slag naar hem toe en ging ook zitten.

'De bovenbuurvrouw van uw moeder heeft ons gisteravond gebeld,' begon hij.

Het duurde even voordat tot Niccolini doordrong wat Brunetti gezegd had, en vervolgens zei hij alleen maar: 'Ze heeft me vanmorgen gebeld. Daarom ben ik hier.'

'Wat heeft ze u verteld?' vroeg Brunetti.

Niccolini's handen begonnen, bijna tegen zijn wil, aan elkaar te plukken. Het geluid, ruw en droog, was eigenaardig luid. 'Dat ze naar beneden was gegaan om tegen *mamma* te zeggen dat ze weer thuis was en om haar post op te halen. En toen ze naar binnen ging, vond ze... haar.'

Hij schraapte zijn keel en trok opeens zijn handen van elkaar en stopte ze onder zijn dijen, als een schooljongen tijdens een moeilijk examen. 'Op de grond. Ze zei dat ze meteen wist dat ze dood was, zodra ze haar zag.'

De dierenarts haalde diep adem, liet zijn blik afdwalen naar een punt rechts van Brunetti en vervolgde: 'Ze zei dat toen het allemaal klaar was en ze haar meegenomen hadden – mijn moeder – dat het haar toen beter leek om nog even te wachten met bellen. Maar daarna heeft ze het alsnog gedaan. Vanmorgen dus.'

'Juist ja.'

De man schudde zijn hoofd, alsof Brunetti een vraag had gesteld. 'Ze zei dat ik jullie moest bellen – de politie. En toen ik dat deed, toen zeiden ze – ik bedoel jullie – ik bedoel degene die ik gesproken heb op de Questura – die zei dat ik het ziekenhuis moest bellen als ik meer te weten wilde komen.' Hij haalde zijn handen onder zijn benen vandaan en vouwde ze in zijn schoot, waar ze roerloos bleven liggen. Hij keek ernaar en zei: 'Dus toen heb ik hiernaartoe gebeld. Maar ze wilden er niets over zeggen. Het enige wat ze zeiden was dat ik hiernaartoe moest komen.' Na een korte stilte voegde hij eraan toe: 'Daarom was ik nogal verbaasd toen u belde.'

Brunetti knikte, alsof hij het idee wilde geven dat de politie hier niets mee te maken had, terwijl hem ondertussen opviel hoezeer Niccolini erop gebrand was de dood van zijn moeder buiten de politiesfeer te houden. Maar welke burger zou niet zo reageren? Brunetti probeerde zijn hoofd vrij te houden van argwaan en van gedachten over een bureaucratie die in staat was deze man op dit moment op deze plek uit te nodigen, en zei: 'Mijn verontschuldigingen voor de verwarring, dottore. Het moet onder deze omstandigheden dubbel pijnlijk zijn.'

Er viel een stilte tussen hen. Niccolini richtte zijn aandacht weer op zijn handen, en Brunetti besloot dat het verstandiger was om niets te zeggen. De omstandigheden, de locatie, het afschuwelijke dat gaande was in het andere vertrek – al die dingen drukten op hen en ontnamen hun de behoefte om te spreken.

Het duurde niet zo lang, al had Brunetti geen idee hoe lang precies, voor Rizzardi in de deuropening verscheen, zijn laboratoriumjas verruild voor zijn gebruikelijke pak en stropdas. 'Ah, Guido,' zei hij toen hij Brunetti zag. 'Ik wilde...' begon hij, maar toen werd hij de andere man gewaar, en Brunetti zag dat hij zich realiseerde dat dit een familielid moest zijn van de vrouw op wie hij zojuist sectie had verricht. Zonder te aarzelen richtte hij zijn aandacht op hem en zei: 'Ik ben Ettore Rizzardi, medico legale.' Hij liep op hem toe en stak zijn hand uit. 'Het spijt me u hier te moeten zien, signore.' Brunetti had hem dit talloze keren zien doen, maar het was iedere keer weer nieuw, alsof de arts pas op dat moment menselijk verdriet had ontdekt en zijn best wilde doen om er troost voor te bieden.

Niccolini kwam overeind en klampte zich aan Rizzardi's hand vast. Brunetti zag diens lippen verstrakken bij de kracht waarmee de ander hem vastgreep. De patholoog deed een stapje dichterbij en legde zijn linkerhand op de schouder van de man. Niccolini ontspande zich een beetje, snakte toen opeens naar adem, vertrok zijn gezicht en boog zijn hoofd naar achteren. Hij ademde een paar keer diep door zijn neus en liet Rizzardi's hand langzaam los. 'Wat is het geweest?' vroeg hij, bijna smekend.

Rizzardi leek allerminst ontdaan door Niccolini's toon.

'Het is misschien beter als we even naar mijn kamer gaan,' zei hij kalm.

Brunetti liep met hen mee naar Rizzardi's kamer, aan het eind van de gang links. Halverwege bleef Niccolini staan, en Brunetti hoorde hem zeggen: 'Ik denk dat ik naar buiten moet. Ik wil niet hier binnen zijn.' Het was Brunetti duidelijk dat Niccolini moeite had met ademhalen, dus stapte hij achter Rizzardi langs en ging de twee mannen voor door de diverse gangen en binnenplaatsen, terug naar de hoofdingang en het campo, waar hij ontdekte dat de schoonheid van de dag op hen lag te wachten.

Terug in de zon en de levende wereld werd Brunetti overvallen door een enorme behoefte aan koffie, of misschien was het suiker waarnaar hij verlangde. Terwijl de drie mannen de lage traptreden van het ziekenhuis afdaalden en het campo op liepen, legde Niccolini zijn hoofd in zijn nek en liet de zon over zijn gezicht schijnen op een manier die Brunetti bijna ritualistisch aandeed. Ze bleven even staan bij het standbeeld van Colleoni, waar Brunetti zijn blik verlangend langs de rij cafés aan de overkant van het campo liet gaan. Zonder iets te vragen liep Rizzardi bij hen vandaan in de richting van Rosa Salva, waarna hij zich omdraaide en hun gebaarde mee te komen.

Binnen bestelde Rizzardi een koffie, en toen de anderen zich bij hem voegden, knikten ze naar de barman voor hetzelfde. Om hen heen stonden mensen gebak te eten, sommigen zelfs al *tramezzini*, of koffie te drinken. Anderen hadden een *spritz* besteld. Wat heerlijk, en ook wat verschrikkelijk, om daarvandaan hier binnen te komen, te midden van het gesis van het koffieapparaat en het gerinkel van kopjes op schoteltjes, en geconfronteerd te worden met datgene wat we allemaal weten en waar we ons altijd een beetje ongemakkelijk bij voelen: dat het leven voortsukkelt, ongeacht wat er met ons gebeurt. Het zet de ene voet voor de andere en fluit een deuntje dat nu eens treurig is en dan weer vrolijk, maar het blijft de ene voet voor de andere zetten en verdergaan.

Toen de kopjes voor hen op de bar stonden, scheurden Rizzardi en Brunetti pakjes suiker open en roerden die door hun koffie. Niccolini stond naar zijn kopje te kijken alsof hij niet goed wist wat het was. Pas toen hij werd aangestoten door een man die langs hem reikte om zijn kop en schotel op de bar te zetten, nam hij zelf ook suiker.

Toen ze hun koffie op hadden legde Rizzardi wat geld op de bar, waarna de drie mannen weer naar buiten gingen. Een klein jongetje dat niet hoger leek te reiken dan Brunetti's knie suisde voorbij op een step, zich afzettend met één voet en gillend van uitgelatenheid. Een ogenblik later kwam zijn vader voorbij rennen. 'Marco, Marco, *fermati*,' riep hij hijgend.

Rizzardi liep naar het hekwerk rond de sokkel van het standbeeld van Colleoni, leunde ertegenaan, met zijn rug naar het beeld, en keek richting Barbaria delle Tole, met de basiliek links van hem. Brunetti en Niccolini posteerden zich ter weerszijden van hem. 'Uw moeder is gestorven aan een hartaanval, dottore,' zei Rizzardi zonder inleiding, terwijl hij recht voor zich uit keek. 'Het moet heel snel gegaan zijn. Ik weet niet hoe pijnlijk het is geweest, maar ik kan u verzekeren dat het heel vlug is gegaan.'

Achter hen hoorden ze Marco's gegil en zijn opgetogenheid over de dag en over de ontdekking van snelheid.

Niccolini haalde diep adem, en Brunetti hoorde daarin de opluchting die iedereen zou voelen bij de woorden van de arts. De drie mannen luisterden naar de stem van het kind en de vermanende tegenzang van de vader.

Niccolini schraapte zijn keel en zei met aarzelende, schorre stem: 'Signora Giusti – mijn moeders buurvrouw – zei dat ze bloed had gezien.' Dat gezegd hebbende, zweeg hij, en toen Rizzardi niet reageerde, vroeg hij: 'Is dat waar, dottore?' Brunetti keek naar Niccolini's handen en zag dat die gebald waren tot vuisten die trilden van spanning.

Opnieuw suisde het jongetje hen gillend voorbij. Toen hij de andere kant van het campo had bereikt, wendde Rizzardi zich tot Brunetti, als om hem te vragen hem op een of andere manier bij te staan, maar Brunetti bood geen hulp en was alleen maar benieuwd hoe de patholoog Niccolini's vraag zou beantwoorden.

Rizzardi klemde zijn handen om de bovenste stang van het hek en leunde naar achteren. 'Ja, er waren fysieke aanwijzingen die dat konden verklaren, maar niets wat onverenigbaar was met een hartaanval,' zei Rizzardi. Hij verviel weliswaar in jargon, viel Brunetti op, maar hij maakte geen melding van de plek die ze op signora Altavilla hadden gezien. Hij achtte het uitgesloten dat Rizzardi meende dat die niets te betekenen had, want in dat geval zou hij er zeker iets over hebben gezegd, gewoon om het van tafel te vegen.

Brunetti was benieuwd hoe Niccolini op dit antwoord van niets zou reageren, maar die knikte alleen maar ten teken dat hij het had gehoord. Rizzardi vervolgde: 'Als u wilt, kan ik wel proberen uit te leggen wat er precies gebeurd is. In medische zin, bedoel ik.' Toen hij Rizzardi's minzame glimlach zag, besefte Brunetti dat deze geen idee had van het beroep van Niccolini, noch van de medische opleiding die eraan voorafgegaan moest zijn, en dat hij dus ook geen idee kon hebben van het effect dat hij met zijn neerbuigendheid sorteerde.

Niccolini vroeg met heel zachte stem: 'Kunt u iets preciezer zijn over die "fysieke aanwijzingen"?'

Zijn toon, meer dan zijn woorden, trok Rizzardi's aandacht. De patholoog-anatoom zei: 'Er waren tekenen van trauma.' Ah, dacht Brunetti, nu komen we bij die plek op haar keel.

Niccolini liet dit even bezinken en zei toen, terwijl hij moeite moest doen om neutraal te klinken: 'Er zijn vele soorten trauma.'

Brunetti besloot in te grijpen voordat Rizzardi de betekenis van de term zou gaan simplificeren en Niccolini nog verder tegen zich in het harnas zou jagen. 'Ik denk dat je moet weten dat dottor Niccolini dierenarts is, Ettore.'

Rizzardi wachtte even met zijn reactie, maar toen die kwam, was het duidelijk dat het nieuws hem genoegen deed. 'Ah, dan zal hij het begrijpen,' zei hij.

Zowel Rizzardi als Brunetti hoorde Niccolini's adem stokken. Hij draaide zich om naar de patholoog, één hand onwillekeurig tot een vuist gebald, zijn gezicht wezenloos van geschoktheid.

Rizzardi stapte bij het hek vandaan en hief zijn handen op in een instinctief gebaar van zelfbescherming. 'Dottore, dottore, ik bedoelde niets verkeerds.' Hij beklopte met zijn handpalmen de lucht tussen hen in tot Niccolini, die versteld leek te staan van zijn eigen gedrag, zijn vuist liet zakken. Rizzardi zei: 'Ik bedoelde alleen dat u dan de fysiologie van wat ik wilde zeggen, zou begrijpen. Verder niets.' Vervolgens, rustiger: 'Alstublieft, alstublieft. Houdt u me ten goede.'

Was Niccolini zo overstuur dat hij Rizzardi's opmerking had opgevat als een vergelijking tussen dierlijke en menselijke anatomie? Maar hoe kon hij koel en rationeel blijven in aanwezigheid van de man die de autopsie had verricht?

Niccolini knikte een paar keer, met zijn ogen dicht en zijn gezicht rood aangelopen, keek Rizzardi toen aan en zei: 'Natuurlijk, dottore. Ik begreep het verkeerd. Het is allemaal zo...'

'Ik weet het. Het is allemaal zo verschrikkelijk. Ik heb met heel veel mensen gesproken. Het is nooit gemakkelijk.'

De mannen vervielen weer in zwijgen. Er kwam een beagle uit een van de winkels aan het eind van het plein. Hij deed zijn behoefte tegen een boom en liep de winkel weer in.

Rizzardi's stem leidde Brunetti's aandacht af van de hond. 'Ik kan alleen maar herhalen dat uw moeder is gestorven aan een hartaanval: daar is geen twijfel over.' Brunetti had vaak genoeg naar Rizzardi geluisterd om te weten dat hij de waarheid sprak, maar nu hij zijn gezicht kon zien, wist hij dat er ook nog iets was wat de arts niet vertelde.

Rizzardi ging verder: 'En om uw vraag te beantwoorden: ja, er was ook bloed ter plaatse. Commissario Brunetti heeft het ook gezien.' Niccolini keek naar Brunetti voor bevestiging, en Brunetti knikte, en wachtte vervolgens af hoe Rizzardi's verklaring luidde. 'Er hing een radiator niet ver van waar uw moeder is gevonden, en het is niet onverenigbaar met het bewijsmateriaal dat ze haar hoofd heeft gestoten toen ze viel. Zoals u weet, bloeden hoofdwonden vaak hevig, maar omdat de dood zo snel na haar hartaanval is ingetreden, zal ze niet lang gebloed hebben, en ook dat is goed te verenigen met wat we ter plaatse hebben waargenomen.' Met elke zin die hij sprak, kwam Rizzardi's taalgebruik dichter in de buurt van het jargon van officiële rapporten en ambtelijke stukken.

Als een man die bovenkwam om lucht te happen zei

Niccolini: 'Maar ze is gestorven aan die hartaanval?' Hoe vaak moest hij dat wel niet horen, vroeg Brunetti zich af.

'Zonder twijfel,' zei Rizzardi met zijn meest officiële stem, en toen Brunetti dat hoorde, veranderde de zacht piepende onbehaaglijkheid waarmee hij zijn eerdere uitlatingen had aangehoord opeens in een claxon van twijfel. Brunetti had geen idee waarover de arts loog, maar was er nu van overtuigd dat hij dat deed.

Niccolini imiteerde Rizzardi's eerdere houding en leunde naar achteren tegen het hek.

Een geluid dat leek op een oorlogskreet trok hun aandacht, en ze keken alle drie naar de overkant van het campo, waar Marco bezig was steeds kleinere rondjes om een van de bomen te draaien. Terwijl hij zijn blik liet rusten op de krimpende spiraal van het spel van de jongen, dacht Brunetti na over het gedrag van Niccolini. Radeloosheid of verdriet of een uitbarsting van tranen kon hij begrijpen. Het tegenovergestelde had hij in de loop van zijn carrière ook meegemaakt: ijskoude voldoening over de dood van een ouder. Maar Niccolini leek tegelijkertijd nerveus en verlamd. Waarom zou hij anders steeds weer van Rizzardi willen horen dat het een natuurlijke dood was geweest?

Rizzardi schoof de mouw van zijn colbert opzij en keek op zijn horloge. 'Het spijt me, signori, maar ik heb een afspraak.' Hij gaf Niccolini een hand en nam beleefd afscheid van hem. Tegen Brunetti zei hij dat hij hem zo snel mogelijk het rapport zou sturen en dat hij moest bellen als hij nog vragen had.

Niccolini en Brunetti keken de patholoog-anatoom zwijgend na terwijl hij het campo overstak en in het ziekenhuis verdween.

7

Toen Rizzardi verdwenen was, vroeg Brunetti met een knikje in de richting van het ziekenhuis: 'Is er verder nog iets wat u daar moet doen?'

'Nee, ik geloof het niet,' antwoordde Niccolini, en hij schudde zijn hoofd alsof hij de gedachte aan die plek wilde uitwissen. 'Ik moest wat papieren tekenen toen ik naar binnen ging, maar niemand heeft gezegd dat ik nog iets anders moest doen.' Hij keek naar het ziekenhuis, daarna weer naar Brunetti en voegde eraan toe: 'Ze zeiden dat ik haar vanmiddag pas kan zien. Om twee uur.' Vervolgens zei hij, meer tegen zichzelf dan tegen Brunetti: 'Dit had niet mogen gebeuren.' Hij keek op en zei, alsof hij vreesde dat Brunetti reden had om het te betwijfelen: 'Ze was een goede moeder.' En na een korte stilte: 'Ze was een goed mens.'

Ondanks zijn jaren – tientallen jaren – als politieman wilde Brunetti nog steeds graag geloven dat dit voor de meeste mensen gold. De ervaring wees uit dat ze goed waren, in ieder geval totdat ze in een ongewone of moeilijke situatie terechtkwamen, en dan veranderden sommige mensen – veel mensen zelfs. Brunetti verraste zichzelf door aan een gebed te denken: 'lijd ons niet in bekoring'. Wat intelligent van degene die dat gezegd had – was het Christus zelf geweest? – om te beseffen hoe makkelijk we te verleiden zijn en hoe makkelijk we vallen, en hoe verstandig het is om te bidden dat de verleiding ons bespaard blijft.

'... je zou denken dat ze...' hoorde hij Niccolini zeggen,

en hij richtte zijn aandacht weer op de ander. In plaats van zijn zin af te maken, bracht de dierenarts zijn hand omhoog, met de palm naar boven, en liet hem vervolgens langs zijn lichaam vallen, alsof hij zich erbij neerlegde dat de hemel weinig belangstelling had voor wat er met zijn moeder gebeurd was.

Brunetti's gebrek aan aandacht was maar tijdelijk geweest. Hij wilde heel graag horen wat de man te zeggen had en stelde dus voor, met een blik op zijn horloge: 'Dottore, als u wilt, kunnen we samen wat gaan eten.' Hij wachtte even en vervolgde toen: 'Maar als u liever alleen bent,' – hij hief zijn handen op en bewoog zijn lichaam wat naar achteren – 'dan heb ik daar alle begrip voor.'

Niccolini keek hem een ogenblik recht in de ogen. Daarna keek ook hij op zijn horloge en staarde er een tijdje naar alsof hij probeerde uit te vinden wat de cijfers betekenden.

'Ik heb nog een uur,' zei hij ten slotte. Daarna voegde hij er resoluut aan toe: 'Ja.' Hij zocht het campo af naar iets bekends en zei: 'Ik weet toch niet wat ik in de tussentijd moet doen, en zo gaat de tijd sneller voorbij.' Hij keek weer naar de bar waar ze koffie hadden gedronken. 'Het is helemaal anders,' zei hij.

'De bar? Of het campo?' vroeg Brunetti. Of misschien had Niccolini het wel over het leven. Nu. Erna.

'Alles, denk ik,' zei Niccolini. 'Ik kom niet meer zo vaak in Venetië. Alleen als ik naar mijn moeder ga, en dat is zo dicht bij het station dat ik dan geen andere delen van de stad zie.' Hij keek om zich heen, verbluft door wat hij zag, als een toerist die hier voor het eerst aan blootgesteld werd. Hij draaide zich om en wees naar de Miracolikerk. 'Mijn lagere school stond in de Giacinto Gallina, dus deze buurt ken ik wel. Of kende ik wel.' Hij gebaarde naar een van de bars.

'Sergio zit er niet meer, en de bar is nu van Chinezen. En die twee oude mensen die Rosa Salva runden, die zijn ook weg.'

Alsof de naam van die bar een aanmoediging was, begon Niccolini erheen te lopen. Brunetti liep met hem mee, in de veronderstelling dat zijn uitnodiging was aangenomen. Ze kozen stilzwijgend een tafeltje buiten, eentje zonder parasol, zodat ze beter konden genieten van het laatste restje herfstzon. Er lag een menu op tafel, maar daar keken ze geen van beiden naar. Toen de ober kwam, vroeg Brunetti om een glas witte wijn en twee tramezzini: het maakte niet uit welke. Niccolini zei dat hij hetzelfde nam.

De eerste maanden nadat Brunetti's moeder volledig ten prooi was gevallen aan de Alzheimer die tot haar dood zou leiden, had ze in een bejaardenhuis een stukje verderop in de Barbaria delle Tole gewoond, maar hoe graag Brunetti ook wilde dat Niccolini over zijn moeder zou vertellen, hij was niet bereid zijn vertrouwen en medeleven te winnen door over het lijden van zijn eigen moeder te beginnen en hem op die manier aan het praten te krijgen.

Ze zaten te wachten zonder iets te zeggen, merkwaardig ontspannen in elkaars gezelschap. 'Ging u vaak bij haar op bezoek?' vroeg Brunetti uiteindelijk.

'Tot een jaar geleden wel,' zei Niccolini. 'Maar toen kreeg mijn vrouw een tweeling, en sindsdien kwam mijn moeder naar ons toe.'

'In Vicenza?'

'Lerino, eigenlijk. Daar komen mijn ouders oorspronkelijk vandaan. Dan kwam ze met de trein en haalde ik haar van het station op.' De ober kwam met de glazen wijn. Brunetti pakte het zijne van tafel en nam een slokje, daarna nog een. Niccolini negeerde zijn glas en praatte verder. 'We hebben nog een kind, een dochter. Die is zes.'

Brunetti dacht aan de vreugde die zijn eigen moeder aan haar kleinkinderen had beleefd en zei: 'Daar zal ze wel blij mee geweest zijn.'

Niccolini glimlachte voor het eerst sinds ze elkaar ontmoet hadden en werd er jonger door. 'Ja, dat was ze ook.' De ober kwam en zette de sandwiches voor hen neer.

'Het is raar,' zei Niccolini, die zijn glas pakte maar de sandwiches liet liggen. 'Ze is haar hele leven met kinderen bezig geweest, eerst als onderwijzeres en daarna met mij en mijn zusje, en daarna met andere kinderen toen ze weer ging lesgeven toen wij allebei op school zaten.' Hij nam een slokje wijn, pakte vervolgens een sandwich en keek ernaar. Hij legde hem terug op het bord.

Brunetti nam een hap van zijn eerste sandwich en vroeg toen: 'Wat was raar, dottore?'

'Dat ze zich na haar pensioen niet meer met kinderen heeft beziggehouden.'

'Wat deed ze dan?' vroeg Brunetti.

Niccolini nam Brunetti aandachtig op en vroeg toen, langzaam formulerend alsof hij op zoek was naar de juiste woorden: 'Waarom wilt u dit allemaal weten?'

Brunetti nam nog een slokje wijn. 'Ik ben geïnteresseerd in vrouwen van mijn moeders generatie. Met een blik in Niccolini's richting en voordat deze iets kon tegenwerpen, voegde hij eraan toe: 'Nou ja, die qua leeftijd een beetje in de buurt komen.' Hij zette zijn glas op tafel en ging verder. 'Mijn moeder heeft nooit gewerkt: die bleef thuis om voor ons te zorgen, maar jaren geleden heeft ze een keer tegen me gezegd dat ze dolgraag onderwijzeres was geweest. Maar ze kwam uit een familie die geen geld had, dus is ze gaan werken toen ze veertien was. Als dienstmeisje.' Brunetti zei het ronduit, in weerwil van al die jaren dat hij deze eenvoudige waarheid had ontkend, en eigenlijk had gewild dat zijn ouders anders waren geweest, dat ze rijker waren geweest, beschaafder. 'Daarom ben ik altijd geïnteresseerd in die vrouwen die hebben kunnen doen wat mijn moeder had willen doen. In wat ze met die kans hebben gedaan.'

Kennelijk overtuigd van de oprechtheid van Brunetti's belangstelling ging Niccolini verder. 'Ze ging zich met oude mensen bezighouden. Nou ja, oudere mensen. Ze is daar begonnen, zelfs.' Hij wees met zijn kin, en er was niemand in Venetië die niet zou hebben geweten dat hij doelde op het bejaardenhuis, het *casa di cura*, honderd meter verderop.

'Hoe begonnen?' vroeg Brunetti. 'Wat deed ze dan?'

'Ze ging op bezoek. Luisterde naar ze. Ging met ze naar buiten, hier naar het campo, als het goed weer was.' Ook dat was een vertrouwd fenomeen voor iedereen in de stad: kleine oude mensen gekromd in hun rolstoel, met dekens over zich heen, ongeacht welk jaargetijde, die het zonlicht in werden gereden door vrienden of familieleden of, in toenemende mate, door vrouwen met een Oost-Europees uiterlijk, die hen naar het campo brachten om een deel van het leven dat hun nog restte door te brengen te midden van wat er nog aan leven restte buiten hun kleine, benauwde kamertje.

Brunetti vroeg zich af of de moeder van deze man een van de mensen geweest kon zijn die zijn eigen moeder hadden geholpen, maar zodra die gedachte in hem opkwam, wees hij die van de hand als zijnde irrelevant.

'Als het slecht weer was, las ze wat voor of luisterde ze naar ze.' Niccolini boog zich naar voren en pakte de sandwich weer. Hij nam een hap en legde hem terug op de rand van het bord. 'Ze genoten er altijd zo van, zei ze, om jongere mensen te kunnen vertellen hoe het leven was geweest toen ze zelf jonger waren en wat ze gedaan hadden en hoe de stad vroeger was: zestig, zeventig jaar geleden.'

'Een mens hoeft niet in het casa di cura te zitten om daarmee te beginnen, ben ik bang,' zei Brunetti glimlachend, en hij dacht aan alle keren dat hij zelf al had getreurd om alles wat er in de stad veranderd was sinds de tijd dat hij een jonge man was. 'Ik denk dat dat Venetianen eigen is.' En een ogenblik later: 'Of mensen eigen is.'

Niccolini ging verder naar achteren zitten in zijn stoel. 'Ik denk dat het erger is voor oudere mensen. De veranderingen zijn voor hen zoveel duidelijker.' En zoals zo veel mensen deden wanneer dit onderwerp ter sprake kwam, zuchtte hij diep en maakte een vaag gebaar met zijn hand.

'U zei dat ze hier begonnen was,' zei Brunetti. 'Waar ging ze nog meer naartoe dan?'

'Dat huis in Bragora. Daar werkte ze. Nog steeds.' Toen hij zichzelf dat hoorde zeggen, keek Niccolini naar zijn handen.

Brunetti had er weleens over gehoord, jaren geleden: één hele verdieping van een palazzo aan het Campo Bandiera e Moro, geleid door een of andere nonnenorde, die volgens zeggen weliswaar de hoogste prijzen van de stad rekende, maar ook de beste zorg zou bieden. Er waren geen bedden vrij geweest toen hij op zoek was naar een tehuis voor zijn moeder; hij had er sindsdien niet meer aan gedacht.

Hij hoorde Niccolini opeens scherp inademen. 'O, mijn God,' zei de dierenarts. 'Die zal ik het moeten vertellen.' Niccolini's gezicht werd rood, en zijn ogen begonnen te glinsteren. Hij leunde naar voren, met zijn ellebogen op de armleuningen van zijn stoel, en bedekte zijn mond en neus met zijn handen.

Brunetti keek op zijn horloge. Het was bijna twee uur.

'Ik kan ze niet bellen. Ik kan dit niet over de telefoon doen,' zei Niccolini, die zijn hoofd schudde om die mogelijkheid te verwerpen.

Brunetti vroeg voorzichtig: 'Wilt u misschien dat ik er even langs ga, dottore?' Niccolini wierp hem een snelle blik toe. 'Ik ken twee van de zusters daar,' voegde Brunetti er gauw aan toe. Nou ja, hij had hen jaren geleden een keer gesproken, dus in zekere zin kende hij hen. 'Het is niet zo ver van de Questura.' Brunetti wist niet hoeveel druk hij erachter moest zetten en wilde niet te geïnteresseerd overkomen. 'Natuurlijk, als u het liever zelf doet, begrijp ik dat volkomen.'

De ober liep langs hun tafeltje en Brunetti vroeg de rekening. Tijdens de minuten die verstreken terwijl de ober die binnen ging halen, bleef Niccolini naar zijn halfvolle glas wijn en de niet opgegeten sandwiches zitten kijken.

Brunetti betaalde de rekening, liet een paar euro op tafel achter en schoof zijn stoel naar achteren. Niccolini stond op. 'Ik zou het wel fijn vinden als u het deed, commissario. Ik weet niet of ik in staat ben...' Hij maakte zijn zin niet af, onmachtig een naam te geven aan datgene waartoe hij niet in staat was.

'Natuurlijk,' zei Brunetti, die ervoor zorgde zo min mogelijk woorden te gebruiken. Hij stak de dokter zijn hand toe.

Voor hij iets kon zeggen, greep de dierenarts zijn hand zo stevig beet dat het pijn deed, en zei: 'Zegt u maar niets. Alstublieft.' Hij liet Brunetti's hand los en stak het campo over naar het ziekenhuis.

8

Brunetti pakte een van de sandwiches van het bord. Omdat hij zich ervoor schaamde om staande etend gezien te worden, ging hij weer zitten en at hem op. Daarna ging hij de bar in en dronk daar een glas mineraalwater. Hij realiseerde zich dat hij Paola niet had gebeld om te zeggen dat hij niet thuis zou zijn voor de lunch. Hij betaalde en ging naar buiten om te bellen. Hij toetste hun nummer in en hoopte dat ze zou begrijpen dat hij in zekere zin gekaapt was door de gebeurtenissen.

'Paola,' zei hij toen ze opnam met haar naam, 'het is me helemaal ontschoten.'

'Evenals een *rombo* gestoofd in witte wijn met venkel.'

Nou, ze was in ieder geval niet boos. 'En krieltjes en worteltjes,' ging ze meedogenloos verder, 'en een van die flessen Tokaj die je van je tipgever hebt gekregen.'

'Dat had ik je niet mogen vertellen.'

'Doe dan maar net alsof je het me niet hebt horen zeggen.'

Misschien kwam hij er toch niet zo makkelijk mee weg. 'Ik moest naar de zoon toe van die vrouw die gisteravond gestorven is.'

'Het stond niet in de krant vanmorgen, maar het staat al wel online.'

Brunetti was niet zo blij met het internettijdperk en gaf er nog steeds de voorkeur aan zijn kranten in papieren vorm te lezen; het feit dat een krant als de *Gazzettino* nu in cyberspace bestond, zat hem bepaald niet lekker. 'Wat moet er wel niet worden van mensen die vierentwintig uur per dag aan de *Gazzettino* blootgesteld worden?' vroeg hij.

Paola, die vaak wat nuchterder tegen de dingen aan keek dan Brunetti, zei: 'Het helpt misschien om het te zien als giftig afval dat we niet naar Afrika verschepen.'

'Ongetwijfeld. Daar had ik nog niet aan gedacht. Nu ben ik weer gerustgesteld,' zei Brunetti. Vervolgens, benieuwd hoe het verhaal gebracht was, vroeg hij: 'Wat zeggen ze erover?'

'Dat ze door een buurvrouw dood is aangetroffen in haar woning. De doodsoorzaak was kennelijk een hartaanval.'

'Mooi.'

'Bedoel je dat het niet zo was?'

'Rizzardi is nog ontwijkender en vager dan normaal. Ik denk dat hij misschien wel iets gezien heeft, maar hij wilde tegen de zoon van die vrouw niets zeggen.'

'Wat is dat voor man, die zoon?'

'Hij lijkt me een fatsoenlijke vent,' zei Brunetti, en dat was zeker zijn eerste indruk geweest. 'Maar ik kon wel merken dat hij opgelucht was dat de politie geen belangstelling toont voor de dood van zijn moeder.'

'Ben jij degene die die belangstelling niet toont?' vroeg ze.

'Ja. Hij leek ermee te zitten dat ik hem wilde spreken, dus toen moest ik net doen alsof het een procedurele formaliteit was, omdat wij als eersten gebeld waren.'

'Waarom zou hij nerveus zijn? Hij kan er niets mee te maken hebben gehad.' Nu hij haar dit zo stellig hoorde zeggen, besefte Brunetti dat hij die mogelijkheid zelf ook al bij voorbaat had uitgesloten. De wereld bood een waslijst aan variaties op het thema moord; echtgenoten vermoord-

den elkaar aan de lopende band, geliefden en ex-geliefden leefden in een staat van onverklaarde oorlog; hij was de tel kwijtgeraakt als het ging om vrouwen die de afgelopen jaren hun kinderen hadden vermoord. Maar toch was dit hem een stap te ver: mannen vermoordden hun moeder niet.

Hij liet zich even op de stroom van deze gedachten meevoeren. Paola zei niets en wachtte rustig af. Uiteindelijk zei hij: 'Voor hetzelfde geld is het niets. Hij heeft per slot van rekening een enorme klap te verduren gekregen, en nadat ik hem gesproken had, moest hij terug naar het ziekenhuis om haar te identificeren.'

'*Oddio*,' riep ze uit. 'Hadden ze daar niet iemand anders voor kunnen vragen?'

'Het moet door een familielid gebeuren,' zei Brunetti.

Een ogenblik lang zeiden ze geen van beiden iets. Daarna verloste hij hen allebei van deze dingen en zei: 'Ik ben vanavond waarschijnlijk wel op tijd.'

'Mooi.' En weg was ze.

Om bij het verzorgingstehuis te komen, kon hij het beste langs de Questura lopen: de plattegrond in zijn hoofd bood ook wel andere mogelijkheden, maar die routes waren allemaal langer. Hij kon onderweg meteen Vianello oppikken. Dan kon hij hem vertellen over Niccolini en het feit dat diens aanwezigheid Rizzardi ervan had weerhouden om hem te vertellen wat hij over de autopsie had willen zeggen.

Hij haalde zijn mobiel uit zijn zak en belde Vianello, vertelde hem waar hij was en zei dat hij over een minuut of vijf langs zou komen om hem op te halen. De zon was over zijn hoogste punt heen en de eerste calle die hij in liep, begon de warmte van de dag al te verliezen.

Zoals altijd wanneer hij daar liep, raakte Brunetti toen hij langs de Rio della Tetta liep opgetogen door de aanblik van de mooiste straatstenen van Venetië. Ze hadden een kleur die ergens tussen roze en ivoorkleurig lag; veel stenen waren bijna twee meter lang en een meter breed, en ze gaven een idee van hoe het geweest moest zijn om in de stad rond te lopen in zijn hoogtijdagen. Het palazzo aan de andere kant van het kanaal maakte echter meteen duidelijk dat die tijd definitief voorbij was. Je kon het altijd zien wanneer iets leeg stond: de roosschilfers van zongeblakerde verf op de luiken; verroeste beugels met bloempotten waaruit verdroogde stengels staken; hekken op waterniveau die scheef in hun door roest vergane scharnieren hingen; met mos bedekte traptreden die naar spelonkachtige ruimten leidden waar alleen een rat zich zou wagen. Brunetti keek naar het gebouw en zag het langzame verval van de stad, waar een investeerder alleen maar mogelijkheden zou zien: een kantoor voor buitenlandse architecten, nog weer een hotel, misschien een pension of, God mocht het weten, een Chinees bordeel.

Hij stak het kleine bruggetje over, ging toen linksaf, rechtsaf, en daar, een stukje verderop, zag hij Vianello tegen de reling geleund staan. Toen hij Brunetti zag, duwde Vianello zich overeind en voegde zich bij hem. 'Ik heb de mensen gesproken die op de eerste verdieping wonen,' zei de inspecteur. 'Niks. Ze hebben niets gehoord, niemand gezien. Ze hebben die vrouw van boven niet thuis horen komen, hebben niets gehoord totdat wij op de proppen kwamen. Hetzelfde met de oude mensen van de tweede verdieping.'

'Geloof je ze?'

Zonder te aarzelen zei Vianello: 'Ja. Ze hebben twee kleine kinderen, dus ik denk dat die überhaupt niet veel zullen horen. En die oude mensen zijn behoorlijk doof.' Hij voegde eraan toe: 'Ze zeiden dat ze vaak mensen te logeren had. Altijd vrouwen. In ieder geval degenen die zij gezien hebben.'

Brunetti wierp hem een vragende blik toe, en Vianello zei: 'Dat is het enige wat ze zeiden.'

Terwijl ze verder liepen zei Brunetti: 'Haar zoon vertelde me dat signora Altavilla vrijwilligerswerk deed in dat *casa di cura* in Bragora, dus ik dacht dat we maar eens met de zusters moesten gaan praten. Hij zei dat ze daar naartoe ging om met die oude mensen te praten – of eigenlijk naar ze te luisteren.'

'Dat heeft ook veel meer zin, denk je niet?' zei Vianello.

'Hmm?'

'Het lijkt me dat hoe ouder mensen worden, hoe minder belangstelling ze hebben voor de wereld om hen heen en voor het heden, en hoe meer ze dus over het verleden willen denken en over het verleden willen praten. En misschien ook in het verleden willen leven.' Hij wachtte even, maar toen zijn chef bleef zwijgen, vervolgde Vianello: 'Zo gaat het in ieder geval bij de meeste oude mensen die ik ken, of gekend heb: mijn oma, mijn moeder, zelfs Nadia's ouders. Trouwens, laten we wel wezen, waarom zouden ze in het heden geïnteresseerd zijn? Voor de meesten komt dat voornamelijk neer op gezondheidsproblemen, of geldproblemen, en ze worden zwakker en zwakker. Dus ze kunnen hun tijd beter in het verleden doorbrengen, helemaal als er ook nog iemand is die naar ze luistert.'

Brunetti kon niet anders dan het met hem eens zijn. Het was zeker het geval geweest bij zijn ouders, al wist hij niet zeker of zij – zijn vader was als een gebroken, ongelukkige man uit de oorlog teruggekeerd en zijn moeder was uiteindelijk ten prooi gevallen aan Alzheimer – betrouwbare voorbeelden waren. Hij dacht aan Paola's ouders, conte en contessa Falier – stevig verankerd in het heden en nieuwsgierig naar de toekomst – en Vianello's theorie viel in duigen.

'Doen we dit,' vroeg Vianello, die precies in de pas bleef lopen met Brunetti, 'vanwege die plek?'

Brunetti had de neiging zijn schouders op te halen, maar deed het niet en zei: 'Rizzardi is zo terughoudend als maar kan. Hij heeft die zoon verteld dat ze is gestorven aan een hartaanval – dus dat zal wel zo zijn – maar hij heeft niets gezegd over die plek. En we konden het er niet over hebben.'

'Heb je nog ideeën?' vroeg Vianello.

Dit keer haalde Brunetti wel zijn schouders op, en hij zei: 'Ik wil eerst wat meer over haar te weten zien te komen, en daarna kijken wat Rizzardi ons wil vertellen.'

Toen ze boven op de Ponte San Antonin waren gekomen, wees Brunetti met zijn kin naar de kerk en zei: 'Mijn moeder vertelde me altijd als we hier langs kwamen dat er, ik geloof in de negentiende eeuw, op de een of andere manier een keer een neushoorn – of misschien was het een olifant, ze heeft me beide versies verteld – in de kerk verzeild was geraakt.'

Vianello bleef staan en keek naar de gevel. 'Daar heb ik nooit iets over gehoord, maar wat kan een neushoorn nou in de stad te zoeken hebben gehad? Of een olifant.' Hij schudde zijn hoofd, als om het zoveelste verhaal over het rare gedrag van toeristen, en liep de trap af naar de andere kant. 'Ik ben daar ooit eens naar een begrafenis geweest, jaren geleden.' Vianello bleef opnieuw staan en keek met verwondering naar de gevel. 'Is dat niet raar? Ik weet niet eens meer wiens begrafenis het was.'

Ze volgden de flauwe bocht naar rechts en Vianello zei,

terugkomend op wat Brunetti had verteld: 'Door zo'n verhaal begrijp je opeens waarom niets ooit helemaal duidelijk is.'

'Je bedoelt die neushoorn? Die er wel of niet is geweest? En die wel of niet een neushoorn was?'

'Ja. Als het eenmaal gezegd is, is er altijd wel iemand die het gelooft en het aan anderen vertelt, en honderden jaren later vertellen mensen dat verhaal nog steeds.'

'En dan wordt het waarheid?'

'Min of meer,' antwoordde Vianello enigszins aarzelend. Ze liepen zwijgend verder, en toen zei hij: 'Het is tegenwoordig precies hetzelfde, hè?'

'Dat verhalen niet betrouwbaar zijn?' vroeg Brunetti.

'Dat mensen verhalen verzinnen, en op een gegeven moment heb je geen idee meer wat waar is en wat niet.'

Ze liepen het campo op, en de zon liet zich weer zien en beurde hen op. De bomen hadden hun bladeren nog, er zaten wat mensen op de bankjes eronder en het open uitzicht was weldadig.

Ze staken zonder iets te zeggen het campo over. Brunetti kon zich niet herinneren welke deur het was, maar hij wist dat ze in een van de gebouwen rechts van de kerk moesten zijn. Hij bleef bij het eerste rijtje bellen staan en las de namen, maar het waren alleen maar familienamen. Op een bord naast de tweede deur zag hij *Sacra Famiglia* staan, en hij belde aan.

Het duurde bijna een volle minuut voordat een vrouwenstem, oud en aarzelend, vroeg wie daar was. 'Brunetti,' zei hij, en hij vervolgde: 'Ik ben een vriend van signora Altavil...' waarna hij probeerde de leugen af te zwakken door te eindigen met: '... la's zoon.'

'Ze is er niet,' zei de stem. Het klonk verongelijkt, maar dat kwam misschien alleen maar door de intercom. 'Ze is niet gekomen vandaag.'

'Dat weet ik, *suora,*' zei Brunetti. 'Ik zou graag met de moeder-overste spreken.'

De stem zei iets wat noch hij, noch Vianello kon verstaan, en vervolgens sprong de deur open. Ze stapten een grote hal binnen, met een tegelvloer in het oranje-witte schaakbordpatroon dat je veel zag in gebouwen uit die tijd. Door het traliewerk van de rij ramen achter in het gebouw viel alleen maar schemerig licht naar binnen. Ze lieten de lift voor wat die was en namen de trap rechts ervan. Bij de enige deur op de eerste verdieping stond een klein oud vrouwtje: haar kleding sprak van haar gelofte nog voordat haar lengte en houding van haar leeftijd spraken.

Ze knikte toen de twee mannen naderbij kwamen en gaf hun een hand. Ze moesten allebei hun arm schuin omlaag steken, bijna alsof ze een kind een hand gaven: ze kwam tot hun borst en moest haar hoofd zelfs naar achteren knikken om hen in de ogen te kunnen kijken. 'Ik ben madre Rosa,' zei ze, 'moeder-overste hier. Suora Grazia zei dat u me wilde spreken.' Ze deed een stap naar achteren in de deuropening om hen beter te kunnen bekijken. 'Ik moet zeggen dat ik niet zo gecharmeerd van jullie ben.'

Haar gezicht bleef onbewogen toen ze dat zei, en haar accent verried zelfs nog sterker dat haar wortels ergens ver ten zuiden van Venetië lagen.

Als er iets was wat Brunetti in zijn tijd in Napels had geleerd, dan was het dat zuiderlingen, zelfs de kinderen, altijd een politieman herkenden, en dus vroeg hij met een glimlach: 'Is dat omdat we mannen zijn of omdat we groot zijn, of omdat we van de politie zijn?'

Ze deed nog een stap naar achteren en knikte ten teken dat ze binnen konden komen. Ze deed de deur achter hen dicht en zei: 'Ik weet al dat Costanza dood is, dus iedere politieman die langskomt en zegt dat hij een vriend van haar is, die liegt om informatie los te krijgen. Daarom ben ik niet van jullie gecharmeerd. Het kan me niet schelen hoe groot jullie zijn.'

Brunetti kreeg opeens te doen met de mensen die hij te slim af was geweest tijdens ondervragingen en had bewondering voor deze vrouw, die dwars door hem heen had gekeken. Bovendien bewonderde hij de directheid waarmee ze zei wat ze vond. 'Ik ben ook geen vriend van haar zoon, madre,' bekende hij. 'Maar ik heb hem zojuist gesproken, en hij vroeg of ik u wilde vertellen wat er gebeurd was.'

De non reageerde niet op zijn openhartigheid, maar draaide zich om en ging hen voor naar wat ooit de overvolle huiskamer van een privéwoning moest zijn geweest. Van achteren gezien leek ze nog kleiner. Brunetti zag dat ze tijdens het lopen haar rechterbeen ontzag. De banken en stoelen waren bekleed met dik, bruin fluweel en hadden gebeeldhouwde poten in de vorm van leeuwenpoten. Bij nadere bestudering bleek dat veel van de tenen ontbraken, en sommige stoelen hadden vetvlekken op de rugleuning en kale plekken op de armleuningen, en hier en daar was de stof gescheurd. Ook de enorme Kashan die de vloer van muur tot muur bedekte vertoonde slijtageplekken.

De non wees twee fauteuils aan en nam behoedzaam tegenover hen plaats op een harde houten stoel, er zorg voor dragend dat ze haar rechterbeen niet boog. Hun fauteuils waren zo ver doorgezakt van ouderdom dat, toen ze eenmaal zaten, hun hoofd zich op gelijke hoogte bevond met het hare.

Brunetti boog opzij om zijn portefeuille te pakken en haar zijn pas te laten zien, maar ze was hem voor en zei: 'Ik hoef het niet te zien, signore. Ik weet wanneer ik een politieman voor me heb.'

Brunetti liet zijn poging varen en probeerde weer rechtop te gaan zitten, maar hij zat zo ongelukkig dat hij overeind kwam en op de armleuning van de stoel ging zitten. 'Ik werd gisteravond gebeld nadat signora Altavilla's lichaam was gevonden, en ik ben naar haar woning gegaan. Ik heb haar buurvrouw gesproken,' zei hij, en de non knikte, waarmee ze de indruk wekte dat ze wist wie deze vrouw was en hoe goed die signora Altavilla kende, of dat ze wist dat hij gebeld was.

'De autopsie die vanmorgen is verricht...' begon hij, en de ogen van de non vernauwden zich, '... lijkt erop te wijzen dat ze is overleden aan een hartaanval.' Hij zweeg even en keek naar haar.

'Lijkt erop te wijzen?' vroeg madre Rosa.

'Ze had een wond op haar voorhoofd, waarvan de patholoog-anatoom denkt dat die moet zijn ontstaan toen ze viel. Toen ik daar gisteravond was, zag ik dat ze vlak bij een radiator was gevallen: dat zou het kunnen verklaren.' Ze knikte, omdat ze het begreep, maar niet per se omdat ze het geloofde.

Brunetti was toen getuige van iets wat hij al niet meer had gezien sinds hij een jongetje op de lagere school was: ze ging met haar hand onder haar lange witte schouderkleed en haalde de rozenkrans te voorschijn die ze op haar zij droeg. Ze hield die vast terwijl ze hem aankeek en liet een van de kralen door haar vingers gaan, en daarna nog een. Hij had geen idee of ze aan het bidden was of dat ze ze alleen maar aanraakte om er kracht en troost uit te putten. Uiteindelijk zei ze: 'Zou het kunnen verklaren?'

Brunetti toonde een ontspannen glimlachje, zoals altijd wanneer mensen hem op vaagheden betrapten. 'We weten het pas zeker wanneer het fysieke bewijsmateriaal uit haar woning is onderzocht.'

'En dan weet u het ook niet, hè?' zei ze. 'Niet zeker, tenminste.'

Brunetti zag dat Vianello zijn benen over elkaar deed en toen weer naast elkaar zette, en vervolgens ook overeind kwam. Hij zette zijn handen op zijn heupen en boog zich naar achteren, en toen hij weer naar voren kwam, zei hij: 'Madre, als we zo'n stoel mochten gebruiken voor mensen die we moeten ondervragen, denk ik dat we een hoop tijd zouden besparen. En heel wat meer succes zouden hebben.'

Ze probeerde een glimlach te onderdrukken, maar slaagde daar niet in. En daarna verraste ze hen allebei door in het zuiverste Veneziano te zeggen: '*Ti xe na bronsa coverta.*' Toen ze haar zo moeiteloos van haar Italiaans met een accent op perfect uitgesproken dialect hoorden overstappen, moesten de mannen allebei glimlachen. Haar inschatting klopte: Vianello was inderdaad net als de smeulende kooltjes in een afgedekte stoof. Je wist nooit wat voor stralends zich daar schuilhield of wat voor licht er uit zijn onzichtbare zwijgzaamheid naar buiten kon breken.

Bijna alsof ze het afkeurde dat de stemming was opgeklaard, liet ze haar glimlach varen. Ze keek van de een naar de ander, en Brunetti zag de behoedzaamheid op haar gezicht terugkeren. 'Wat wilt u weten over Costanza?' vroeg ze. Haar hernieuwde waakzaamheid had haar ouder gemaakt: ze had moeite om vanuit haar voorovergebogen houding weer rechtop te gaan zitten en haar gezicht stond vermoeid.

Vianello ging net als Brunetti op de brede armleuning van zijn stoel zitten. Hij haalde zijn opschrijfboekje uit zijn zak, pakte zijn pen en maakte zich op om aantekeningen te maken. 'We weten helemaal niets over haar, madre Rosa,' zei Brunetti. 'Haar buurvrouw en haar zoon zijn allebei vol lof over haar.'

'Daar twijfel ik niet aan,' zei ze.

Toen het leek alsof ze niets meer te zeggen had, ging Brunetti verder: 'Ik wil graag wat meer over haar weten, madre.' Opnieuw wachtte hij tot de non iets zou zeggen, maar dat deed ze niet.

'Was ze populair bij de mensen hier?' vroeg hij, met een vaag gebaar dat het hele verzorgingshuis omvatte.

De non antwoordde vrijwel meteen. 'Ze had alle tijd voor ze. Ze was met pensioen, ik denk midden in de zestig, dus ze had haar eigen leven, maar toch luisterde ze naar hen. Sommige mensen nam ze mee uit wandelen, naar de *riva*, of zelfs naar de boten als ze dat wilden.' Brunetti liet niets merken van de verrassing die haar plotselinge spraakzaamheid bij hem teweegbracht.

Geen van beide mannen zei iets, dus ging ze verder: 'Soms zat ze de hele ochtend naar de langsvarende boten te kijken terwijl zij vertelden, of ze ging hier op hun kamer naar hen zitten luisteren. Ze liet ze uren praten, en ze luisterde altijd goed naar wat ze zeiden. Stelde vragen, wist nog wat ze haar bij eerdere bezoeken hadden verteld.' Ze maakte, net als Brunetti een paar minuten eerder, een vaag gebaar naar de deur. 'Het geeft ze het gevoel dat ze belangrijk zijn, als ze het idee hebben dat wat ze zeggen interessant is en dat het wordt onthouden.' Brunetti vroeg zich af of ze zichzelf ook rekende tot degenen die luisterden en hun verhalen onthielden, en of het haar ook het gevoel zou geven dat ze belangrijk was als iemand nog zou weten wat zij gezegd had.

'Ging ze met alle mensen op dezelfde manier om?' vroeg Brunetti.

Hij zag dat ze niet op die vraag was voorbereid en dat ze het niet leuk vond dat hij gesteld werd. Misschien was ze geen voorstander van vriendschappen met de oude mensen; misschien was ze simpelweg geen voorstander van vriendschappen. 'Ja. Natuurlijk,' zei ze. Brunetti zag dat ze de rozenkrans in haar vuist geklemd hield: geen soepel verschuivende kralen meer.

'Geen speciale vrienden?' informeerde Brunetti.

'Nee,' zei ze onmiddellijk. 'Patiënten zijn geen vrienden. Ze kende het gevaar daarvan.'

Vianello begreep het niet en vroeg: 'Wat voor gevaar?'

'Er zijn er veel die eenzaam zijn,' zei ze. 'En er zijn er veel die familie hebben die alleen maar zit te wachten tot ze doodgaan, zodat ze hun geld of hun huis kunnen krijgen.' Ze wachtte even, alsof ze wilde zien of ze geschokt waren dat een non zulke crue dingen kon zeggen. Toen ze niets zeiden, vervolgde ze: 'Dus het gevaar is dat ze te zeer gehecht raken aan mensen die hen goed behandelen. Costanza...' begon ze, maar ze maakte niet af wat ze had willen zeggen. In plaats daarvan keerde ze terug naar haar oorspronkelijke onderwerp en zei: 'Ze kunnen heel moeilijk zijn, oude mensen.'

'Ik weet het,' beaamde Brunetti, zonder prijs te geven hoe hij aan die kennis was gekomen. Hij zweeg even en zei toen: 'Maar ik ben bang – en ik zeg dit met alle respect – dat u ons niet zoveel over haar verteld hebt.'

Madre Rosa schonk hem een wrang glimlachje. 'Ik zou dit niet moeten zeggen, signore, en ik hoop dat God me wil vergeven dat ik het gedacht heb, maar als u zou weten hoe moeilijk de mensen hier kunnen zijn, zou u het misschien begrijpen. Het is heel makkelijk om aardig te zijn voor mensen die zelf ook aardig zijn of die de aardigheid van anderen waarderen, maar dat is niet altijd het geval.' Uit de vermoeide berusting waarmee ze dit zei, begreep Brunetti dat ze sprak uit jarenlange ervaring. Hij begreep ook dat dit alles was wat ze zou zeggen.

Brunetti en Vianello wisselden een blik en kwamen, alsof ze het afgesproken hadden, tegelijkertijd overeind. Een lichte wrevel nam bezit van Brunetti. Ze waren helemaal hiernaartoe gekomen, en het enige wat deze vrouw had gedaan, was iets vertellen over het geduld van signora Altavilla, en zelfs daarin was ze verre van inschikkelijk geweest. Ze waren bijna niets over signora Altavilla te weten gekomen waar ze iets aan hadden. 'Dank u wel, madre,' zei Brunetti, die niet goed wist of hij haar een hand moest geven of niet. Zij nam de beslissing voor hem door zich te beperken tot een knikje, eerst naar hem en toen naar Vianello, terwijl ze haar handen veilig onder haar schouderkleed hield. Vervolgens draaide ze zich om en ging hen voor naar de ingang.

Ze bleef bij de deur even staan en zei: 'Ik hoop dat u haar zoon namens mij wilt condoleren. Ik heb hem nooit ontmoet, maar Costanza vertelde weleens iets over hem en had alleen maar goede dingen te zeggen.' Even later voegde ze hieraan toe, alsof ze antwoord gaf op een onuitgesproken vraag van hen: 'Het klonk alsof hij haar verschrikkelijke eerlijkheid geërfd heeft.'

'Wat bedoelt u daarmee, madre?' vroeg Brunetti.

Het duurde een hele tijd voordat ze antwoord gaf, zo lang dat ze haar gewicht naar haar linkerkant moest verplaatsen terwijl ze daar stond. Toen ze ten slotte sprak, antwoordde ze met een vraag. 'U hoort dat ik uit het Zuiden kom?'

De twee mannen knikten.

'Wij hebben andere ideeën over eerlijkheid dan jullie hier in het Noorden,' zei ze bedekt.

Vianello glimlachte en zei: 'Op zijn zachtst gezegd, madre.'

Ze was zo hoffelijk om zijn glimlach te beantwoorden en richtte het woord tot de inspecteur toen ze verder ging. 'Dat onze ideeën anders zijn, wil nog niet zeggen dat we eerlijkheid niet even hoog in het vaandel hebben als u, signori.'

Beide mannen zwegen, benieuwd waar dit heen ging. 'Maar we zijn...' Ze zweeg en keek van het ene gezicht naar het andere. 'Hoe zal ik het zeggen? We zijn wat zuiniger met de waarheid dan u.'

Oprecht nieuwsgierig vroeg Brunetti: 'En waarom is dat, madre?'

Opnieuw deed ze een stap naar achteren om hen beter te kunnen bekijken. 'Misschien omdat het ons meer kost om eerlijk te zijn dan u,' zei ze. Haar accent was uitgesprokener geworden. Ze ging verder: 'Dus hebben we ook geleerd om terughoudendheid op waarde te schatten.'

'Heeft u het over signora Altavilla?' vroeg Brunetti.

'Ja. Zij vond dat een mens altijd de waarheid moest zeggen, koste wat kost. En ik neem aan, op grond van dingen die ze verteld heeft, dat ze dat ook haar zoon heeft bijgebracht.'

'Vindt u dat verkeerd?' vroeg Brunetti.

'Nee, heren,' zei ze, en ze glimlachte nogmaals, een kleiner glimlachje nu. 'Ik vind het een luxe.'

Ze reikte achter zich en deed de deur open. Ze hield die open terwijl zij naar buiten stapten, en ze hoorden hem dichtgaan toen ze de trap af begonnen te lopen.

9

Zodra ze weer buiten in het zonlicht stonden, zei Vianello: 'Ik weet nooit wat ik moet doen in dit soort situaties.'

'Wat voor situaties?' vroeg Brunetti, die het campo begon over te steken richting Questura.

'Als mensen doen alsof ze minder weten dan ze weten.'

Brunetti ging linksaf, naar de kerk. 'Mmm,' mompelde hij, om Vianello te laten weten dat hij het ermee eens was.

'Al die praatjes over eerlijkheid,' zei Vianello. Hij bleef boven op de brug staan en leunde met zijn onderarmen op de balustrade. Hij keek naar een boot die langs de kant van het kanaal lag aangemeerd en ging verder: 'Het is duidelijk dat ze meer weet – of vermoedt – dan ze wil zeggen. Ze is een non, dus ze vindt het waarschijnlijk niet goed om zomaar vermoedens uit te spreken of roddels door te vertellen.' Hij liet er met zachtere stem op volgen: 'Al kan ik me geen klooster voorstellen waar dat niet gebeurt.'

Brunetti reageerde daar niet op en wachtte.

'Ze is een zuiderling,' zei Vianello. 'En een non.' Brunetti was erop gespitst om te horen wat voor generalisering er zou volgen. 'Dus dat betekent dat ze wilde dat we iets te weten zouden komen of een vermoeden zouden krijgen zonder dat ze het rechtstreeks hoefde te zeggen.'

Brunetti moest hem gelijk geven. Wie wist wat er omging in het hoofd van een non, laat staan van eentje uit het Zuiden? Daar kregen ze discretie met de moedermelk ingegoten, en ze groeiden op met voorbeelden te over van de consequenties van indiscretie. Hij moest denken aan een recente schokkende video van een doodgewone, achteloze moord op klaarlichte dag in Napels: één schot, en daarna een tweede schot door het achterhoofd, terwijl de mensen gewoon verder gingen met wat ze aan het doen waren. Niemand die iets zag; niemand die iets merkte.

Het was bij hen ingebakken: door indiscrete dingen te zeggen of iets te zeggen wat argwaan zou kunnen wekken, bracht je niet alleen jezelf, maar je hele familie in gevaar. Zo was het domweg, ongeacht hoeveel jaar iemand in een klooster in Venetië had doorgebracht. Brunetti zou nog eerder engelenvleugels krijgen en naar het paradijs vliegen dan dat madre Rosa openlijk met de politie zou spreken.

'Zoals zij het zei klonk het net alsof de waarheid een handicap was, hè?' Vianello duwde zichzelf weg van de balustrade. Hij hief zijn armen op en liet ze langs zijn zij vallen ten teken dat hij er niets van snapte, maar voordat Brunetti kon reageren, werden ze onderbroken door de ringtone van zijn mobiel.

'Guido? Ik ben het,' zei Rizzardi.

'Fijn dat je belt.'

Zonder tijd te verspillen ging Rizzardi verder. 'Die plek op haar keel,' zei hij, en hij wachtte even. Toen Brunetti niets zei, vervolgde de patholoog: 'Dat zou een duimafdruk kunnen zijn.'

Brunetti probeerde zich de stand van de andere vingers voor te stellen op het moment dat de duimen tegen haar keel werden gedrukt, maar hij zei alleen maar: 'Ah.' En toen: '"Kunnen zijn"?'

Rizzardi negeerde de provocatie en ging verder: 'Er zitten drie vage plekken, waarschijnlijk blauwe plekken, aan de achterkant van haar linkerschouder, en twee op de rechter. En nog eentje – nauwelijks zichtbaar – aan de voorkant.'

Brunetti drukte met de zijkant van zijn hoofd de mobiel tegen zijn schouder. Hij hield zijn handen gebogen voor zich, bracht zijn duimen in positie en kromde zijn vingers tot klauwen. 'Zitten die plekken op de juiste plaats?' vroeg hij. Hij vond het bij Rizzardi niet nodig om meer te zeggen dan dat.

'Ja,' antwoordde de patholoog, waarna hij weer in zijn normale manier van spreken verviel. 'Ze zouden erop kunnen wijzen dat ze van voren is beetgepakt.'

'"Kunnen wijzen"?' vroeg Brunetti.

Rizzardi negeerde dit en zei: 'Weet je nog dat ze een vest aanhad?'

'Ja,' antwoordde Brunetti.

'Die stof zou een groot deel van de kracht hebben opgevangen: dat zou verklaren waarom die plekken zo diffuus zijn.'

'Kan het iets anders zijn?' zei Brunetti, die zich afvroeg of Rizzardi's voorzichtigheid net zoiets als een accent was, dat hij nooit zou kwijtraken.

'In de mond van een slimme advocaat zouden die plekken achter op haar schouders,' begon Rizzardi, en het feit dat hij speculeerde over een mogelijke rechtszaak maakte Brunetti duidelijk hoezeer hij ervan overtuigd was dat signora Altavilla het slachtoffer van een misdrijf was geweest, ook al was hij niet bereid dat rechtstreeks te zeggen, 'kunnen zijn ontstaan toen ze tegen een radiator viel, of doordat ze zichzelf een rugmassage probeerde te geven en toen te hard geknepen heeft, of doordat ze haar evenwicht verloor en tegen de deur aan viel toen ze haar woning binnen wilde gaan...'

Brunetti onderbrak hem. 'Ettore, vertel me niet wat het

zou kunnen zijn. Vertel me wat het is.'

Rizzardi deed net alsof Brunetti niet gesproken had en ging verder: 'Ik ken advocaten en jij kent ook advocaten die zouden aanvoeren dat ze vijf keer tegen de deur is gevallen, Guido.'

Niet in staat zijn boosheid te bedwingen, snauwde Brunetti: 'Ik kan zelf ook bedenken wat er allemaal gebeurd zou kunnen zijn. Godallemachtig, vertel gewoon wat er gebeurd ís.' Er volgde een lange stilte, waarin Brunetti bedacht dat hij misschien te ver gegaan was. Mensen spraken niet op die manier tegen Rizzardi.

'Iemand heeft haar van voren beetgepakt, en het is mogelijk dat ze door elkaar is geschud,' zei Rizzardi met een ondubbelzinnigheid die Brunetti verraste. Geen aarzeling, geen retorische zelfbescherming, geen compromissen. Wanneer was de patholoog-anatoom ooit zo ondubbelzinnig geweest?

'Waarom zeg je dat?'

'Er is nog iets.'

'Wat?'

'Er is een heel vaag letsel aan haar derde en vierde ruggenwervel. En wat interne bloeding in de spieren en banden eromheen.'

Brunetti weigerde het te vragen. Hij wilde Rizzardi dwingen het zelf te zeggen.

'Dus iemand kan haar door elkaar hebben geschud.'

'Of?'

'Of het kan gebeurd zijn toen ze viel. De klap op haar hoofd was heel hard, en ze heeft de radiator geraakt. Dat zag ik gisteravond.'

'Of ze is geduwd,' zei Brunetti.

'Dat kan ik niet zeggen,' reageerde Rizzardi.

Brunetti had het gevoel alsof Rizzardi een bepaalde portie openhartigheid had, die hij nu had opgebruikt.

Uiteindelijk zei de arts gedecideerd: 'Het verandert allemaal niets aan het feit dat de doodsoorzaak een hartaanval was.' Opnieuw een stilte die Brunetti niet onderbrak, en toen zei Rizzardi: 'Haar hart was erg zwak, en haar hartritme zou door elke vorm van schok verstoord kunnen zijn geraakt.'

Brunetti was zich ervan bewust dat Vianello naast hem zijn nieuwsgierigheid nauwelijks kon bedwingen.

'Hebben jouw mensen propafenon in haar woning gevonden?' vroeg de arts.

Brunetti had nog geen resultaten van het onderzoek onder ogen gehad, dus hij onthield zich van een antwoord en vroeg: 'Wat is dat?'

'Dat wordt gebruikt bij hartritmestoornissen, en daar is ze aan gestorven. Een keer flink schrikken is genoeg om het teweeg te brengen.'

Als je een huis platbrandt en je weet niet dat er iemand in zit, ben je dan schuldig aan moord? Als je een suikerpatiënt ontvoert en je geeft hem geen insuline, ben je dan verantwoordelijk voor zijn dood? En als je iemand met een zwak hart laat schrikken? Rizzardi had gelijk, dit was voer voor advocaten.

'Ik zal het nakijken. Ze hebben alles ongetwijfeld op een lijst gezet,' zei Brunetti, al kon je daar nooit helemaal zeker van zijn. 'Verder nog iets?'

'Nee. Afgezien van haar hart was ze een gezonde vrouw van midden in de zestig.' Rizzardi zweeg geruime tijd. 'Maar het was een tijdbom, dus misschien maakte het niet uit hoe gezond ze was.' Brunetti hoorde een klik, en de stem van de arts was weg.

Brunetti zette zijn mobiel uit en stopte hem in zijn zak. Hij draaide zich om naar Vianello en zei: 'Ze is gestorven aan een hartaanval. Maar hij heeft aanwijzingen gevonden dat iemand haar misschien door elkaar heeft geschud. Dat zou de oorzaak geweest kunnen zijn.'

Vianello keek hem bewonderend aan. 'Heb je Rizzardi zover gekregen dat hij dat zei?'

Brunetti negeerde hem en zei: 'Dus we gaan haar leven eens onder de loep nemen.'

Vianello klonk bijna boos toen hij zei: 'Ze klonk als een fatsoenlijk mens, niet iemand die bedreigd of door elkaar geschud zou worden. Of vermoord. Goede mensen horen niet zomaar vermoord te worden.'

Brunetti liet dit even bezinken en zei toen: 'Ik wou dat het zo was.'

10

Toen Brunetti weer op zijn kamer kwam, lag er niets. Dat wil zeggen, er lag niets van de technische recherche: geen foto's van signora Altavilla, geen foto's van de woning of lijst met voorwerpen die erin aangetroffen waren. Hij ging aan zijn bureau zitten en liet zijn gedachten over sommige van die voorwerpen gaan, in de hoop dat ze hem iets over haar leven zouden kunnen vertellen.

De woning en de dingen die erin stonden hadden hem niets duidelijk gemaakt over haar financiële situatie. Er was een tijd geweest, tientallen jaren geleden, dat alleen een adres al uitsluitsel had kunnen geven. San Marco en de palazzi aan het Canal Grande duidden op welstand, terwijl een woning in Castello een teken van armoede was. Maar er waren enorme hoeveelheden geld in de stad gepompt, en tegenwoordig kon ieder gebouw en ieder adres een pas gerestaureerde zetel van weelde zijn, terwijl de vroegere eigenaars of huurders het patroon van generaties hadden doorbroken en naar het vasteland waren verhuisd, en de stad hadden overgelaten aan degenen die het zich konden veroorloven.

Brunetti liep in gedachten de kamers nog eens door. Het meubilair was van goede kwaliteit geweest en stamde uit een periode die het weliswaar niet antiek, maar wel oud maakte. Er waren maar weinig boeken geweest, en weinig siervoorwerpen: hij kon zich niet herinneren ook maar één schilderij te hebben gezien. Het hele huis straalde eenvoud uit en wees op een sober leven. Wat hem het sterkst was bijgebleven, was de plaatsing van de bank en de tafel: wie ging er nu met zijn rug naar de kerk en de bergen zitten? Ze deed daarmee niet alleen zichzelf, maar ook haar gasten tekort. Hij wist dat niet iedereen verslaafd was aan schoonheid, maar om nu naar die saaie kamer te kijken in plaats van naar zowel door mensen gemaakte als natuurlijke schoonheid, dat ging toch wel erg ver. Brunetti vond het niet alleen onbegrijpelijk, hij zou zich ook niet erg op zijn gemak voelen bij iemand die zo'n keuze zou maken.

Wat te denken van die ongeopende pakjes goedkoop ondergoed in de laden van de logeerkamer? Een vrouw die kasjmier truien kocht van de kwaliteit van die in haar slaapkamer zou nooit dat soort katoenen ondergoed dragen, ongeacht hoe oud ze was, of anders had hij nog minder kijk op vrouwen dan Paola af en toe zei dat hij had.

En waarom die drie verschillende maten? Niccolini's dochter, als die bij haar oma op bezoek ging, kon nog niet oud genoeg zijn om zelfs maar de kleinste maat te dragen; trouwens, ouders zorgden er meestal voor dat hun kinderen extra kleren bij zich hadden wanneer ze een nacht uit logeren gingen. Het zou kunnen dat ze regelmatig vriendinnen op bezoek kreeg, of dat die misschien hun dochters weleens in Venetië lieten logeren. En de ongeopende toiletartikelen in de badkamer? Zo grondig bereidde je je toch niet voor op onverwacht bezoek? Het was per slot van rekening haar huis, niet een hotel of pension.

Hij stond op van zijn bureau en ging naar beneden. In de loop der jaren had hij met signorina Elettra vele onderwerpen besproken, maar damesondergoed hoorde daar niet bij. Ze stond met haar armen over elkaar bij het raam toen hij binnenkwam en keek naar hetzelfde decor aan de overkant van het kanaal waar hij door zijn eigen ramen ook op uitkeek. De gevel van de San Lorenzo zag er één verdieping lager niet minder vervallen uit.

Ze draaide zich om en glimlachte. 'Kan ik u ergens mee helpen, commissario?'

'Misschien,' zei Brunetti, en hij liep naar haar bureau. Hij leunde er half zittend tegenaan en sloeg zijn benen over elkaar. Er viel volop licht door het raam naar binnen, niet alleen van de zon, maar ook van de weerspiegeling in het water van het kanaal beneden. Ze tekende zich er en profil tegen af, en hij zag dat de contouren van haar gezicht minder scherp waren dan hij zich herinnerde. Haar kin was minder uitgesproken en haar huid spande minder strak over haar jukbeenderen. Hij zag ook de kleine rimpeltjes opzij van haar oog. Hij keek van haar weg en liet zijn blik op de kerk rusten.

'Heeft u enig idee wat het betekent als er bij iemand in de logeerkamer ongeopende pakjes damesondergoed in de la liggen, maar in drie verschillende maten?' Vervolgens realiseerde hij zich tegen wie hij sprak, en in het besef dat dit detail verschil zou maken, voegde hij eraan toe: 'Allemaal eenvoudig katoenen spul, dat je in een supermarkt zou kopen.'

Ze deed haar armen van elkaar, hief haar kin omhoog en keek naar de kerk. Met haar aandacht op de gevel gericht, vroeg ze: 'Gaat het om de woning van een man, of is het die woning waar u gisteravond naartoe moest?'

'We hebben het in de woning van signora Altavilla aangetroffen, ja,' antwoordde hij. 'Waarom vraagt u dat?'

Nog steeds met haar blik op de kerk, alsof ze die raadpleegde om een antwoord te vinden, zei ze: 'Omdat het in de woning van een man iets heel anders zou betekenen dan in de woning van een vrouw.'

'Wat zou het in de woning van een man betekenen?' vroeg hij, al meende hij dat wel te weten.

Ze draaide haar gezicht naar hem toe en antwoordde: 'In de woning van een man zou het betekenen: schoon ondergoed voor een vrouw – of voor de vrouwen – met wie hij de nacht doorbrengt.' Ze zweeg even en liet er toen, iets minder zeker van haar zaak, op volgen: 'Maar dan zou het waarschijnlijk geen eenvoudig katoenen ondergoed zijn, hè? En het zou ook niet in een andere kamer liggen. Of hij zou wel heel erg vreemd moeten zijn.'

Ze vond het dus kennelijk niet vreemd dat een man damesondergoed in verschillende maten in huis had, zolang het maar duur was en hij het in zijn slaapkamer bewaarde. Brunetti vroeg zich af wat voor informatie zijn huwelijkse staat nog meer voor hem verborgen hield. Maar hij beperkte zich tot de vraag: 'En in de woning van een vrouw?'

'Er is geen enkele reden waarom het dan niet hetzelfde zou kunnen betekenen,' zei ze, en het klonk uit haar mond alsof het de normaalste zaak van de wereld was. Maar toen voegde ze er glimlachend aan toe: 'Al lijkt het me waarschijnlijker dat ze die vrouwen om een meer prozaïsche reden mee naar huis zou nemen.'

'Zoals?' vroeg hij.

'Zoals om ze te beschermen tegen het soort mannen dat hen voor één nacht mee naar huis zou willen nemen,' zei ze op een toon die suggereerde dat ze het misschien wel serieus meende.

'Dat is nogal een puriteinse kijk op de zaak.'

'Niet per se,' zei ze afgemeten, waarna ze op welwillender toon vervolgde: 'Ik denk dat het meer voor de hand ligt dat ze illegale vrouwelijke vluchtelingen hielp. Dat ze die een veilig onderkomen gaf van waaruit ze op zoek konden gaan naar werk of een plek om te wonen.' Ze zweeg even, en hij zag haar in gedachten de mogelijkheden nagaan. 'En het kan ook zijn dat ze hen tegen andere mensen wilde beschermen.'

'Zoals?'

'Iedere man die zou vinden dat hij rechten op hen kon doen gelden. Een vriendje. Een pooier.'

Hij keek haar recht in de ogen, maar zei niets. Brunetti speelde wat met haar idee en merkte na een tijdje dat het hem wel beviel. 'Denkt u dat ze zoiets op eigen houtje zou kunnen organiseren? Ik bedoel: hoe zou ze die vrouwen op het spoor moeten komen of met ze in contact moeten komen?'

Zoals een ridder zich eerst in het zadel zou hijsen alvorens zijn lans op te tillen, zo liep signorina Elettra nu terug naar de stoel achter haar computer. Ze drukte een paar toetsen in, keek naar het scherm en drukte er nog een paar in. Brunetti duwde zich van het bureau af en draaide zich naar haar om. Op een gegeven moment wenkte ze hem en zei: 'Kom eens kijken.'

Hij kwam achter haar staan en keek naar het scherm. Hij zag de geijkte fotomontage van een vrouw met haar gezicht weggedraaid van de lens, terwijl achter haar de dreigende schaduw van een man opdoemde. De kop erboven luidde: 'Stop illegale immigratie'. Eronder stonden een paar zinnen waarin steun en hulp geboden werd en een 0800-telefoonnummer werd verstrekt. Hij las niet de hele tekst, maar haalde wel zijn notitieboekje te voorschijn om het nummer op te schrijven.

'Weet u nog wat de president vorig jaar gezegd heeft?' vroeg signorina Elettra.

'Hierover?' vroeg hij, met een gebaar naar het computerscherm.

‘Ja. Weet u nog welk aantal hij genoemd heeft?’

‘Slachtoffers?’

‘Ja.’

‘Nee, dat weet ik niet.’

‘Ik wel,’ zei ze, en Brunetti kon haar bijna horen denken dat zij het nog wist omdat ze een vrouw was en hij niet omdat hij een man was. Maar ze zei niets, en Brunetti vroeg er niet naar.

‘Wilt u dat ik iets doe, meneer? Zal ik ze bellen?’

‘Nee,’ zei hij te snel; hij zag dat ze verrast werd door dat antwoord en door de snelheid waarmee hij het gaf. ‘Ik doe het wel.’ Hij wilde nog iets zeggen om de kracht van zijn reactie te verdoezelen, maar dan zou hij er alleen maar meer de aandacht op vestigen.

‘Verder nog iets, commissario?’ hoorde hij haar vragen.

‘Nee, dank u wel, signorina. Het nummer is genoeg.’

‘Zoals u wilt, dottore,’ zei ze, en ze boog zich naar haar scherm.

Terwijl hij de trap op liep, voelde Brunetti zich schuldig over de bruuske manier waarop hij signorina Elettra’s aanbod had afgeslagen. Ze had zoveel meer in haar mars dan de meeste andere mensen op de Questura dat ze beter had verdiend. Ze was niet alleen slim en vindingrijk, maar ook juridisch goed onderlegd, en zou een sieraad zijn geweest voor elk politiekorps dat het geluk had gehad haar in zijn gelederen te mogen opnemen. Maar ze was nu eenmaal geen politiefunctionaris, en hij mocht haar niet toestaan zich als zodanig te presenteren wanneer ze telefonisch inlichtingen inwon. Het was al erg genoeg dat hij oogluikend toestond dat ze zich schuldig maakte aan allerlei vormen van internetpiraterij; sterker nog: dat hij dat gedrag zelfs aanmoedigde. Er liep ergens een grens tussen wat hij haar wel en niet kon toestaan. Brunetti's dilemma was dat de grens die hij trok nooit recht liep en nooit twee keer op dezelfde plaats werd getrokken.

Op zijn bureau, en God mocht weten hoe ze daar terechtgekomen waren, trof Brunetti het sectierapport en het rapport van het TR-team aan. Hij legde de papieren midden op het bureau op elkaar, haalde zijn leesbril uit de koker in zijn zak, zette hem op en begon te lezen.

Rizzardi, een stille man die absoluut niet geneigd was tot ijdelheid of opschepperij, kon het op twee terreinen niet nalaten te pronken: zijn kleding en zijn proza. Zijn pakken en jassen, zelfs zijn regenjas, waren ingetogen en subtiel van kleur, en van zo'n voortreffelijke kwaliteit dat Brunetti weleens vraagtekens zette bij zijn bronnen van inkomsten. Zijn proza was van een grammaticale precisie en een inventiviteit zoals die in geen van de andere rapporten die Brunetti te lezen kreeg te vinden waren. Het was niet ongewoon voor de patholoog om een orgaan te omschrijven als zijnde 'gevangen binnen een rankwerk van kleine aderen', of om het te hebben over een 'sterrenhoop' van sigaretbrandwonden op de rug van een slachtoffer van marteling. In het verslag van de eerste sectie die Rizzardi op Brunetti's verzoek had verricht, had hij over de snijwonden in de buik van het slachtoffer, waardoor de man was doodgebloed, zelfs geschreven: 'De wonden doen denken aan Fontana toen deze in rood werkte.'

Er stonden echter geen bloemrijke beschrijvingen in zijn rapport over signora Altavilla. Hij beschreef de toestand van haar hart en liet er geen twijfel over bestaan dat haar dood was veroorzaakt door een onbeheersbare fibrillatie. Hij beschreef het letsel aan de wervels en het omliggende weefsel en hij beschreef de wond op haar voorhoofd en zei dat die niet onverenigbaar waren met een ongelukkige val vlak voor haar dood. Brunetti legde zijn rapport even opzij en sloeg het verslag van de technische recherche open, waarin melding werd gemaakt van de aanwezigheid van bloed en huidweefsel op de radiator in de huiskamer, bloed van hetzelfde type als dat van signora Altavilla.

Rizzardi beschreef ook 'een grijze plek' van 2,1 centimeter lengte vlak boven het sleutelbeen van de dode vrouw. De plekken op haar schouders waren 'nauwelijks zichtbaar' – zo'n banale uitdrukking was Brunetti nog niet eerder bij de arts tegengekomen.

Hij las snel de rest van het rapport door: aanwijzingen dat ze minstens één keer een kind gebaard had, de naad die het gevolg was van een gebroken linkerpols, een eeltknobbel op haar rechtervoet. Rizzardi presenteerde de fysieke informatie zonder commentaar. Brunetti wist dat binnen een politiekorps dat werd geleid door vice-questore Giuseppe Patta, bewijsmateriaal dat zo weinig doorslaggevend was waarschijnlijk tot de conclusie zou leiden dat er sprake was van een natuurlijke doodsoorzaak.

Brunetti legde het voorlopige rapport van de technische recherche boven op dat van Rizzardi en las het dit keer zorgvuldig door. Hij bespeurde een zekere bereidheid om tegemoet te komen aan Patta's voorkeur voor non-interpretatie. Afgezien van het bloed op de radiator had het technisch onderzoek niets opgeleverd wat afweek van 'normaal huiselijk gebruik'.

Toen, op de laatste pagina, werd de eventuele hoop die Brunetti had gehad op het verrichten van nader onderzoek definitief de bodem ingeslagen. Er was propafenon gevonden in het medicijnkastje in signora Altavilla's badkamer. En dit bewijs van een reeds langer bestaande aandoening bevestigde Rizzardi's postume diagnose dat de dood het gevolg was van hartritmestoornis.

Brunetti legde het rapport weer netjes neer op dat van Rizzardi en tikte nauwgezet tegen de zijkanten van de papieren tot ze een recht stapeltje vormden. Hij vouwde zijn handen en legde ze midden op het bovenste blad. Hij bestudeerde zijn duimen, zag dat de rechtermanchet van zijn overhemd begon te rafelen en keek daarna door het raam naar buiten.

De rapporten zouden Patta plezier doen, dat stond vast. Maar ze zouden ook – daar was Brunetti net zo zeker van – Niccolini plezier doen. Nee, dat was het verkeerde woord: te sterk. Langzaam, alsof het een film was die hij naar believen en op zijn gemak kon bekijken, speelde Brunetti zijn ontmoeting met de dierenarts nog een keer af.

Zijn emotie kon misschien beter worden omschreven als opluchting, dezelfde emotie die Brunetti op het gezicht van mensen had gezien die de uitspraak 'onschuldig' te horen hadden gekregen. Maar onschuldig waaraan? Bekend als hij was met valse schijn en gespeelde emoties, twijfelde Brunetti niet aan de intensiteit van Niccolini's verdriet. Hij zag diens gezicht weer voor zich nadat Niccolini had verteld dat hij zelf ook secties had verricht. En terwijl hij daaraan terugdacht voelde Brunetti verontwaardiging opkomen over het feit dat de man daar was achtergelaten, terwijl hij wist wat er op dat moment in het vertrek naast hem gebeurde.

Hij pakte de telefoon, draaide het nummer van de agentenkamer en vroeg of hij Vianello mocht spreken. Toen de inspecteur aan de lijn kwam, zei Brunetti: 'Ik denk dat we toch nog een keer terug moeten om een kijkje te nemen in die woning van haar.'

'Nu?' vroeg Vianello met hoorbare tegenzin.

'Hoezo?'

'Het is bijna zeven uur,' begon de inspecteur. Brunetti keek verrast op zijn horloge en zag dat het zo was. 'Denk je dat we het ook morgenochtend kunnen doen?' vroeg Vianello. Voordat Brunetti antwoord kon geven, zei de inspecteur: 'Ik zal die signora Giusti bellen om te zeggen dat we er om – hoe laat zal ik zeggen dat we er zijn?'

Brunetti kwam in de verleiding om te vragen of Vianello een voorstel deed of dat hij een bevel gaf, maar in plaats daarvan zei hij: 'Tien uur is prima.'

11

Ze namen de Nummer Een, maar gingen wel binnen zitten, waar Brunetti Vianello op de hoogte bracht van de inhoud van zowel Rizzardi's rapport als dat van de technische recherche. Hij gaf hem ook zijn algehele indruk van Niccolini als iemand die zich niet zo op zijn gemak voelde vanwege dingen die niet gezegd werden.

Terwijl de boot voor de Piazza langs voer, keek Brunetti naar rechts en zei: 'Het wordt nooit gewoon, hè?' Voordat Vianello antwoord kon geven, en alsof de inspecteur het uit zijn la had gehaald toen hij even niet op zijn kamer zat, voegde Brunetti eraan toe: 'Waar is gisteren gebleven?'

'We zijn wezen lopen,' zei Vianello.

'Wat?'

'Het is niet zoals in de film, waar ze in een auto springen en met loeiende sirene ergens naartoe racen. Dat weet je ook wel. We zijn wezen lopen, en daarna zijn we teruggelopen. Dus dat heeft een hoop tijd gekost. En die oude non, die wilde ons dan wel niets vertellen, maar daar heeft ze ook een behoorlijke tijd over gedaan. We zitten niet in New York, Guido,' zei hij, en zijn glimlach verried hoe blij hij daarom was.

Alsof Vianello's bewering nog eens extra onderstreept diende te worden, werden ze getroffen door een explosie van licht dat terugkaatste van de ramen van de gebouwen links van het kanaal. Ze keken naar de gevelrij: beige, oker, iets tussen geel en bruin, roze; en naar de ramen, die omhoog wezen en bovenaan een pirouette maakten, gedraaide zuilen opzij duwden om meer licht binnen te laten; vervolgens, ter hoogte van de waterlijn, naar de enorme blokken steen vanwaar de stad omhoog sprong naar de hemel.

'We hadden ons door Foa moeten laten brengen,' zei Brunetti, die nog steeds niet goed kon verkroppen hoe snel de vorige dag voorbijgegaan was. Aangespoord door zijn rusteloosheid stapten ze uit bij San Silvestro en gingen te voet verder: ze zouden even lang onderweg zijn geweest als ze waren blijven zitten tot San Stae, maar op deze manier waren ze tenminste in beweging.

Onder het lopen vertelde Brunetti dat hij nog een keer in het huis wilde rondkijken. 'En ik wil nog een keer met de buurvrouw praten,' voegde hij eraan toe terwijl ze vanaf San Boldo de brug overstaken, waarna ze via de Calle del Tintor naar het campo liepen.

Brunetti had dezelfde jas aan en haalde de sleutels uit zijn zak. De grootste was die van de buitendeur, en de sleutel ernaast paste op het slot van de deur van de woning, waar Vianello's tape nog op zijn plaats zat. Brunetti trok het aan één kant los en maakte de deur open.

Binnen zag hij de enveloppen liggen die hij de avond tevoren ook al had gezien. Hij bekeek ze vluchtig en zag dat ze allemaal – inclusief een aangetekende brief – geadresseerd waren aan signora Giusti. Hij stopte ze in zijn jaszak. Het daaropvolgende halfuur vonden ze niets wat ze niet de avond ervoor al waren tegengekomen, afgezien van een aantal kwitanties voor rekeningen die via het postkantoor waren betaald en bankafschriften die vijf jaar teruggingen. Toen Brunetti die doorbladerde zag hij een volkomen normaal patroon: haar pensioen werd elke maand bijgeschreven, samen met een ander bedrag, dat misschien haar weduwepensioen was. Het eerste bedrag weerspiegelde het feit dat ze ervoor had gekozen vroeg met pensioen te gaan; het tweede was substantiëler en bracht haar maandelijkse inkomen omhoog tot een bedrag waarvan een alleenstaande zeer royaal kon leven. Dat gold helemaal – Brunetti kwam nergens een afschrijving van huur tegen – voor een vrouw die in een appartement woonde dat haar eigendom was.

Iets wat Brunetti opviel waren de kleine spijkertjes, eenzame spijkertjes die hun schilderij waren kwijtgeraakt. Er zaten er twee in de gang, met eronder rechthoeken van verf die net iets lichter was dan de verf elders op de muur. En in de kleinste slaapkamer zag Brunetti, nu hij wist waar hij op moest letten, ook een fantoomschilderij met een spijkertje erboven.

Stilzwijgend besloten ze naar boven te gaan. Toen ze de deur achter zich dicht hadden getrokken, maakte Vianello zo goed en zo kwaad als het ging het tape weer vast, terwijl Brunetti met de sleutels in zijn hand stond te wachten tot hij kon afsluiten. Nadat hij dat had gedaan, liet hij de sleutels op zijn handpalm aan Vianello zien en zei: 'Ik vraag me af waar die derde voor is.'

'Misschien een opslagruimte beneden?' opperde de inspecteur.

Brunetti begon de trap op te lopen. 'We kunnen het aan signora Giusti vragen.'

De vrouw deed de deur van haar woning al open toen ze nog op de laatste trap liepen. 'Ik hoorde u beneden rondlopen,' zei ze bij wijze van begroeting, en daarna dacht ze eraan haar hand uit te steken en goedemorgen te zeggen. Ze maakte nu een minder aangeslagen indruk, en Brunetti besefte tot zijn verrassing dat ze niet meer zo lang leek. Misschien had dat iets te maken met de ontspanning in haar lichaam of in haar schouders. Ze neigde nu ook meer naar de schoonheid die hij zich eerder had voorgesteld.

Brunetti stelde Vianello voor en ze liet hen binnen in haar woning, die zich evenzeer leek te hebben ontspannen als zijzelf. Op de tafel in de huiskamer lagen twee kranten, eentje opengeslagen op de cultuurbijlage, de andere duidelijk doorgebladerd en slordig dichtgevouwen. Ernaast stond een leeg glas, en een bord met de schil en het klokhuis van een appel en het mes waarmee die was geschild. De kussens op de bank waren ingedeukt; eentje lag er op de grond.

In de voorkamer werd Brunetti opnieuw getroffen door de dramatiek die de apsis uitstraalde, gezien vanaf deze hoogte en vanuit deze hoek, alsof de kerk in volle zee recht op hen afstevende. Haar meubels, twee stoelen en een bank, keken uit op de kerk en het campo en de bergen in de verte. Ze ging in de verste hoek van de bank zitten en liet hen plaatsnemen in de twee stoelen, met een tafel tussen hen in. Ze nam niet de moeite om te vragen of ze iets wilden drinken.

Brunetti haalde de enveloppen uit zijn zak en legde ze op de tafel. Signora Giusti keek ernaar, maar maakte geen aanstalten om ze te pakken. Ze gaf een knikje om hem te bedanken. Haar gezicht stond ernstig. Brunetti had de sleutels nog in zijn hand en legde die ook neer. 'Er zit nog een derde sleutel aan de bos die u beneden had laten liggen, signora. Kunt u me vertellen waar die voor is?'

Ze schudde haar hoofd. 'Ik heb geen idee. Dat heb ik ook aan haar gevraagd toen ze me de sleutels gaf, en toen zei ze dat het...' Ze zweeg even en sloot haar ogen. 'Het was vreemd wat ze zei.' Vianello en Brunetti zeiden allebei niets, om haar de tijd te geven het zich te herinneren. Even later sloeg ze haar ogen op en zei: 'Ze zei zoiets als dat het een veilige plek was om een sleutel te bewaren.'

Ze keken haar niet-begrijpend aan, en ze beantwoordde hun blik op dezelfde wijze. 'Nee, ik begrijp ook niet waar het op slaat, maar dat zei ze, dat het een veilige plek was.'

'Wanneer heeft ze u die sleutels gegeven, signora?'

Ze werd verrast door deze vraag, alsof die verried dat Brunetti over een of andere speciale gave beschikte. 'Waarom vraagt u dat?'

'Gewoon uit nieuwsgierigheid,' zei Brunetti. Hij had geen idee hoe lang deze vrouwen hier woonden, dus hij had ook geen idee hoe lang ze elkaar al voldoende vertrouwden om hun huissleutels uit te wisselen.

'Ik heb haar huissleutels al jaren, maar een week geleden vroeg ze ze voor een dag terug. Ze had het erover dat ze extra sleutels wilde laten maken.' Ze wees naar de sleutels alsof de twee mannen het daardoor beter zouden begrijpen. Vervolgens leunde ze naar voren, raakte ze aan en zei: 'Maar moet u eens zien. De ene is rood en de andere blauw. Het zijn gewoon goedkope kopieën. Waarschijnlijk kost het nog geen euro om ze te laten maken.'

'Dus?' vroeg Brunetti.

'Dus waarom zou ze deze laten kopiëren als ze zelf de originele sleutels heeft? Toen ze ze teruggaf, zat die derde sleutel ook aan de ring, en toen zei ze dat dus, dat het een veilige plek was om hem te bewaren.' Ze keek de mannen beurtelings aan, op zoek naar een teken dat ze dit even raadselachtig vonden als zijzelf.

'Wist ze waar u de sleutels bewaarde?' vroeg Brunetti.

'Natuurlijk. Die liggen al jaren op dezelfde plek, en ze wist waar dat was,' zei ze, terwijl ze in de richting wees van waar waarschijnlijk de keuken was. 'Daar. In de tweede la.' Brunetti bedacht dat dat precies de plaats was waar een vakkundige inbreker zou zoeken, maar hield dit voor zich.

'Zijn hier opslagruimten op de begane grond?' vroeg Brunetti. 'Is één ervan misschien van haar?'

'Nee, die zijn van die witgoedwinkel vlak bij de pizzeria en van een van de restaurants op het campo.'

Hij zag dat Vianello ongemerkt zijn notitieboekje te voorschijn had gehaald en druk zat te schrijven.

'Kunt u me enig idee geven van het soort leven dat ze heeft geleid, signora?'

'Costanza?'

'Ja.'

'Ze is onderwijzeres geweest. Ik denk dat ze een jaar of vijf geleden met pensioen is gegaan. Ze gaf les aan kleine kinderen. En nu gaat ze op bezoek bij oude mensen die in een bejaardentehuis zitten.' Alsof ze zich opeens realiseerde dat die tegenwoordige tijd niet te rijmen was met wat er was gebeurd, sloeg ze haar hand voor haar mond.

Brunetti wachtte even en vroeg toen: 'Had ze weleens gasten?'

'Gasten?'

'Mensen die bij haar logeerden. Misschien bent u die weleens tegengekomen op de trap, of misschien heeft ze u weleens verteld dat u vreemden te zien zou kunnen krijgen, gewoon om te zorgen dat u ervan wist, zodat u zich geen zorgen zou maken.'

'Ja, ik zag af en toe wel mensen op de trap. Ze waren altijd heel beleefd.'

'Vrouwen?' vroeg Vianello.

'Ja,' zei ze achteloos. 'En haar zoon kwam bij haar op bezoek.'

'Ja, dat weet ik. Ik heb hem gisteren gesproken,' reageerde Brunetti, die benieuwd was waarom ze het vermeed om op die vrouwelijke bezoekers in te gaan.

'Hoe gaat het met hem?' vroeg ze oprecht begaan.

'Toen ik hem sprak, leek hij er kapot van.' Dat was niet overdreven; Brunetti vermoedde dat het de werkelijkheid was die achter Niccolini's gereserveerdheid schuilging.

'Ze hield van hem. En van de kleinkinderen.' Vervolgens, met een klein glimlachje: 'En ze was ook erg gesteld op haar schoondochter.' Ze schudde haar hoofd, alsof ze een of andere uitzondering op de regel van de zwaartekracht had ontdekt.

'Had ze het vaak over hen?'

'Nee, niet echt. Weet u wat het is, Costanza was eigenlijk niet zo'n prater. Dat ik dit allemaal weet, komt alleen maar doordat ik haar al jaren ken.'

'Hoeveel jaar?' wilde Vianello weten, en hij hief zijn notitieboekje op alsof hij slechts deed wat de bladzijden hem opdroegen.

'Toen ik hier kwam wonen, woonde ze er al,' zei ze. 'Dat was vijf jaar geleden. Ik geloof dat ze hier toen al een paar jaar woonde, sinds haar man gestorven was.'

'Heeft ze gezegd waarom ze verhuisd was?' vroeg Vianello, met zijn blik op wat hij schreef.

'Ze zei dat het oude huis – dat was vlak bij San Polo – te groot was. En toen ze alleen was – haar zoon was inmiddels getrouwd – besloot ze op zoek te gaan naar iets kleiners.'

'Maar wel in de stad te blijven?' vroeg Vianello.

'Uiteraard,' zei ze, en ze keek Vianello bevreemd aan.

'Ik wil graag nog even terugkomen,' zei Brunetti, 'op die gasten.'

'Gasten,' herhaalde ze, alsof ze helemaal vergeten was dat daar al eerder naar was gevraagd.

'Ja,' zei Brunetti met zijn meest ongedwongen glimlach.

'Hoewel, misschien zult u daar hierboven niet zo veel erg in gehad hebben. Ik kan het ook aan de mensen beneden vragen; die zullen er meer van gemerkt hebben.' Hij schraapte zijn keel, alsof hij zich opmaakte om van onderwerp te veranderen en een heel andere vraag te stellen.

'Zoals ik al zei, er logeerden af en toe wel mensen bij haar. Vrouwen,' zei ze. 'Af en toe.'

'Juist ja,' zei Brunetti, en hij klonk maar half geïnteresseerd. 'Vriendinnen?'

'Dat weet ik niet.'

Vianello keek op en zei glimlachend: 'Iedereen wil wel in Venetië komen logeren. Mijn vrouw en ik krijgen voortdurend verzoekjes of de zonen en dochters van vrienden bij ons kunnen slapen, en onze kinderen hebben altijd vrienden en vriendinnen die ze willen uitnodigen.' Hij schudde zijn hoofd bij die gedachte, alsof hij de beheerder van een rustig pension in Castello was – niet te dicht bij het drukke centrum van de stad – in plaats van *ispettore di polizia*. Het nieuws van die verzoekjes verbaasde Brunetti. Gezien de jeugdige leeftijd van zijn kinderen en het feit dat al Vianello's vrienden in Venetië woonden, was het erg onwaarschijnlijk wat de inspecteur zei, maar kennelijk overtuigd door zijn eigen verhaal concludeerde Vianello vervolgens: 'Waarschijnlijk vriendinnen dus,' en boog zich weer over zijn boekje.

'Misschien,' zei signora Giusti onzeker.

Toen Brunetti haar aarzeling zag, liet hij zijn nonchalante toon varen en sprak met de ernst die deze zaak naar zijn mening rechtvaardigde. 'Signora, we willen alleen maar proberen te begrijpen wat voor soort vrouw ze was. Iedereen die we spreken, zegt dat ze een goed mens was, en ik heb geen reden om dat niet te geloven. Maar daarmee heb ik nog geen duidelijk beeld van haar. Dus alles wat u kunt vertellen, kan misschien helpen.'

'Helpen met wat?' vroeg ze met een scherpte die Brunetti verraste. 'Wat wilt u eigenlijk echt weten? U bent van de politie en dat voorspelt nooit veel goeds. Sinds u hier binnen bent, heeft u de waarheid steeds vermengd met wat u denkt dat ik wil horen of zou moeten horen, maar u hebt nooit gezegd waarom die vragen van belang zijn.'

Ze zweeg even, maar niet om te proberen zichzelf te kalmeren of om te luisteren naar wat een van hen misschien zou willen zeggen. 'Ik heb de kranten gezien, en daarin staat dat ze is gestorven aan een hartaanval. Als dat zo is, dan hoeft u hier helemaal niet te zijn om deze vragen te stellen.'

'Ik begrijp uw bezorgdheid, signora, als bewoonster van hetzelfde pand,' zei Brunetti.

Ze drukte haar handen tegen haar slapen alsof ze te veel lawaai hoorde of te veel pijn had. 'Hou op, hou op, hou op. Of u vertelt me wat er aan de hand is, of u gaat nú weg, u allebei.' Tegen de tijd dat ze klaar was, schreeuwde ze bijna.

Ervaring streed met instinct; Brunetti's verworven inzicht in de menselijke natuur nam het op tegen zijn gevoel van mededogen. De voorzichtigheid won. Zodra mensen iets wisten, had je het niet langer onder controle, want dan waren ze vrij om ermee te doen wat ze wilden, en wat zij wilden hoefde niet te zijn wat jij wilde, en was het zelfs meestal niet.

'Goed dan,' zei hij, en hij dwong zijn lichaam tot een ontspannener houding, een waaruit eerlijkheid sprak. 'De doodsoorzaak was een hartaanval, daar bestaat geen twijfel over. Maar we willen graag de mogelijkheid uitsluiten dat iemand voorwaarden heeft gecreëerd om dat te bevorderen.'

Ze reageerde geprikkeld op het jargon en zei: 'Wat wil dat zeggen?'

Hij vervolgde rustig, alsof hij haar reactie niet had opgemerkt: 'Dat wil zeggen dat iemand haar misschien...' – hier zweeg hij even, en hij deed het voorkomen alsof hij zweeg om te kunnen inschatten of ze te vertrouwen was – '... bang heeft gemaakt of bedreigd heeft.'

Op kalmere toon vroeg ze: 'Is dit een officieel onderzoek?'

Hij nam zijn toevlucht tot de waarheid. 'Nee, niet echt. Misschien is het voor mijn eigen gemoedsrust, of voor die van haar zoon. Maar ik wil graag de mogelijkheid uitsluiten dat... dat haar dood geforceerd is geweest. Ik wil weten of iemand haar op enigerlei wijze heeft bedreigd, en ik dacht dat u misschien iets zou weten.'

'Maakt dat verschil?' vroeg ze meteen.

'Voor wat?'

'Juridisch,' zei ze.

Zonder te vertellen over de vage plekken op signora Altavilla's hals en schouders kon Brunetti haar daar geen antwoord op geven.

Ze stond op en liep naar het raam dat uitkeek op het campo en op de onontkoombare kerk. Met haar rug nog naar hen toe zei ze: 'Als ik beneden de deur uitga en de kerk zie, dan oogt hij zwaar, in de grond verankerd. Maar van hieruit gezien, lijkt het bijna alsof hij vleugels heeft.' Vervolgens kwam er een hele tijd niets. Brunetti en Vianello wisselden een blik.

'Zelfde kerk, andere hoek,' zei ze, waarna ze opnieuw in stilzwijgen verviel.

'Net Costanza,' zei ze na een lange stilte, en Brunetti en Vianello wisselden een snellere blik. 'Toen ik voor het eerst die vrouwen op de trap zag, had ik geen idee wie dat waren. Ik wist dat het geen werksters waren, want we hebben allebei dezelfde, Luba. Maar ik kon het niet aan Costanza vragen. Want die was zo op zichzelf. Maar ze waren er dus wel, en ik zag soms een paar keer dezelfde gezichten. In het begin schonk ik niet zo veel aandacht aan ze. Later wel, maar ik had nooit last van ze, en ze waren altijd heel beleefd, dus ik raakte er min of meer aan gewend.'

'Totdat?' vroeg Brunetti, die voelde dat het de bedoeling was dat hij dat vroeg, en dat ze hulp nodig had om dit verhaal te vertellen.

'Totdat ik er eentje op de trap vond, nou ja, op de overloop, bij Costanza voor de deur; ik kwam de trap op lopen, en daar lag ze. Costanza was niet thuis – ik heb bij haar aangebeld – en dat meisje lag daar maar. Ik dacht eerst dat ze misschien dronken was of zo. Ik weet niet waarom ik dat dacht; ze waren altijd heel rustig geweest.' Ze wendde haar blik af, en Brunetti zag haar nadenken over wat ze zojuist gezegd had. 'Misschien omdat ze er allemaal armoedig uitzagen. Misschien was het mijn bourgeois vooringenomenheid die opspeelde.' Ze haalde onbewust haar schouders op. 'Ik weet het niet.

Ik kon haar daar niet zomaar laten liggen, dus ik probeerde haar overeind te helpen. Ze kreunde, dus ik wist dat ze niet bewusteloos was. En toen zag ik haar gezicht. Haar neus was opzij gedrukt, en er zat een heleboel bloed op haar jas. Dat had ik aanvankelijk niet gezien omdat die jas zwart was, en ik zag haar gezicht pas echt toen ik haar rechtop liet zitten.'

Signora Giusti draaide zich om en deed haar armen over elkaar. 'Ik vroeg aan haar wat er gebeurd was, en toen zei ze dat ze op straat gevallen was. Dus toen zei ik dat ik een ambulance zou bellen om haar naar het ziekenhuis te brengen.'

'Was ze Italiaans?' vroeg Vianello.

'Nee, ik weet niet waar ze vandaan kwam. Ergens uit het Oosten, zou ik zeggen, maar ik weet het niet zeker.'

'Sprak ze Italiaans?'

'Genoeg om te begrijpen wat ik zei en om over dat vallen te vertellen. "*Cadere. Pavimento.*" Zo, ongeveer. En genoeg om "*ospedale*" te begrijpen.'

'Wat deed ze toen?'

'Toen ze me dat hoorde zeggen, raakte ze in paniek. Ze pakte mijn hand beet en zei: "*Prego, prego*", steeds maar weer. "*No ospedale.*" Dat soort dingen.'

'Wat gebeurde er toen?' vroeg Brunetto.

'Ik hoorde – we hoorden allebei – de deur opengaan. De voordeur beneden.' Ze deed haar ogen dicht om zich het tafereel weer voor de geest te halen. 'Die vrouw – het was eigenlijk nog een meisje, kan niet veel meer dan een tiener zijn geweest – die raakte in paniek. Ik had nog nooit iemand zoiets zien doen, er alleen over gelezen. Ze kroop helemaal in de hoek en maakte zich klein. Ze trok haar jas over haar hoofd alsof ze dacht dat ze zich zo kon verstoppen of onzichtbaar zou zijn. Maar ze bleef maar kermen, dus iedereen zou geweten hebben dat ze daar zat.'

'En toen?'

'En toen kwam Costanza naar boven. Ze zei niets, bleef alleen maar boven aan de trap staan. Dat meisje zat inmiddels weer te kermen, als een dier. Ik wilde iets zeggen, maar ze stak haar hand op en noemde de naam van dat meisje, Alessandra of Alexandra, een van de twee, en toen zei ze dat alles in orde was en dat ze niet meer bang hoefde te zijn. Van die dingen die je tegen kinderen zegt als ze midden in de nacht wakker worden.'

'En dat meisje?' vroeg Vianello.

'Ze hield op met kermen, en Costanza liep naar haar toe en knielde naast haar neer.' Ze keek hen aan, verrast door iets wat ze zich nu herinnerde. 'Maar ze raakte haar niet aan. Ze zei alleen haar naam nog een paar keer en vertelde dat alles in orde was en dat ze zich geen zorgen hoefde te maken.'

'En toen?' vroeg Brunetti.

'Ik ben opgestaan en Costanza zei "dank je wel" alsof ik haar een kop thee had gegeven of zo. Maar het was duidelijk dat ze wilde dat ik wegging, dus toen ben ik naar boven gegaan naar mijn eigen woning.'

'Heeft u dat meisje daarna ooit nog gezien?'

'Nee. Nooit meer. Maar een paar maanden later was er weer eentje. Ik heb ze alleen nooit meer gesproken – er zijn er nog twee of drie geweest, denk ik. Voorzover ik weet.'

'Heeft signora Altavilla er ooit naar verwezen of er ooit iets over gezegd tegen u?'

'Nee. Niets. Het was alsof het nooit gebeurd was, en na een tijdje voelde het ook inderdaad zo. Ik zei haar gedag – Costanza – op de trap, of ze vroeg me binnen voor een kop thee, of ze kwam naar boven als ik haar vroeg. Maar we hebben er geen van beiden ooit nog iets over gezegd.' Ze keek van de een naar de ander, als om hen te vragen daar begrip voor te hebben. 'U weet hoe dat gaat. Op een gegeven moment, als er iets gebeurd is, ook al is het niet zo leuk geweest, als je er gewoon niet over praat, verdwijnt het min of meer. Niet dat je het vergeet, niet echt, maar het is er gewoon niet meer.'

Brunetti kende het maar al te goed, en Vianello zei: 'Dat is de enige manier waarop het leven door kan gaan, als je erover nadenkt.'

Hierop keek Brunetti naar signora Giusti en hun blikken ontmoetten elkaar. Ze knikte, en Brunetti merkte dat hij terugknikte. Ja, dat was de enige manier waarop het leven door kon gaan.

12

'Bent u er ooit achter gekomen wat ze deed?' vroeg Brunetti ten slotte.

'Dat spreekt wel een beetje voor zich, hè?'

'Hoe bedoelt u?' vroeg Brunetti.

'Ik denk dat ze haar woning gebruikte als een soort veilig onderkomen voor... nou ja, voor vrouwen die gevaar liepen.' Vervolgens, voor hij ernaar kon vragen, verduidelijkte ze: 'Die bedreigd werden door hun vriendje of hun man, of in het geval van die vrouwen uit het Oosten door de mannen die hen bezitten, denk ik.'

'Bezitten?' vroeg Vianello.

'U bent politieman. Daar moet u toch wel uit kunnen komen,' zei ze, en ze verraste hen beiden met die ongezouten opmerking. Toen ging ze op rustiger toon verder: 'Wat kunnen het anders zijn dan prostituees? Die vrouw, Alessandra of Alexandra, dat was geen Italiaanse, ze sprak nauwelijks de taal. Ik betwijfel of ze iemands vrouw was. Maar ik weet wel dat ze bang was, doodsbang, dat degene die haar neus gebroken had terug zou komen om de klus af te maken. Dat is waarschijnlijk de reden dat ze verdwenen is.'

'Kunt u zich herinneren,' begon Brunetti, 'of uw buurvrouw in al die tijd – sinds u gemerkt had dat die vrouwen bij haar over de vloer kwamen – iets gezegd heeft dat erop zou kunnen wijzen dat ze zich bedreigd voelde?'

Op een toon die geduld nastreefde, zei ze: 'Ik heb u al gezegd, commissario: Costanza was erg op zichzelf. Zoiets zou ze nooit zeggen. Zo was ze niet, dat was haar stijl niet.'

'Zelfs niet als grapje?' viel Vianello in.

'Mensen maken geen grapjes over dit soort dingen,' zei ze scherp.

Brunetti was een heel andere mening toegedaan. Hij had vaak genoeg gemerkt dat mensen in staat waren grapjes te maken over alles, ongeacht hoe erg het was. Het leek hem een volkomen gerechtvaardigde verdediging tegen de gruwelen die ons kunnen treffen. In dat opzicht was hij een groot bewonderaar van de Britten; nou ja, van de Britten die met hun droge humor ten overstaan van de dood, hun galgenhumor, op het krankzinnige af de moed erin hielden.

'Signora,' zei Brunetti op een toon die bedoeld was om de kalmte te laten weerkeren, 'heeft u zelf conclusies getrokken?' En hij liet er meteen op volgen: 'Ik vraag hier naar uw algehele indruk van wat er aan de hand geweest zou kunnen zijn.'

Om de een of andere reden maakte die vraag haar zichtbaar kalmer. Haar schouders werden wat minder star. 'Ze deed wat ze vond dat ze moest doen en probeerde die arme vrouwen te helpen.' Ze stak een hand op, draaide zich om en liep de kamer uit. Even later kwam ze terug met een stukje papier, de vertrouwde kwitantie voor een rekening die op het postkantoor is betaald. Ze gaf het aan Brunetti en nam weer plaats op de bank.

'Alba Libera,' las hij, en hij vroeg zich af wat hij zich bij die 'vrije dageraad' moest voorstellen.

'Ja,' zei ze, terwijl ze een gebaar maakte alsof ze de banaliteit van die naam wilde wegwuiven. 'Ze waren waarschijnlijk op zoek naar een naam die niet te veel aandacht zou trekken.'

'En wie zijn "ze"?' wilde Brunetti weten. Het was niet de

organisatie die signorina Elettra had gevonden.

'Het is een stichting voor vrouwen. U kunt zien dat het zonder winstoogmerk is,' zei ze, terwijl ze naar de letters wees die achter de naam stonden.

Brunetti had de neiging om te zeggen dat die letters geen garantie waren voor financiële eerlijkheid, maar hield dit voor zich en vroeg: 'Wat doen ze?'

'Wat Costanza deed. Vrouwen helpen die weggelopen zijn, of proberen weg te lopen. Ze hebben een telefonische hulplijn, die ze bij toerbeurt waarnemen. En als ze denken dat er sprake is van echt gevaar, dan zoeken ze een adres waar zo'n vrouw terecht kan.'

'En dan?' vroeg de altijd praktische Vianello.

Het lukte signora Giusti niet de koelheid van de blik waarmee ze zijn vraag begroette te verbloemen. 'Zorgen dat ze een dak boven hun hoofd hebben is al heel wat, zou ik zeggen.' Ze voegde eraan toe: 'Ze proberen hen ergens onder te brengen in een andere stad. En werk voor hen te vinden.' Ze wilde nog iets zeggen, maar hield zich in, en vervolgde toen: 'En soms helpen ze hen om hun naam te veranderen. Legaal.'

Brunetti knikte. 'Hoe doneren mensen geld?' vroeg hij. 'Ik bedoel, hoe bent u te weten gekomen dat ze bestaan?'

Ze liet haar hoofd zakken en keek aandachtig naar haar handen. 'Ik heb een keer post van Costanza opengemaakt,' zei ze met zachte stem. 'Dat ging per ongeluk. Het is in de loop der jaren gewoonte geworden om haar post op te halen uit de bus beneden. Er is er maar één voor alle vier de woningen. Wij nemen elkaars post mee, zodat die niet tussen die van de andere bewoners terechtkomt. Of meegenomen wordt door hun kinderen. Dat is een paar keer gebeurd. Dus degene die het eerst thuiskomt,' vertelde ze, en het viel Brunetti op hoe makkelijk ze weer was overgestapt op de tegenwoordige tijd, 'neemt de post mee. Ik leg die van haar op de mat voor haar deur, en zij legt die van mij op het tafeltje naast haar deur. Maar één keer – het zal een jaar of twee geleden zijn geweest – heb ik per ongeluk een envelop van haar mee naar boven genomen en opengemaakt toen ik mijn eigen post openmaakte. Er zat een voorgedrukte brief in, en die heb ik doorgelezen. Afschuwelijk allemaal. Aan de onderkant zat een acceptgirokaart,' zei ze, en ze boog zich naar voren en raakte de kwitantie even aan. 'En toen ik daarnaar keek, zag ik dat haar naam erop stond.' Ze zweeg en keek weer naar haar handen, het toonbeeld van een schuldig schoolmeisje. 'En toen zag ik dat haar naam op de envelop stond.'

'Wat heeft u toen gedaan?' vroeg Vianello.

'Ik heb gewacht tot ze thuiskwam, en toen ik haar hoorde ben ik naar beneden gegaan en heb ik haar die envelop gegeven en verteld wat er gebeurd was. Ze keek me een beetje vreemd aan; ik weet niet of ze me wel geloofde. Maar ze haalde die brief uit de envelop – ik had hem zo terug gedaan dat het eruitzag alsof ik hem niet had gelezen – en zei dat ik er misschien weleens naar wilde kijken.'

Ze keek van de een naar de ander. 'Dus heb ik hem meegenomen, en toen heb ik wat geld naar ze overgemaakt, en dat doe ik nu elk halfjaar of zo. God weet dat ze het nodig hebben.'

'Juist ja,' zei Brunetti. Opeens knorde zijn maag. Zoals in zo'n situatie gebeurt, deed iedereen of hij niets gehoord had. Hij boog zich naar voren en haalde zijn portemonnee uit zijn zak. Hij nam er een visitekaartje uit en schreef het nummer van zijn telefonino op de achterkant. 'Signora,' zei hij, 'dit is mijn eigen nummer. Als u zich nog iets herinnert of als er iets gebeurt waarvan u denkt dat ik het zou moeten weten, belt u me dan alstublieft.'

Zonder naar het kaartje te kijken, legde ze het op de armleuning van de bank en stond op. Ze ging hen voor naar de deur en gaf hun een hand, zei goedendag en deed de deur achter hen dicht zodra ze de woning hadden verlaten.

'En?' vroeg Vianello, terwijl ze de trap af liepen.

'Weer een bewijs dat mensen ons niet vertrouwen,' zei Brunetti.

'Jou en mij niet? Of de politie in het algemeen?' vroeg Vianello. Ze hadden inmiddels de laatste traparm bereikt.

'De politie,' antwoordde Brunetti, die even later de voordeur opendeed en hen buiten liet in het licht van de dag. 'Ik denk dat ze jou en mij wel vertrouwde. Anders had ze ons niet over dat Alba Libera verteld.' Toen, na een korte stilte, zei hij: 'Rare naam trouwens, hè?'

Vianello haalde zijn schouders op. 'Beetje opschepperig, bedoel je?'

Brunetti knikte, en zei toen: 'Niet meer dan Opus Dei waarschijnlijk.'

Vianello lachte en haalde zijn handen door zijn haar, alsof hij zich wilde ontdoen van de gebeurtenissen van die ochtend. 'Ik neem de 51,' zei de inspecteur. 'Dat is sneller.'

Brunetti was even verrast, maar toen begreep hij het: Vianello had gewoon besloten niet met hem mee terug te gaan naar Rialto, waar de inspecteur de Een kon nemen naar Castello. Net als Brunetti wilde hij zo snel mogelijk naar huis om te lunchen, en de boot die achter het eiland langs voer naar de halte bij de Celestia ging sneller.

'Tot straks, dan,' zei Brunetti, en hij ging op weg naar huis. Terwijl zijn voeten zich over de navigatie ontfermden, richtte Brunetti zijn verbeelding op wat ze zojuist hadden gehoord. De Calle Bernardo voerde hem naar het Campo San Polo, maar hij was blind voor alles en iedereen waar hij langs kwam en probeerde zich de jonge vrouw met het bebloede gezicht op de overloop voor te stellen. Hij probeerde niet alleen zich haar voor te stellen, maar ook te bedenken waardoor ze daar terechtgekomen was en waar ze naartoe kon zijn gegaan nadat signora Giusti haar had gevonden.

Het bestaan van de man die het meisje had geslagen – Brunetti koesterde geen twijfels over het geslacht van de agressor – was de eerste aanwijzing dat signora Altavilla's verlangen om de ongelukkigen te helpen weleens tot iets anders dan pais en vree geleid zou kunnen hebben. Bij deze gedachte en in het besef dat hij die nogal cynisch onder woorden bracht, moest Brunetti onwillekeurig brommen, iets wat hij deed wanneer hij door zijn eigen gedachten werd verrast.

Als haar zoon op de hoogte was geweest van het komen en gaan van die meisjes en vrouwen, zou dat zijn nervositeit kunnen verklaren. Hij had zijn moeder misschien gewaarschuwd dat ze die vrouwen niet in haar eigen huis moest onderbrengen. Brunetti kon zich moeilijk voorstellen dat een zoon dat niet zou doen. Maar hij woonde in Lerino, zij in Venetië, dus hij kon maar weinig controle uitoefenen op wat ze wel of niet deed en wie ze wel of niet in haar woning ontving.

Hij merkte dat hij al bij zijn eigen huis was aangekomen en bleef daar staan op de manier van een opwindpoppetje dat tegen een muur was gebotst maar evengoed probeerde door te lopen, nog steeds met zijn gedachten bij signora Giusti's verhaal over die vrouwen die het appartement in en uit gingen en bij de herinnering aan dottor Niccolini, die voor de deur van het mortuarium stond. En als een soort oorsuizen was daar het zachte gerommel van Patta's behoefte om zo min mogelijk te doen wat het publiek zou kunnen verontrusten.

Iemand naderde hem van achteren en zei goedemiddag. Brunetti draaide zich om en groette signor Vordoni, die zijn sleutel in het slot stak en de deur openduwde. Hij wachtte tot Brunetti hem zou voorgaan. Brunetti mompelde een bedankje en ging naar binnen, hield daarna de deur voor de oudere man open, deed die zachtjes achter hem dicht en nam vervolgens alle tijd om de brievenbus te controleren, zodat hij niet samen met hem de trap op hoefde te lopen.

Zoals hij al wist, was de brievenbus leeg, maar tegen de tijd dat hij het deurtje weer dichtgedaan had en de sleutel in het slot had omgedraaid, was signor Vordoni verdwenen. Brunetti liep naar boven, zonder acht te slaan op de etensgeuren die hem op iedere overloop tegemoetkwamen.

Hij deed zijn eigen deur open, en door de geur van iets met pompoen en iets anders wat met kip te maken had, herontdekte hij zijn belangstelling voor aroma's en het voedsel dat ze voortbracht.

Toen hij in de keuken kwam zag hij Paola aan tafel zitten, verdiept in een tijdschrift. Een van de gewoonten die ze in de loop der jaren had ontwikkeld, was dat ze materiaal met een slappe kaft alleen in de keuken las en boeken in haar werkkamer en in bed. 'Is de universiteit aan het staken?' vroeg hij, terwijl hij zich vooroverboog om haar een kus te geven. Bij die woorden draaide ze zich om, zodat zijn kus op haar rechteroor terechtkwam in plaats van boven op haar hoofd. Ze maalden er geen van beiden om.

'Nee,' zei ze. 'Er was maar één student komen opdagen, dus ik heb het college afgezegd en ben naar huis gegaan.' Ze liet het tijdschrift op tafel glijden, waar het openviel bij het artikel dat ze aan het lezen was. Brunetti wierp er een blik op en zag iets wat eruitzag als een warrige witte wolk die de bovenste helft van de linkerpagina bedekte. 'Wat is dat?' vroeg hij, en hij pakte het tijdschrift op en hield het op de afstand waar zijn ogen inmiddels om vroegen. Ze gaf hem haar leesbril; hij klapte één poot dicht en hield de lenzen voor zijn ogen. 'Kippen?' vroeg hij. Hij keek nog eens beter. Kippen.

Hij liet het tijdschrift weer op tafel vallen en gaf haar haar bril terug. 'Waar gaat het over?'

'Het is weer zo'n gruwelartikel. Zoiets wat je eigenlijk liever niet had willen lezen, maar wat je niet meer weg kunt leggen als je eenmaal begonnen bent. Over wat er met ze gedaan wordt.'

'Kippen? Gruwelkippen?' vroeg hij, terwijl hij luisterde naar het knisperende geluid dat uit de oven kwam en dat er geen twijfel over liet bestaan wat er daarbinnen werd geroosterd.

'Het is iets waar Chiara mee thuiskwam en wat ik van haar moest lezen.' Paola ondersteunde haar hoofd met haar hand en vroeg: 'Zou dat ook weer een teken zijn dat ze ons ouderlijk gezag zijn ontgroeid?'

'Wat?'

'Als ze je niet meer vragen om dingen te lezen, maar je beginnen op te dragen wat je moet lezen?'

'Zou kunnen,' zei hij, waarna hij in de koelkast op zoek ging naar iets wat de gruwel van de kip zou kunnen verzachten. In een van de laden onderin zag hij een paar flessen Moët liggen. 'Waar komt die champagne vandaan?' vroeg hij.

'Een van mijn studenten,' antwoordde ze.

'Studenten?'

'Ja. Hij is een paar dagen geleden afgestudeerd, en hij heeft me een paar flessen gestuurd.'

'Waarom?'

'Ik heb zijn scriptie begeleid. Die was briljant, over het gebruik van lichtbeeldspraak in de late romans.' Brunetti was opeens alert en besefte dat dit het moment was om in te grijpen. Als hij haar niet onmiddellijk de pas afsneed en tegenhield, zou hij voor onbepaalde tijd moeten aanhoren wat een student onder leiding van zijn dierbare vrouw had geschreven over het gebruik van lichtbeeldspraak in de late romans van Henry James. Gezien het feit dat hij onlangs een bespreking met vice-questore Giuseppe Patta had moeten verdragen en gisteren als lunch maar drie tramezzini – waarvan één gestolen – had gegeten, was er nu geen tijd te verliezen.

'Hoeveel flessen heeft hij naar je opgestuurd?' vroeg hij, om tijd te winnen.

'Een paar kistjes.'

'Wat?'

'Een paar kistjes. Drie of vier, ik weet het niet meer.'

Dat kreeg je ervan, wist Brunetti, als je uit een adellijke familie stamde die niet alleen kon bogen op een lange geschiedenis, maar ook op grote rijkdom: dan kon je niet zomaar onthouden hoeveel kistjes Moët een student naar je opstuurde.

'Dat is omkoperij,' zei hij streng.

'Wat?'

'Omkoperij. Ik sta er versteld van dat je het hebt aangenomen. Ik hoop niet dat je hem een hoog cijfer voor zijn scriptie hebt gegeven.'

'Zo hoog als maar kon. Het was briljant.'

Brunetti begroef zijn gezicht in zijn handen en kreunde.

Hij haalde een van de flessen te voorschijn en pakte twee glazen uit de kast. Hij zette de glazen met veel lawaai op tafel en richtte vervolgens zijn aandacht op de fles, waar hij het goudfolie van af trok. Hij richtte de kurk op de verste hoek en duwde hem van de fles: de explosie galmde door het huis en verwarmde zijn hart.

Hij had de fles een beetje geschud, dus de champagne schuimde naar buiten en liep over zijn hand. Snel schonk hij wat in het eerste glas, dat overliep, en daarna in het tweede, waar hetzelfde gebeurde. Rond de glazen vormden zich twee kleine plasjes.

'Vlug, vlug,' zei hij, en hij gaf haar een glas. Zonder verder iets te zeggen tikte hij met zijn glas tegen het hare, zei '*cin, cin*' en nam een grote slok. 'Ah,' zei hij, weer verzoend met de wereld. Met een volgende snelle slok leegde hij zijn glas.

'Wat is er met jou aan de hand?' vroeg Paola, die nu ook een slokje nam. 'Wat ben je aan het doen?'

'Het bewijsmateriaal aan het vernietigen.'

'Ach, wat ben je toch een rare, Guido,' zei ze, maar ze moest ondertussen lachen, en de bubbels gingen haar neus in en maakten haar aan het hoesten.

De lunch was extra ontspannen en gezellig, misschien door de bubbels of door het lachen, of door een combinatie van die twee. Chiara leek tevreden toen haar moeder haar verzekerde dat de kip een biologische scharrelkip was, dat het beest een gezond en gelukkig leven had geleid, en Brunetti, een man die beloofd had de vrede te bewaren, deed dat door niet te vragen hoe je eigenlijk kon vaststellen of een kip gelukkig was geweest of niet.

Chiara at natuurlijk niets van de kip, maar haar moeder was met haar garanties omtrent de levensstijl van het dier voldoende aan haar vegetarische principes tegemoetgekomen om te zorgen dat ze de andere gezinsleden niet lastigviel met haar commentaar op de volstrekt weerzinwekkende bezigheid die het eten van voornoemde kip in haar ogen was. Haar broer Raffi, die niet maalde om het geluk van de kip, was alleen maar geïnteresseerd in de smaak ervan.

Later, toen ze naar de huiskamer gingen om hun koffie te drinken, vroeg Brunetti, die blij was dat niemand hem iets gevraagd had over signora Altavilla: 'Wat doen ze eigenlijk met die kippen?'

'Niet die kip die wij hebben gegeten, ik hoop dat je dat begrijpt,' zei Paola.

'Dus het was niet gelogen?'

'Wat niet?'

'Dat het een scharrelkip was.'

'Nee, natuurlijk niet,' zei Paola, niet verontwaardigd, maar misschien wel bereid om het alsnog te worden.

'Waarom?'

'Omdat die andere vol zitten met hormonen en chemicaliën en antibiotica en God mag weten wat, en als ik kanker krijg, wil ik graag dat dat komt doordat ik te veel rode wijn heb gedronken of te veel roomboter heb gegeten, en niet doordat ik te veel fabrieksvlees heb gegeten.'

'Geloof je dat echt?' vroeg hij, nieuwsgierig, niet sceptisch.

'Hoe meer ik lees,' begon ze, en ze ging verzitten op de bank zodat ze hem recht kon aankijken, 'hoe meer ik geloof dat een groot deel van wat we eten op de een of andere manier besmet is.' Voor hij commentaar kon geven, zei ze het zelf al voor hem. 'Ja, Chiara is een beetje doorgeslagen wat dit onderwerp betreft, maar ze heeft in principe gelijk.'

Brunetti deed zijn ogen dicht en liet zich op de bank onderuitzakken. 'Het is zo vermoeiend om je altijd zorgen te maken om die dingen,' zei hij.

'Dat is het ook,' beaamde Paola. 'Maar we wonen ten minste nog in het Noorden, dus we lopen minder risico.'

'Risico?' vroeg hij.

'Jij hebt ook die artikelen gelezen, je weet wat ze daar hebben gedaan,' zei ze. Hij keek opzij en zag dat ze haar bril pakte en, kennelijk niet bereid om zo kort na het middageten over dat soort dingen te praten, het boek opensloeg dat ze uit haar werkkamer had meegenomen.

Hij ging rechtop zitten en richtte zijn aandacht op zijn eigen boek, Tacitus' *Annalen*, dat hij al minstens twintig jaar niet meer had gelezen, en dat hij nu las met de aandacht van een man die een generatie ouder was dan degene die het de vorige keer had gelezen. De onbeschaafdheid van veel van wat Tacitus beschreef, leek goed te passen bij de tijd waarin Brunetti zelf leefde. Een regering gedrenkt in corruptie, de macht geconcentreerd in de handen van één man, de smaak en moraal van de massa bijna onherkenbaar verworden: wat klonk het allemaal vertrouwd.

Zijn oog viel op de zin: 'Het bedrog, keer op keer met wetten bestreden, werd na iedere nieuwe tegenmaatregel op ingenieuze wijze weer tot bloei gebracht.' Hij legde zijn boekenlegger terug en deed het boek dicht. Hij nam zich voor die middag niet terug te gaan naar zijn werk, maar in plaats daarvan bedrog te plegen en een lange wandeling te gaan maken, misschien in gezelschap van zijn dierbare vrouw.

13

De volgende ochtend bracht Paola hem koffie op bed en overhandigde hem de *Gazzettino* van die dag. Brunetti nam een slokje van zijn koffie en zette die daarna op het nachtkastje om zijn handen vrij te hebben om de krant te lezen. Op enig moment in de afgelopen jaren was zelfs de *Gazzettino* gezwicht voor de eisen van de tijd en overgestapt op het kleinere formaat waar de meeste kranten inmiddels de voorkeur aan gaven. Hoewel die kleinere versie gemakkelijker in bed te lezen was, miste Brunetti de oude krant op vol formaat die je met gestrekte armen moest lezen – zoals hij ook het lettertype miste dat hem tientallen jaren vertrouwd was geweest. Hij dacht terug aan de talloze keren dat die opdringerige grotere editie boze duwtjes en commentaar had ontlokt aan de mensen die naast hem zaten op de vaporetto. Maar evengoed miste hij die, misschien wel omdat alleen het formaat al het lezen ervan tot een quasi publieke daad maakte: je kon onmogelijk voorkomen dat het inbreuk maakte op de persoonlijke ruimte van anderen. Deze nieuwe versie was een te private aangelegenheid.

Het verhaal over de dood van signora Altavilla was al bijna uit de kranten verdwenen. Een oude vrouw dood aangetroffen na een vermoedelijke hartaanval: wat was dat nou voor nieuws? Het enige wat ze op de redactie konden doen, was op zoek gaan naar een beetje pathos: ze maakten melding van het feit dat ze weduwe was en een zoon en drie kleinkinderen achterliet. Hij keek vervolgens bij de rouwadvertenties en vond er twee: één van haar zoon en zijn gezin, en één van Alba Libera.

Hij las nog een paar artikelen, merkte toen dat zijn interesse in de krant uitgeput was, stond op, schoor zich en douchte, en ging naar de keuken, waar hij Paola aantrof met *La Repubblica* voor zich uitgespreid op tafel, haar handen onder haar kin.

Toen ze hem hoorde binnenkomen, zei ze: 'Ik heb nooit de *Pravda* kunnen lezen, maar ik vraag me toch af of alle andere kranten er niet gewoon een variatie op zijn.'

'Waarschijnlijk wel,' zei hij, en hij liep naar de gootsteen om het koffiepotje te vullen.

'Toen ik in Engeland studeerde,' ging ze verder, 'raakte ik gewend aan kranten die een deel voor het nieuws hadden en een apart deel voor redactionele commentaren.' Ze zag dat ze zijn belangstelling had, dus ze pakte de krant aan de onderkant op en wapperde met de pagina's, alsof ze kruimels van een tafelkleed probeerde te schudden. 'Hier is er geen verschil. Het is allemaal redactioneel commentaar.'

'Die andere is niet beter,' zei hij. 'En je weet: *La Repubblica* heeft een goede reputatie.'

Ze haalde haar schouders op en zei oprecht teleurgesteld: 'Ik verwacht er gewoon meer van.'

'Dat is dom,' zei Brunetti, die de koffiepot op het fornuis zette.

'Ik weet het, maar toch blijf ik erop hopen.' Vervolgens vouwde ze de krant dicht en zei: 'Het pannetje staat in de gootsteen,' waarna ze het aan hem overliet om de melk voor zijn koffie op te warmen.

'Ben je nog iets wijzer geworden over de dood van die

vrouw?' vroeg ze, terwijl de koffie tegen het deksel van de pot begon te pruttelen.

'Rizzardi zegt dat de feitelijke doodsoorzaak een hartaanval was,' zei hij, in de wetenschap dat Paola meteen op de indirectheid van zijn antwoord zou reageren.

'En *La Repubblica* heeft een goede reputatie,' zei ze.

'Wat bedoel je daar nou weer mee?' vroeg hij, al vermoedde hij wel dat hij het wist.

'In de logica heet die fout het "beroep op gezag",' zei ze tot zijn verwarring. 'Je zegt tegen me dat Rizzardi zegt dat het een hartaanval was op dezelfde toon als waarmee je zegt dat het een goede krant is. Je haalt autoriteiten aan, maar je gelooft ze niet.' Ze wachtte tot hij zou reageren, en toen hij dat niet deed, voegde ze eraan toe: 'Er zit je iets dwars. Volgens mij is het de dood van die vrouw, en dat betekent dat je Rizzardi waarschijnlijk niet gelooft, of, en dat ligt meer voor de hand, dat hij nog jezuïtischer is dan gewoonlijk, en dat jij dat weet.' Ze glimlachte en hield hem haar kopje voor. 'Dat bedoel ik daarmee.'

'Aha,' zei hij, en hij schonk nog wat koffie voor haar in en toen voor zichzelf. Hij deed er melk en suiker bij en kwam tegenover haar zitten. Toen hij zag dat hij haar aandacht had, zei hij: 'Er zaten verkleuringen die eruitzagen als blauwe plekken op haar keel en schouders.' Hij ging met zijn handen naar haar toe om te laten zien wat hij bedoelde.

'In iemands schouder knijpen veroorzaakt nog geen hartaanval,' zei ze kalm, alsof dit een volkomen normaal gesprek was, zo bij de koffie en de ochtendkrant.

'Wel als die persoon een geschiedenis van hartritmestoornissen heeft en propafenon gebruikt.'

'En dat is?' vroeg Paola.

'Een medicijn daartegen.' Hij liet dit even tot haar doordringen en zei toen: 'Dus, als iemand dat gebruikt vanwege hartproblemen, en hij wordt beetgepakt en door elkaar geschud, dan kan het hart gaan fibrilleren, en dat zou volgens Rizzardi weleens de doodsoorzaak geweest kunnen zijn. Maar er was letsel aan de wervels.' Hij besefte dat hij ergens naartoe probeerde te redeneren, en zei dus: 'Ze is bovendien gevallen en heeft haar hoofd gestoten. Tegen een radiator. Dat zou het ook geweest kunnen zijn.'

'Kunnen zijn?'

Hij keek haar even in de ogen en nam een paar slokjes koffie. 'De kip of het ei,' kon hij niet nalaten te zeggen, waarna hij er onwillig aan toevoegde: 'Dat fibrilleren. Dat andere is alleen maar een mogelijkheid, gespeculeer.'

'Van jou of van hem?' vroeg ze.

'Allebei.'

Paola nam ook nog een slokje, liet de koffie en paar keer ronddraaien in haar kopje en dronk toen het laatste beetje in één keer op. 'Wat vindt Patta ervan?'

Brunetti was zo fatsoenlijk om te glimlachen. 'Het oude liedje. Hij wil geen gedoe, en ik weet zeker dat hij allang blij is met de voor de hand liggende verklaring: hartaanval. En daar is dan de kous mee af.'

'Maar niet voor jou?' zei ze.

Dit keer was het Brunetti die met zijn kopje speelde. Hij stond op, goot de pot erin leeg, voegde er melk en suiker aan toe en dronk het snel op. 'Ik weet het niet. Dat kan ik niet zeggen, niet echt. Er is iets mee aan de hand wat me niet lekker zit. Het schijnt dat ze onderdak bood aan vrouwen die waren weggelopen voor gevaarlijke mannen, en de non in het casa di cura waar ze werkte, was overdreven discreet toen ze over haar sprak.'

'Guido,' zei ze zonder een spoor van ongeduld, 'de geestelijke die jij in staat acht om eenvoudig de waarheid te vertellen, bestaat niet.'

'Dat is niet waar,' protesteerde hij meteen. Vervolgens, langzamer: 'Er zijn er wel een paar geweest.'

'Een paar,' herhaalde ze.

'Jij hebt ze ook nooit vertrouwd,' voegde hij eraan toe.

'Natuurlijk vertrouw ik ze niet. Maar ik ondervraag ze niet in situaties waarin mensen zouden kunnen liegen, waar het gaat om dode mensen en de manier waarop ze om het leven zijn gekomen, hou daar wel even rekening mee. Ik heb het met ze over het weer als ik ze bij mijn ouders tegenkom. De regen is bij uitstek een fascinerend onderwerp: te veel of te weinig. Ze houden van absoluutheden. Maar dat is niet hetzelfde.'

'En vertrouw je ze als ze over het weer praten?' vroeg hij.

'Alleen als ik bij een raam sta en naar buiten kijk,' antwoordde ze, waarna ze opstond en zei dat ze naar de universiteit moest.

Toen ze weg was, keek Brunetti wat in de krant die ze op tafel had laten liggen, maar hij was niet in staat zich te concentreren op wat hij las. Hij dacht na over wat hij zojuist tegen Paola had gezegd en realiseerde zich dat zijn instinctieve opmerkingen zijn werkelijke gevoelens over de dood van signora Altavilla weerspiegelden. De non wist meer dan ze gezegd had, en hij moest meer te weten zien te komen over Alba Libera.

Hij liep naar de huiskamer en belde het nummer van signorina Elettra op de Questura, maar toen schoot hem te binnen dat het dinsdag was en dat ze nog op de Rialtomarkt zou zijn om bloemen uit te zoeken voor de kamer van vice-questore Patta en voor haar eigen kamer. Hij toetste het nummer in van haar telefonino. Ze nam op met een mat '*Sì*, commissario?' en Brunetti was zich opnieuw bewust van het oneerlijke psychologische voordeel dat verleend werd aan degene die kon zien wie er belde.

'Goedemorgen, signorina,' zei hij vriendelijk. 'Ik wilde vragen of u iets voor me wilt doen.'

'Zeker, signore, zodra ik op het bureau ben.'

'O, bent u daar niet?' vroeg hij met geveinsde verbazing.

'Nee, meneer, ik ben op de markt. Het is dinsdag, weet u wel?' Hij was haar meerdere; zij was niet op haar werk en zou nog wel een uur weg blijven, in het gunstigste geval. Ze had waarschijnlijk een politieboot besteld om haar naar de markt te brengen om bloemen te kopen, of had geregeld dat er eentje kwam om haar – en de bloemen – op te halen en terug te brengen naar de Questura, wat geheel tegen de regels was en in feite neerkwam op ambtsmisbruik. Het was zijn verantwoordelijkheid om haar terecht te wijzen en ervoor te zorgen dat dit ambtsmisbruik niet nog een keer zou gebeuren.

'Als ik daar over vijf minuten ben, kunt u me dan een lift geven naar het bureau?' vroeg hij.

'Natuurlijk,' zei ze. 'Of ik kan Foa aan het eind van uw calle laten stoppen om u daar op te pikken.'

Brunetti had een seconde nodig om zich te herstellen, en het enige wat hij toen zei was: 'Nee, dat is te veel moeite. Ik zie u wel bij de bloemenstallen.' Hij legde de telefoon neer, ging terug naar de slaapkamer om zijn colbert te pakken en verliet het appartement.

Hij had maar een paar minuten nodig om de markt te bereiken en liep even later langs de viskramen links van hem, met die penetrante geur waar hij altijd van had gehouden. Toen hij opkeek van een grote inktvis zag hij signorina

Elettra staan, met haar armen vol bloemen. Ze stond vlak voor een kraam die eigenlijk geen kraam was, maar een rij grote plastic emmers barstensvol bloemen. Bloemen op de markt kopen in plaats van bij Biancat, de bloemenwinkel, was signorina Elettra's reactie op de recente eis van vicequestore Patta dat er een einde moest komen aan alle onnodige uitgaven op de Questura.

Brunetti was er nooit goed in geweest om de namen van bloemen te onthouden. Irissen kende hij, omdat hij die zo vaak voor Paola kocht, en anjers en rozen pikte je er zo uit. Maar die kleintjes met die felgekleurde, gekreukelde bloemblaadjes: hij was vergeten hoe ze heetten, en dat gold ook voor die stevige ronde zo groot als sinaasappels, met die duizenden stekelachtige bloemblaadjes. Gladiolen herkende hij wel, maar dat had hem nooit voor ze ingenomen, en van de geur van lelies werd hij altijd een beetje misselijk.

'Goedemorgen, commissario,' zei ze met een stralende glimlach toen ze hem naderbij zag komen. Ze droeg een kobaltblauw zijden jasje, waartegen de rode en gele bloemen op de een of andere manier feller afstaken. Ze overhandigde hem drie boeketten, waarop de vrouw die ze verkocht snel nieuwe in haar armen legde. Terwijl hij wachtte, maakte signorina Elettra één arm lang genoeg los om de vrouw wat papiergeld te kunnen toestoppen. Ze kreeg er geen bon voor terug: tweede vergrijp die ochtend.

'Kantoorartikelen?' vroeg hij met een knikje naar haar bloemen, terwijl hij die van hemzelf probeerde te negeren.

'Ach, commissario,' zei ze met nadrukkelijke verbazing, 'u weet toch dat ik niet met mezelf zou kunnen leven als ik ook maar een seconde zou denken dat ik iets deed wat niet mocht met betrekking tot de financiën van de Questura.'

Toen ze merkte dat Brunetti niet de aangever wilde spelen, zei ze: 'Ik heb toevallig nog een bon voor een paar kleurencartridges. Die lever ik wel in: het bedrag is ongeveer hetzelfde.'

Hij wilde het niet weten. Hij wilde het niet weten. Op deze manier betaalde de bloemenverkoper geen belasting over de verkoop en gaf iemand signorina Elettra een bon voor een privéaankoop en betaalde de Questura voor bloemen die op magische wijze waren omgetoverd in kleurencartridges. Nog voor hij bij de boot arriveerde om daar zelf ook onreglementair gebruik van te maken, besloot Brunetti op te houden met het tellen van de vergrijpen.

Foa kwam van de linkerkant aanlopen en nam de bloemen van signorina Elettra over. En ja hoor, aan de andere kant van de markt lag een politieboot aangemeerd aan de riva, met draaiende motor en een andere agent in uniform aan het stuurwiel. Foa gaf de bloemen aan zijn collega, sprong in de boot en hielp signorina Elettra aan boord. Daarna nam hij de bloemen van Brunetti aan en liet hem zelf aan boord stappen.

Brunetti hield de deur van de cabine open en ging achter haar aan naar binnen. Toen ze zaten en de boot onder de Rialtobrug door voer, zei hij: 'Signorina, weet u toevallig iets van een organisatie die Alba Libera heet?'

Haar ogen verwijdden zich door dagend inzicht. 'Ach ja, natuurlijk. Daar heb ik gewoon niet aan gedacht.'

Hij knikte en zei: 'Ze was lid, of steunde ze in ieder geval. En van haar buurvrouw heb ik begrepen dat er vrouwen bij haar logeerden.'

'Dat verklaart het ondergoed,' zei ze.

Na even gewacht te hebben, vroeg Brunetti: 'Weet u iets van ze?'

Ze keek hem recht aan en liet haar ogen vervolgens afdwalen naar de gebouwen die ze passeerden. Ten slotte keek ze hem weer aan en zei: 'Een beetje.'

'Mag ik u vragen wat dat beetje is?'

'Zoals u al zei, signore, ze bieden vrouwen een veilig onderkomen.'

'Vrouwen die gevaar lopen?' vroeg hij.

'Iedere vrouw die contact met ze opneemt is in nood.'

'Is dat het enige wat ze hoeft te zeggen?'

'Ze zullen vast om bewijsmateriaal vragen.'

'Wat zou dat kunnen zijn?' vroeg hij op neutrale toon.

'Politierapporten,' zei ze. Een lange stilte, en toen: 'Of ziekenhuisrapporten.'

'Juist ja,' zei hij. 'Het klinkt alsof u ze goed kent.' Hij probeerde op voorzichtige, neutrale toon te spreken.

Ze glimlachte. 'Ik geef ze elk jaar geld,' zei ze. 'Maar omdat ik werk waar ik werk heb ik nooit aangeboden om er een bij mij te laten logeren, en ik ben er op geen enkele manier bij betrokken.'

Brunetti knikte en zei: 'Dat is waarschijnlijk verstandig.' Toen vroeg hij: 'Maar kent u de mensen die er wel bij betrokken zijn?'

'Ja,' zei ze, en het klonk alsof ze het liever niet had willen zeggen.

'Zou u...' begon hij, niet goed wetend hoe hij zijn verzoek onder woorden moest brengen. 'Zou u me aan ze kunnen voorstellen?'

'En voor u instaan?' vroeg ze met een glimlach.

'Zoiets, ja.'

'Nu?'

'Als we op de Questura zijn,' zei hij. Vervolgens vroeg hij: 'Weten ze waar u werkt?'

'Nee.' Ze wuifde de vraag met een handgebaar weg. 'Alleen dat ik voor de gemeente werk.'

'Misschien maar beter,' zei Brunetti.

'Ja.'

14

Toen ze bij de Questura arriveerden, leken Foa en zijn collega alleszins bereid signorina Elettra te helpen met de bloemen, dus liep Brunetti meteen door naar zijn kamer. Er lagen wat rapporten en paperassen op zijn bureau, de meeste van bureaucratische aard, en hij besteedde wat tijd aan het bekijken ervan.

Het enige wat zijn belangstelling wekte was een verzoek om informatie over een Roemeense vrouw, van wie Brunetti één van de namen herkende. Ze hadden haar minstens tien keer gearresteerd, en elke keer had ze een ander pseudoniem en een andere geboortedatum en -plaats opgegeven. Ze was nu kennelijk opgedoken in Ferrara, waar ze was aangehouden op het station toen ze een politievrouw die geen dienst had van haar tas had proberen te beroven. Ze weigerde enige andere informatie dan haar naam prijs te geven, maar men had in haar zak een bonnetje van een koffiebar in Castello gevonden, dus de politie in Ferrara had contact opgenomen met de Questura in Venetië en had een foto, vingerafdrukken en de naam die ze gebruikte opgestuurd.

Hij belde naar het archief, noemde de schuilnaam die ze had gebruikt in Ferrara en de naam die volgens hem in haar dossier moest staan. Toen de archivaris de namen hoorde, begon hij te lachen en zei: 'En ik dacht nog wel dat we van haar af waren.'

'Wij wel, maar Ferrara niet, ben ik bang,' zei Brunetti. 'Kun je ze een kopie van het dossier sturen?'

'En dan krijgt ze dit keer van hén een brief waarin staat dat ze binnen achtenveertig uur het land moet verlaten?' vroeg Tomasini. Vervolgens, na even nagedacht te hebben, zei hij op volkomen ernstige toon: 'Volgens mij moeten we onszelf uitroepen tot kunstenaarscollectief en dan vragen of we mee mogen doen op de Biennale. Ze kunnen ons gewoon het Italiaanse paviljoen geven.'

'Wie is "ons"?'

'Iedereen hier, maar vooral ik, want ik heb alle documenten en de kopieën van die brieven.'

'Wat zou je daar dan mee doen?' vroeg Brunetti.

'Alle muren van het paviljoen behangen. Niet in een bepaalde volgorde; niet chronologisch of alfabetisch of per misdrijf. We husselen er gewoon een paar duizend door elkaar en plakken ze op de muren, al die brieven waarin dezelfde mensen keer op keer verteld wordt dat ze binnen achtenveertig uur het land moeten verlaten vanwege het delict dat ze hebben gepleegd. En dan noemen we het zoiets als: "*Italia oggi*".'

Alle scherts verdween uit de stem van de archivaris toen hij vroeg: 'Die titel klopt toch, hè? Dit is toch Italië vandaag?' Toen Brunetti geen antwoord gaf, zei de jongere man nogmaals: 'Toch?'

'Fabio,' zei Brunetti op kalme toon, 'stuur dat dossier nou maar naar Ferrara, oké?'

Milieuactivisten kregen er nooit genoeg van om te zeggen dat de stad over een aantal jaren onder water zou verdwijnen; hoewel dat aantal aan verandering onderhevig was, was er niemand die de voorspelling in twijfel trok. Wanneer, vroeg Brunetti zich af, zou het hele land onder papier verdwijnen? De muren van de kamers aan de achterkant op de begane grond gingen al schuil achter metalen rekken vol dossiers die van de vloer tot tien centimeter onder het plafond reikten. Het *acqua alta* van drie jaar geleden had alles op de eerste twee schappen verwoest, lang voordat het gedigitaliseerd was, dus dat deel van de strafbladen was voorgoed verloren gegaan. Misschien was Tomasini's idee zo gek nog niet: de wanden van een Biennalepaviljoen deden qua vluchtigheid niet onder voor die dossiers beneden.

Zijn telefoon ging. 'Ik heb ze gesproken, commissario,' zei signorina Elettra. 'Zal ik boven komen om erover te vertellen?'

'Ja. Graag.'

Ze kwam binnen voorafgegaan door bloemen. 'Ik vrees dat ik vanmorgen een beetje te enthousiast ben geweest, dottore,' zei ze. 'Dus als u het niet erg vindt, zet ik hier ook wat neer.' Het waren lange bloemen die eruitzagen als margrieten, wit met geel, en ze brachten een beetje vrolijkheid in de kamer. Ze zette de vaas op zijn bureau en bekeek het resultaat. Daarna pakte ze de vaas weer op en zette hem op de vensterbank. Tevreden kwam ze terug en nam plaats in een van de stoelen voor zijn bureau.

'Ik heb het telefonino-nummer van de vrouw die het runt,' zei ze, en ze legde een papiertje op zijn bureau. 'Maddalena Orsoni. Ze is erg slim.'

'Slim genoeg voor wat?' vroeg Brunetti.

'Slim genoeg om zich af te vragen waarom de politie geïnteresseerd is in signora Altavilla. En haar dood.'

'En als ik zeg dat het gewoon een routineonderzoek is?'

'Dan zal ze u niet geloven,' zei signorina Elettra meteen. 'Ze heeft al jaren met de autoriteiten te maken, en met maatschappelijke instanties, en met de mannen voor wie die vrouwen zich schuilhouden. Dus ze ruikt een leugen al op tien meter afstand en zal u echt niet zomaar geloven.'

'En als ik niet lieg over haar dood?'

'Commissario, zelfs ik vermoed dat u liegt.'

Brunetti had de neiging hiertegen te protesteren, maar liet dat idee varen. Hij wachtte tot ze verderging.

'Bedenk wel, signore, de enige notoire leugenaar met wie ik te maken heb, is hoofdinspecteur Scarpa, dus ik ben niet echt door de wol geverfd. Maddalena is dat wel,' zei ze. Met haar ingebouwde commentaar op de hoofdinspecteur dwong ze Brunetti opnieuw zich af te vragen hoe hij op haar kritiek op een meerdere moest reageren.

'Als u denkt dat ik maar beter niet met haar kan praten, hoe kan ik haar dan naar signora Altavilla vragen?' vroeg hij, het onderwerp Scarpa liever vermijdend.

Ze glimlachte om zijn vraag en zei: 'Ik vrees dat we elkaar niet helemaal goed begrijpen, commissario. Ik bedoel niet dat u niet met haar moet praten. Alleen dat u niet tegen haar moet liegen. Als u eerlijk tegen haar bent, zal zij dat ook tegen u zijn.'

'Kent u haar zo goed?' vroeg hij.

'Nee, maar ik ken andere mensen die haar wel zo goed kennen.'

'Juist ja,' zei hij, en hij koos ervoor daar ook maar niet naar te informeren. Hij schoof het papiertje naar zich toe, hief zijn hand op ten teken dat ze moest blijven zitten en toetste het nummer in.

Bij de derde keer overgaan nam een vrouw op met een neutraal 'Sì?'

'Signora Orsoni,' zei hij, 'u spreekt met commissario Guido Brunetti.' Hij gaf haar de kans om, zoals veel mensen zouden doen, te vragen waarom de politie belde, maar ze zei niets.

'Ik bel over iemand die voor uw organisatie, Alba Libera,

heeft gewerkt.' Ze zei weer niets. 'Costanza Altavilla.'

Dit keer besloot Brunetti verder niets te zeggen, en wachtte hij tot ze vroeg: 'Wat kan ik voor u doen, commissario?' Haar stem was laag en verried niets omtrent haar leeftijd. Ook bespeurde hij geen accent. Ze was een vrouw die een heel precies Italiaans sprak, meer kon hij er niet over zeggen.

'Ik zou u graag willen spreken over signora Altavilla.'

'Met welk doel?' vroeg ze, en ze klonk neutraal, nieuwsgierig, maar niet meer dan dat.

Brunetti legde zijn kaarten op tafel en zei: 'Om te kijken of er reden is om haar dood nader te onderzoeken.'

Het duurde even voor ze reageerde, maar toen vroeg ze op een toon die nog steeds niets prijsgaf: 'Bedoelt u dat het bericht in de krant onjuist was en dat het geen hartaanval is geweest, commissario?'

'Nee, het staat buiten kijf dat ze aan een hartaanval is overleden,' zei hij, en toen dat goed tot haar was doorgedrongen, voegde hij eraan toe: 'Ik ben nieuwsgierig naar de mogelijke omstandigheden van die hartaanval.'

Hij keek even naar signorina Elettra, die net deed alsof ze niet speciaal in zijn kant van het gesprek geïnteresseerd was.

'En u wilde me spreken?' vroeg ze.

'Ja.'

'Ik ben momenteel niet in de stad,' zei ze.

'Wanneer komt u terug?'

'Misschien morgen.'

'En als ik u zou zeggen dat het dringend is?' zei Brunetti.

'Dan zou ik zeggen dat wat ik aan het doen ben ook dringend is,' zei ze, zonder verdere verklaring.

Patstelling. 'Dan bel ik u nog wel een keer,' zei Brunetti vriendelijk, alsof hij haar uitnodigde voor de lunch.

'Mooi,' zei ze, en hing op.

Hij legde de telefoon neer, keek naar signorina Elettra en zei: 'Ze heeft het te druk.'

'Ik heb gehoord dat ze niet bepaald aan zelfonderschatting lijdt, Maddalena,' zei ze.

15

'Heeft u de rapporten gelezen?' vroeg Brunetti, wiens belangstelling en respect voor haar gewoonte om alle officiële documenten aandachtig en sceptisch door te lezen zwaarder wogen dan de eventuele gewetensbezwaren die hij had over het feit dat ze maar gewoon burger was.

Signorina Elettra knikte.

'En?'

'De technische recherche heeft grondig werk geleverd,' zei ze. Het leek Brunetti het beste om zich van commentaar te onthouden, wat haar aanmoedigde om eraan toe te voegen: 'Die plekken op haar keel en schouders en dat letsel aan haar rug vond ik opmerkelijk.'

'Ik ook,' zei Brunetti, die besloot voorzichtig te zijn en niets te zeggen over wat Rizzardi hem onder vier ogen had verteld.

Haar blik was scherp, maar haar stem was rustig toen ze zei: 'Wat jammer dat de dokter niets bijzonders ziet in dat soort dingen.'

'Dat is meestal zo,' gaf Brunetti toe.

'Ah.' Hij kon uit haar toon niet opmaken of ze daarmee iets zei of iets vroeg over Rizzardi's oordeel. Ze vervolgde: 'U hebt de nonnen in het casa di cura in Bragora gesproken.' Dit keer was er geen twijfel over de vraag.

'Ja.'

'En?' vroeg ze

'De non die ik gesproken heb, had haar hoog zitten. De

moeder-overste leek behulpzaam, maar...' Hij maakte zijn zin niet af, niet goed wetend hoe hij haar zijn ergste vooroordeel moest bekennen. Ze hielp hem niet, dus op een gegeven moment was hij gedwongen om verder te gaan. 'Maar ze komt uit het Zuiden, dus ik bespeurde een zekere...'

'Terughoudendheid?'

'Ja,' zei hij. 'Vianello was mee.'

'Dat helpt meestal wel,' zei ze. 'Bij vrouwen.'

'Dit keer niet. Misschien omdat we met zijn tweeën waren. En groot zijn.'

Ze keek naar hem alsof ze hem voor het eerst goed opnam. 'Ik heb u geen van beiden ooit echt groot gevonden,' zei ze, en ze bekeek hem nog een keer. 'Maar misschien bent u dat wel. Hoe klein was zij?'

Brunetti bracht zijn hand horizontaal naar het midden van zijn borst.

Hij zag de levendigheid uit haar gezicht verdwijnen en haar blik afdwalen, iets wat hij in het verleden vaker bij haar had gezien wanneer ze met haar aandacht opeens ergens anders was. Hij kende haar goed genoeg om te wachten tot ze het gesprek weer zou vervolgen. Toen ze dat deed, zei ze: 'Ik heb vaak het idee gehad dat nonnen anders op mannen reageren.'

'In welk opzicht? En anders dan wie?' vroeg hij.

'Anders dan vrouwen die...' begon ze, waarna ze even moest zoeken naar de juiste formulering, '... dan vrouwen die mannen aantrekkelijk vinden.'

'Bedoelt u in romantische zin?'

Ze glimlachte. 'Wat zegt u dat toch netjes, commissario. Ja, "in romantische zin".'

'Wat is er anders aan?'

'Wij zijn minder bang voor ze,' zei ze meteen, maar ze

voegde eraan toe: 'Of misschien is het zo dat wij ze eerder vertrouwen, omdat we beter begrijpen hoe ze in elkaar zitten.'

'U denkt dat vrouwen ons dus wel begrijpen?'

'Dat hebben we nodig om te overleven, commissario.' Ze glimlachte, maar toen werd haar gezicht serieus en zei ze: 'Misschien is dat echt het verschil, want wij leven met mannen en hebben elke dag met ze te maken en worden verliefd op ze en raken uitgekeken op ze. Ik denk dat ze daardoor niet meer zo wezensvreemd voor ons zijn.'

'Wezensvreemd?' vroeg Brunetti verbaasd.

'Anders in elk geval,' zei ze.

'En nonnen?' vroeg hij, om haar weer terug te voeren naar waar ze vandaan kwamen.

'Eén heel gebied van interactie valt weg. Noem het flirten, als u wilt, dottore. Ik bedoel dat hele gebied waar we gewoon wat spelen met het idee dat de ander aantrekkelijk is.'

'Bedoelt u dat nonnen dat niet voelen?' vroeg hij, terwijl hij zich afvroeg hoe ze dat 'spelen' precies bedoelde.

Ze haalde haar schouders op. 'Ik heb geen idee of ze dat voelen of niet voelen. Ik hoop voor hen van wel, want als het je lukt om dat te onderdrukken, dan is er iets mis.' Toen stond ze opeens op, en hij was niet alleen verrast, maar merkte ook dat hij het jammer vond dat ze niet op dit onderwerp wilde doorgaan.

'U zei dat die non niet zo veel zin had om met u te praten,' zei ze vanachter haar stoel. 'Als dat niet kwam doordat ze niets van mannen moet hebben – en het lijkt me haast onmogelijk dat iemand Vianello bedreigend zou vinden – dan was het misschien omdat ze een zuiderling is, of omdat er iets is waarvan ze niet wil dat u het weet. Die mogelijkheid zou ik nooit uitsluiten.' Ze glimlachte en vertrok, en liet Brunetti achter met de vraag waarom ze niet gezegd had dat het haar haast onmogelijk leek dat iemand hém bedreigend zou vinden.

Hij keek op en zag hoofdinspecteur Scarpa in de deuropening staan. Brunetti deed zijn best om zijn verrassing niet te laten blijken en zei: 'Goedemorgen, hoofdinspecteur.' Hij kon nooit naar Scarpa kijken zonder dat het woord 'reptiel' in hem opkwam. Dat had niets met zijn uiterlijk te maken, want het was ontegenzeglijk een knappe man: lang en slank, met een prominente neus en wijd uiteenstaande ogen boven hoge jukbeenderen. Misschien had het te maken met een zekere vloeiendheid in zijn manier van bewegen, het feit dat hij zijn voeten niet helemaal optilde wanneer hij liep, wat een golvende motoriek aan zijn knieën verleende. Brunetti gaf niet graag toe dat hij het eigenlijk toeschreef aan zijn overtuiging dat de man niets anders in zich had dan de ijzige kilte die men aantreft in reptielen en de verste uithoeken van het heelal.

'Gaat u zitten, hoofdinspecteur,' zei Brunetti, en hij vouwde zijn handen op zijn bureau ineen in een gebaar van beleefde afwachting.

De hoofdinspecteur deed wat hem verzocht werd. 'Ik wil u graag om advies vragen, commissario,' zei hij, op Siciliaanse wijze de medeklinkers afvlakkend.

'Ja?' zei Brunetti op onverbiddelijk neutrale toon.

'Het gaat om twee mannen uit mijn team.'

'Ja?'

'Alvise en Riverre,' zei Scarpa, en Brunetti's gevoel van onraad had niet sterker kunnen zijn als de man gesist had.

Met een uitdrukking van welwillende belangstelling op zijn gezicht vroeg Brunetti zich af wat die twee sukkels nu weer hadden gedaan, en hij zei nogmaals: 'Ja?'

'Die zijn hopeloos, commissario. Riverre kun je de telefoon nog laten opnemen, maar Alvise is zelfs daartoe niet in staat.' Scarpa boog zich naar voren en legde zijn hand op Brunetti's bureau, een gebaar dat hij zich ongetwijfeld had aangewend om te maken wanneer hij oprechtheid en bezorgdheid wilde nabootsen.

Brunetti was het van harte met die inschatting van de twee mannen eens. Riverre had nog wel een zekere flair om pubers aan het praten te krijgen, ongetwijfeld gebaseerd op een gevoel van wederzijdse herkenning. Maar Alvise was in één woord hopeloos. Of in twee hopeloos dom. Hij herinnerde zich dat Alvise een paar jaar geleden maandenlang samen met Scarpa aan een speciaal project had gewerkt: was die arme druiloor toen gestuit op iets wat de hoofdinspecteur in verlegenheid had kunnen brengen? Als dat zo was, dan was hij te dom geweest om het te beseffen, anders had de hele Questura het dezelfde dag nog geweten.

'Ik weet niet zeker of ik het wel met u eens ben, hoofdinspecteur,' loog Brunetti. 'En ik begrijp ook niet zo goed waarom u hiermee naar mij toe komt.' Als de hoofdinspecteur iets wilde, was Brunetti ertegen. Zo simpel was het.

'Ik weet dat u begaan bent met de veiligheid van de stad en de reputatie van het korps, en had gehoopt dat dat u zou aanmoedigen om te proberen iets aan die twee te doen. Daarom kom ik uw advies inwinnen,' zei hij, en de echo kwam met de gebruikelijke tergende vertraging: '... meneer.'

'Ik stel uw bezorgdheid zeer op prijs, hoofdinspecteur,' zei Brunetti vriendelijk, waarna hij opstond en er met spijt in zijn stem aan toevoegde: 'Maar ik ben helaas te laat voor een afspraak en moet nu echt weg. Ik zal zeker mijn gedachten laten gaan over de dingen die u zojuist gezegd hebt...'

En om te laten zien dat hij ook de kunst van de echo beheerste, liet hij er na een korte pauze op volgen: '... en de geest die eruit spreekt.'

Brunetti kwam achter zijn bureau vandaan en bleef naast de hoofdinspecteur even staan, zodat deze geen andere keus had dan overeind te komen. Hij ging Scarpa voor naar de gang, deed de deur achter zich dicht, wat hij zelden deed, en liep samen met de hoofdinspecteur de trap af. Beneden gaf hij hem een knikje en verdween toen naar buiten, zonder stil te blijven staan om een praatje te maken met de agent die bij de ingang op wacht stond. Hij besloot door te lopen naar Bragora om te kijken of hij een van de oude mensen te spreken kon krijgen over wie signora Altavilla zich had ontfermd, en bedacht dat je veel beter oude mensen over het verleden kon horen praten, hoe overdreven hun herinneringen misschien ook waren, dan dat je de waarheid moest aanhoren over Alvise en Riverre, zeker uit de mond van iemand als hoofdinspecteur Scarpa.

Hij had zin om de langere route naar Bragora te nemen en stak de brug over naar het Campo San Lorenzo. Van dichtbij zag hij dat het bord met de datum waarop de restauratie van de kerk was begonnen totaal verbleekt was. Hij kon zich niet meer herinneren wanneer ze hadden moeten beginnen – dat moest tientallen jaren geleden zijn geweest. Mensen op de Questura zeiden dat er ooit daadwerkelijk een begin was gemaakt, maar dat was voor Brunetti's tijd geweest, dus hij kon alleen maar afgaan op de geruchten. In de jaren dat hij vanachter zijn raam naar het campo had staan kijken, had hij gezien hoe de restauratie van het casa di cura een aanvang had genomen, zich jarenlang had voortgesleept en uiteindelijk zelfs voltooid was. Misschien was dat belangrijker dan de restauratie van een kerk.

Hij ging rechtsaf en een paar keer linksaf en kwam weer langs de kerk van San Antonin. Daarna nam hij de Salizada naar het campo, waar de bomen de voorbijgangers nog steeds uitnodigden om een tijdje in hun schaduw te komen zitten.

Hij stak het plein over en belde aan bij het casa di cura. Hij noemde zijn naam en zei dat hij gekomen was om met madre Rosa te spreken. Dit keer werd hij boven aan de trap opgewacht door een andere non, nog ouder zelfs dan madre Rosa. Brunetti zei nogmaals wie hij was, stapte naar binnen en deed zelf de deur achter zich dicht. De non bedankte hem met een glimlach en ging hem voor naar de kamer waar hij eerder met de moeder-overste had gesproken.

Vandaag zat madre Rosa in een van de fauteuils, met een boek opengeslagen op haar schoot. Ze knikte toen hij binnenkwam en deed het boek dicht. 'Wat kan ik vandaag voor u doen, commissario?' vroeg ze. Ze gaf niet aan dat hij kon gaan zitten en dus bleef Brunetti staan, al kwam hij wel wat dichterbij.

'Ik zou graag een paar van de mensen spreken die signora Altavilla het beste hebben gekend,' zei hij.

'U moet weten dat wat u wilt volgens mij niet veel zin heeft,' zei ze. Toen Brunetti niet reageerde, voegde ze eraan toe: 'En uw nieuwsgierigheid naar haar ook niet.'

'Voor mij heeft het wel zin, madre,' zei hij.

'Waarom?'

Het was eruit voor hij erbij nadacht. 'Ik ben nieuwsgierig naar de oorzaak van haar hartaanval.' Voordat de non hem iets kon vragen, zei Brunetti: 'Er bestaat geen twijfel over dat ze is gestorven aan een hartaanval, en de dokter heeft me verzekerd dat het heel snel is gegaan.' Hij zag dat ze haar ogen sloot en knikte, alsof ze dankbaar was dat ze iets had gekregen wat ze graag wilde. 'Maar ik wil er zeker van kunnen zijn dat die hartaanval niet... niet door iets teweeg is gebracht. Door iets onaangenaams, bedoel ik.'

'Ga zitten, commissario,' zei ze. Toen hij zat, vervolgde ze: 'U realiseert zich natuurlijk wat u zojuist gezegd heeft.'

'Ja.'

'Als de oorzaak van haar hartaanval – moge ze rusten in vrede – inderdaad, zoals u zegt...' begon ze, en ze zweeg even alvorens zich toe te staan zijn woord te herhalen, 'onaangenaam is geweest, dan moet daar een reden voor zijn. En als u hiernaartoe bent gekomen om die reden te zoeken, dan is het mogelijk dat u denkt die te zullen vinden in iets wat een van de mensen met wie ze gewerkt heeft tegen haar heeft gezegd.'

'Dat is ook zo,' zei hij, onder de indruk van haar scherpzinnigheid.

'En als dat inderdaad zo is, dan zou die persoon evenzeer gevaar kunnen lopen.'

'Dat is zeker mogelijk, maar ik denk dat dat afhankelijk zou zijn van wat er gezegd is. Madre,' ging hij verder, in het besef dat hij geen andere keus had dan haar te vertrouwen, 'ik heb geen idee wat er is gebeurd, en ik vind het een beetje raar om te zeggen, maar het enige waar ik op af kan gaan is een vreemd gevoel dat er iets met haar dood aan de hand is.' Hij zei niets over de plekken op haar lichaam en vroeg zich af of het erger was om tegen een non te liegen dan tegen iemand anders. Hij vond van niet.

'Wilt u daarmee zeggen dat u hier... hoe zal ik het zeggen? Dat u hier niet officieel bent?' Het leek haar deugd te doen dat ze het woord gevonden had.

'Zonder meer,' moest hij toegeven. 'Ik wil alleen haar

zoon wat gemoedsrust schenken.' Dat was waar, maar het was niet de hele waarheid.

'Juist ja,' zei ze. Ze verraste hem door het boek weer open te slaan op haar schoot en daar haar aandacht weer op te richten. Brunetti bleef rustig zitten. Het moment rekte zich uit tot minuten en daarna volgden nog meer minuten.

Uiteindelijk hield ze het boek dichter bij haar gezicht en begon hardop te lezen: '"De ogen des Heren zijn in alle plaatsen, beschouwende de kwaden en de goeden."' Ze liet het boek zakken en keek hem over de bladzijden heen aan. 'Gelooft u dat, commissario?'

'Nee, ik vrees van niet, madre,' zei hij zonder aarzelen.

Ze legde het boek weer op haar schoot en liet het openliggen, waarna ze hem opnieuw verbaasde door te zeggen: 'Mooi.'

'Mooi dat ik het gezegd heb of dat ik het niet geloof?' vroeg Brunetti.

'Dat u het gezegd hebt, natuurlijk. Het is tragisch dat u het niet gelooft. Maar als u gezegd had van wel, was u een leugenaar geweest, en dat is erger.'

Net als Pascal kende ze de waarheid niet door het verstand, maar door het hart. Maar dat zei hij niet, hij vroeg slechts: 'U wist al dat ik het niet geloof?'

Haar glimlach was warmer dan hij tot dusver van haar had gezien. 'Ik ben misschien een verschrompeld oud mens, commissario, en ook nog eens uit het Zuiden, maar ik ben niet gek,' zei ze.

'En het feit dat ik geen leugenaar ben, wat betekent dat voor dit gesprek?'

'Dat zorgt ervoor dat ik geloof dat u werkelijk wilt weten of Costanza's dood met iets onaangenaams – zoals u dat noemt – gepaard is gegaan. En aangezien ze een vriendin was, wil ik dat zelf ook graag weten.'

‘Betekent dat dat u me zult helpen?’

‘Dat betekent dat ik u de namen zal geven van de mensen met wie ze de meeste tijd doorbracht. En verder is het aan u, commissario.’

16

Ze gaf hem niet alleen hun naam maar ook hun kamernummer. Twee vrouwen en één man, alle drie in de tachtig en een van hen met een povere geestelijke gezondheid; dat was het woord dat ze gebruikte: 'pover'. Brunetti had het gevoel dat ze niet bereid zou zijn dat nader toe te lichten en ging er dus niet op in. Hij bedankte haar en vroeg of hij hen nu te spreken kon krijgen.

'U kunt het proberen,' zei ze. 'Het is lunchtijd, en voor veel van onze gasten is dat de belangrijkste gebeurtenis van de dag. Het valt misschien niet mee om ze zover te krijgen dat ze zich concentreren op de vragen die u stelt, in ieder geval zolang ze nog niet klaar zijn met eten.' Bij deze woorden moest hij aan zijn moeder denken, aan een periode aan het einde van haar leven toen ze obsessief geïnteresseerd was geraakt in voedsel en eten, ook al werd ze alleen maar magerder, wat ze ook at. Maar na een tijdje was ze gewoon vergeten wat voedsel was en moest ze eraan herinnerd worden, en daarna bijna gedwongen worden, om te eten.

Ze hoorde hem zuchten en zei: 'We doen het uit liefde voor God en uit liefde voor onze medemens.'

Hij knikte, eventjes niet in staat iets te zeggen. Toen hij haar weer aankeek, zei ze: 'Ik weet niet hoe toeschietelijk ze zullen zijn als ze weten dat u van de politie bent. Misschien is het voldoende om te zeggen dat u een vriend van Costanza bent.'

'En het daarbij te laten?' vroeg hij met een glimlach.

'Het zou genoeg zijn.' Ze beantwoordde zijn glimlach niet, maar zei: 'Het is tenslotte waar, in zekere zin, of niet soms?'

Brunetti stond op zonder antwoord te geven op haar vraag. Hij boog zich voorover en stak haar zijn hand toe. Ze drukte die vluchtig en zei: 'Als u hier de deur uit gaat, gaat u dan linksaf en aan het eind van de gang rechtsaf, dan komt u in de eetzaal.'

'Dank u wel, madre,' zei hij.

Ze knikte en richtte haar aandacht weer op haar boek. Bij de deur kwam hij in de verleiding om zich om te draaien en te kijken of ze hem nakeek, maar hij deed het niet.

Brunetti had zijn professionele vaardigheden niet nodig om erachter te komen dat de lunch uit gebraden varkensvlees en aardappels bestond: dat had hij al geroken toen hij het gebouw binnenkwam. Toen hij de deur van de keuken passeerde, besefte hij weer hoe lekker gebraden varkensvlees met aardappels kon zijn.

Zes of zeven tafels, de helft ervan klein en slechts gedekt voor een of twee personen, stonden voor de ramen die uitkeken op het campo. Er waren een stuk of twaalf mensen. Sommigen zaten met z'n tweeën aan een tafel, anderen alleen, en er was één groepje van drie. Geen enkele tafel was vrij. Er stond een fles wijn en een fles mineraalwater op iedere tafel en de borden leken van porselein. Er werden hoofden omgedraaid toen hij binnenkwam, maar al gauw verschenen er twee jonge vrouwen met een donkere huid achter hem, gekleed in een vereenvoudigde versie van het habijt dat madre Rosa en de andere zuster droegen. Verstopt tussen de kap en de sluier van de eerste zag hij de amandelvormige ogen en lange gebogen neus van een Toltekenbeeld. Rond de lippen die waren uitgesneden in haar mahoniekleurige gezicht liep een dun streepje lichtere huid dat hun natuurlijke roodheid versterkte. Brunetti keek naar haar totdat ze zich zijn kant op draaide, en deed toen wat hij deed wanneer een verdachte zijn kant op keek: hij stelde zijn blik in op verder weg en keek de zaal rond alsof zij er niet was of zijn aandacht niet waard was.

De twee novicen maakten snel een ronde langs de tafels en stapelden de borden, waarin pasta was geserveerd, op elkaar. Toen ze hem op weg naar de keuken passeerden, zag Brunetti diepgroene pestosporen, een saus waar hij nooit erg dol op was geweest. De novicen kwamen even later terug met elk drie borden waarop varkensvlees, gesneden worteltjes en gebakken aardappels lagen. Ze bedienden de mensen aan de tafels die het dichtstbij stonden, verdwenen weer en kwamen terug met meer borden.

Het geroezemoes dat gestokt was toen hij binnenkwam, werd hervat en de hoofden – de meeste wit, maar sommige nadrukkelijk niet – bogen zich over de lunch. Vorken tikten tegen porselein, flessen tegen glas, de gebruikelijke geluiden van een gemeenschappelijke maaltijd.

Opeens verscheen de non die hem had binnengelaten naast hem en vroeg: 'Wilt u dat ik u vertel wie het zijn, signore?'

Brunetti nam aan dat ze door de moeder-overste was gestuurd en zei: 'Dat zou buitengewoon vriendelijk zijn, suora.'

'Dottor Grandesso eet vandaag op zijn kamer, signora Sartori zit daar, aan de tweede tafel, in die zwarte jurk, en signora Cannata zit bij die andere mensen aan de tafel ernaast. Zij is die vrouw met dat rode haar.'

Brunetti liet zijn blik over de twee vrouwen gaan. Signora Sartori zat over haar eten gebogen, met haar linkerarm om haar bord, bijna alsof ze bang was dat iemand het van haar wilde afpakken. Hij zag haar van opzij: één hoog jukbeen met weinig vlees erop, maar onder haar kin hing een mollige huidzak. Haar lippenstift was vuurrood en trad buiten de grenzen van haar lippen. Zoals wel vaker het geval is bij oude mensen die niet meer buiten komen, had haar huid iets groenigs, een effect dat nog werd versterkt door het inktzwarte haar dat tot aan haar schouders reikte.

Ze hield haar vork in haar knokige vuist en schepte de aardappels naar binnen. Brunetti zag dat haar vlees was voorgesneden in kleine stukjes. Hij keek toe hoe ze eerst alle aardappels opat en daarna, net zo snel, de worteltjes en het vlees. Ze pakte een stuk brood, brak het doormidden en veegde de helft van haar bord schoon; daarna, met het overgebleven stuk brood, de andere helft. Vervolgens at ze nog twee stukken brood, en toen er niets meer over was hield ze op met eten en bleef roerloos zitten. Een van de novicen haalde haar lege bord weg en kreeg een scherpe, boze blik omdat ze dat deed.

Brunetti liep naar de tafel waaraan de vrouw met het rode haar zat. De novicen repten zich langs hem heen en zetten voor elk van de drie mensen aan die tafel een stuk appeltaart neer. Brunetti bleef een klein stukje voor de tafel staan en zei tegen de vrouw met het piekerige rode haar: 'Signora Cannata?'

Ze keek naar hem op met een glimlach waarin hij een grote neiging tot flirten las. Ze knipperde snel met haar ogen en hief haar hand op om Brunetti op afstand te houden, alsof ze een tiener was en hij de eerste jongen die haar een complimentje maakte. Haar neus was smal en fijn getekend, en de strakke huid onder haar ogen was een paar tinten lichter dan de rest van haar gezicht. Haar mascara was met royale hand aangebracht, evenals haar lippenstift, waarvan sporen te zien waren op haar servet en in de kleine rimpeltjes aan weerszijden van haar mond. Ze zou zestig kunnen zijn, maar ze zou ook een kind van zestig kunnen hebben.

De andere mensen aan tafel draaiden zich naar hem toe, een man met dun wit haar en een verdacht zwarte snor en een blonde vrouw bij wie het gezicht en wat Brunetti kon zien van haar borst uit bruin leer leek te bestaan. Het hoofd van de vrouw en ook haar handen bewogen schokkerig door een tremor die geen nadere uitleg behoefde.

Hij knikte en glimlachte naar het gezelschap. 'En u bent?' vroeg de man met de snor.

'Guido Brunetti,' zei hij, en hij mat zich een ernstiger toon aan toen hij daaraan toevoegde: 'Een vriend van Costanza Altavilla.'

Hun ogen veranderden niet, hoewel de blonde vrouw haar tremor even weerstond om haar mondhoeken omlaag te trekken en haar hoofd schuin te houden terwijl ze zei: '*Ah, povera donna*', en de man zijn hoofd schudde en een klakkend geluid met zijn tong maakte. Was dat wat er gebeurde, vroeg Brunetti zich af. Bereikten we allemaal een punt in ons leven waarop de dood van anderen ons niet meer kon schelen en we hooguit nog in staat waren een soort formulematige bedroefdheid op te brengen, de generieke vorm van verdriet in plaats van de echte? Wat hij in hen waarnam leek veel meer op afkeuring dan op bedroefdheid: schandalig dat de dood aan het raam van ons leven zijn gezicht had laten zien; schandalig dat de dood ons eraan herinnerd had dat hij buiten op de loer lag en op ons wachtte.

'O, een vriend van Costanza,' zuchtte signora Cannata.

'Meer van haar zoon eigenlijk. Hij heeft gevraagd of ik

hier langs wilde gaan om met de zusters te spreken,' begon hij naar waarheid, maar hij stapte al snel over op de leugen. 'En hij heeft gevraagd of ik dan meteen wilde kijken of ik wat mensen te spreken kon krijgen over wie ze het weleens had, en of ik tegen ze wilde zeggen hoezeer ze op hen gesteld was.'

Toen ze dat hoorde legde signora Cannata haar hand op haar borst, als om te vragen: 'Wie? Ik?'

Brunetti lachte haar vriendelijk toe en zei: 'En ik had gehoopt dat ik misschien ook iets aan haar zoon zou kunnen overbrengen, wat woorden waaruit zou blijken hoezeer ze hier gewaardeerd werd.'

De man kwam plotseling overeind, alsof hij genoeg had van al dat gepraat over genegenheid en waardering. De blonde vrouw stond ook op, en haakte haar arm door de zijne. 'Wij gaan naar buiten om een kop koffie te drinken,' zei hij, tegen Brunetti of tegen signora Cannata of misschien zelfs wel tegen de Schrijvende Engel. Hij gaf Brunetti een knikje, maar maakte geen aanstalten om hem een hand te geven. Vervolgens draaide hij zich om en nam de vrouw met zich mee.

Brunetti negeerde hen en vroeg: 'Mag ik bij u komen zitten, signora?' Ze glimlachte en maakte een uitnodigend gebaar, waarop hij op de stoel links van haar ging zitten, waar geen van beide anderen had gezeten. Hij glimlachte op zijn beurt en zei: 'Zoals u zult begrijpen, signora, is haar zoon erg aangeslagen. U weet wat voor hechte band ze hadden.'

Ze pakte haar servet, die van stof was en niet van papier, zag Brunetti, vouwde hem zo dat ze een schoon stuk voor zich had en depte er twee keer bevallig haar linkerooghoek mee en toen haar rechter. 'Het is vreselijk,' zei ze. 'Maar ik neem aan dat haar zoon – die is toch dokter? – dat hij wel wist dat ze niet gezond was.' Haar mondhoeken zakten omlaag en ze zei: 'Het was een hartaanval, toch?'

'Ja, inderdaad. In ieder geval heeft het arme mens niet geleden.' Brunetti deed zijn best om de stem van het medelijden op te zetten zoals hij die zich uit zijn jeugd herinnerde.

'O, godzijdank,' zei ze. 'Dat is dan nog een geluk.' Ze legde onwillekeurig haar hand weer tegen haar borst, maar dit keer had het gebaar niets kunstmatigs.

'Haar zoon heeft me verteld dat u een van de mensen was over wie ze het vaak had. En dat ze heeft gezegd dat ze altijd zo graag met u praatte.'

'O, ik voel me gevleid,' zei signora Cannata. 'Niet dat ik veel heb om over te praten. Nou ja, misschien toen ik jonger was en mijn man nog leefde. Hij was accountant, weet u, hij heeft zo veel belangrijke mensen in de stad geholpen.'

Brunetti zette zijn elleboog op tafel en legde zijn kin in zijn rechterhand, klaar om daar de hele middag te blijven zitten en het verhaal van de cijfermatige triomfen van haar man aan te horen. Signora Cannata stelde niet teleur: haar man had tijdens zijn werkzame leven voor de eigenaar van een scheepvaartmaatschappij kunnen achterhalen dat deze veel te veel belasting had betaald, hij had een beroemde chirurg geholpen een eigen administratiesysteem voor vreemde patiënten op te zetten en hij had ook nog een computerprogramma ontwikkeld – hoewel hij aan dat hele gedoe met computers pas laat in zijn leven begonnen was – waarmee de hele facturering en boekhouding van zijn eigen kantoor kon worden gedaan.

Brunetti kwam haar met alles wat hij had tegemoet, hij knikte en glimlachte bij elke triomf die ze aanhaalde en vroeg zich ondertussen af hoe deze vrouw ooit voor iemand een bedreiging zou kunnen vormen, behalve voor zichzelf vanwege de agressie die ze opriep bij de mensen die ze verveelde.

'En hoe lang bent u hier al te gast, signora?' vroeg hij.

Haar glimlach werd iets brozer toen ze zei: 'O, een paar jaar geleden kwam ik tot het besef dat ik hier veel meer vrijheid zou hebben. En mensen van mijn eigen leeftijd om me heen zou hebben. Geen mensen van de generatie van mijn zoon, of jonger nog. U weet hoe dat gaat, hoe ongevoelig ze kunnen zijn.' Ze zette grote ogen op, een toonbeeld van eerlijkheid en oprechtheid, alsook van niet te overtreffen menselijke warmte. 'Trouwens, mensen gaan toch het liefst met leeftijdsgenoten om, die hebben dezelfde herinneringen en geschiedenis.' Ze glimlachte, en Brunetti knikte zo vol instemming dat het hem meteen wakker schudde.

'Nou,' zei hij, en hij duwde zich met schijnbare tegenzin overeind. 'Ik wil u niet langer ophouden, signora. U bent heel royaal met uw tijd geweest en ik weet niet goed hoe ik u moet bedanken.'

'Nou,' zei ze, en haar glimlach was ongetwijfeld flirtend bedoeld, 'u zou bijvoorbeeld nog eens langs kunnen komen om een praatje te maken.'

'Inderdaad, signora,' zei Brunetti, en hij gaf haar een hand. Ze hield die nog even vast en Brunetti voelde zich wegzakken in mededogen. 'Dat zal ik proberen te doen.'

Haar blik was zo helder dat hij wist dat ze geen van beiden ook maar een seconde geloofden wat hij zei, maar ze hadden allebei besloten in hun rol te blijven tot de scène afgelopen was. 'Ik verheug me erop,' zei ze, waarna ze haar hand terugtrok en die in haar schoot in de andere legde.

Brunetti glimlachte. Hij wist dat hij niet zomaar naar de andere tafel kon lopen om signora Sartori aan te spreken, die zich niet leek te hebben verroerd sinds ze haar taart ophad. Hij verliet de eetzaal en liep de gang in. Een van de novicen kwam met een groot dienblad de keuken uit en liep zijn kant op.

'Neemt u me niet kwalijk,' begon hij, niet goed wetend hoe hij haar moest aanspreken, 'kunt u mij zeggen waar ik dottor Grandesso kan vinden?'

'O, die zit helemaal achter in de gang, signore, aan de rechterkant. Laatste deur.' Ze keek om Brunetti heen en wees de gang in, alsof ze bang was dat hij haar instructies niet kon volgen.

'Dank u wel,' zei hij, en hij begaf zich in de aangegeven richting. De laatste deur aan de rechterkant was dicht, dus klopte hij aan. Hij klopte nog een keer, en toen er geen reactie kwam, deed hij langzaam de deur open en riep de kamer in: 'Dottor Grandesso?'

Hij hoorde een geluid. Het kon een woord zijn, het kon ook een grom zijn, maar het was in ieder geval een geluid en Brunetti vatte het op als een uitnodiging om binnen te komen. Binnen zag hij iets wat hem in eerste instantie voorkwam als een schedel op het kussen van het bed. Maar er zaten plukjes haar op die schedel en hij was bedekt met een dunne, gerimpelde huid. Onder het dekbed strekte zich een lange, smalle vorm uit, met aan het eind een kleine bisschopsmijter van voeten. De ogen waren er nog, en ze keken zijn kant op. Ze knipperden niet en ze bewogen zich niet, ze vormden slechts een verbinding tussen hem en de schedel. Brunetti herkende de geur, die hij had leren kennen in de kamer van zijn moeder.

'Dottor Grandesso?' vroeg hij.

'Sì,' antwoordde de schedel zonder zijn lippen te bewegen. Het enkele woord werd uitgesproken met een stem die

Brunetti verraste door zijn diepte en resonantie.

'Ik ben een vriend van de zoon van signora Altavilla. Hij heeft me gevraagd om hier met de zusters te spreken en met de mensen hier die zijn moeder het beste hebben gekend. Als u dat tenminste niet vervelend vindt.'

De ogen knipperden. Of liever gezegd: ze gingen dicht en bleven even dicht. Toen ze weer opengingen waren ze op de een of andere manier veranderd in de ogen van een levend mens, vol emotie en – daar twijfelde Brunetti niet aan – pijn. 'Wat is er gebeurd?' vroeg hij met diezelfde diepe stem.

Terwijl Brunetti op het bed toeliep, was hij zich ten zeerste bewust van dottor Grandesso's onderzoekende ogen; zijn kritische blik gaf hem een idee van de oxymoronachtige vitaliteit van de man. 'Ze is gestorven aan een hartaanval,' zei Brunetti. 'Sectie heeft uitgewezen dat de dood vrijwel onmiddellijk moet zijn ingetreden en dat de eventuele pijn maar van korte duur zal zijn geweest.'

'Rizzardi?' vroeg de man tot Brunetti's verrassing.

'Ja. Kent u hem?' Brunetti had er niet bij stilgestaan dat Grandesso's titel een medische zou kunnen zijn.

'Van naam. Uit de tijd dat ik nog werkte. Degelijke man,' zei hij. De lippen van de dokter bewogen terwijl hij sprak en zijn ogen namen Brunetti aandachtig op, maar de rimpels in zijn wangen bleven roerloos, en zijn expressie was alleen aan zijn ogen af te lezen.

Wat hij over Rizzardi zei was zowel beschrijvend als lovend, en uitgesproken met een stem die niet uit dat lichaam afkomstig leek te kunnen zijn. De dokter deed zijn ogen weer dicht, en die simpele daad transformeerde hem, haalde de geest uit hem weg en liet niets anders over dan dat geteisterde hoofd en dat uitgemergelde lijf daar onder het dekbed.

Brunetti wendde zijn blik af, maar het raam naast het bed keek uit op een smalle calle en bood slechts uitzicht op een muur en een raam met luiken ervoor. Daar bleef hij naar kijken tot de ander zei: 'Hebt u haar gekend?'

Hij keek hem weer aan en zag dat de levendigheid en de belangstelling op het gezicht van de man waren teruggekeerd. 'Nee. Alleen haar zoon. Ik was bij hem toen Rizzardi...' De zin kwijnde weg, omdat Brunetti niet wist wat hij ermee aan moest.

'Hij heeft gevraagd of ik hier met de zusters wilde spreken,' zei Brunetti nogmaals. 'Hij zei dat zijn moeder gelukkig was als ze hier was. Toen ik de moeder-overste had gesproken, heb ik me voorgenomen om bij de mensen langs te gaan op wie ze het meest gesteld was.'

'Wist die zoon hoe we heetten?' vroeg hij, en Brunetti hoorde iets van hoop in zijn stem.

Hij wilde liegen en tegen de dokter zeggen dat ze inderdaad met haar zoon had gesproken over de mensen om wie ze het meest gaf, maar hij kon het niet opbrengen en zei: 'Dat weet ik niet. Ik heb besloten om bij u langs te gaan nadat ik de moeder-overste had gesproken. Zij heeft me uw naam gegeven.'

De man in het bed draaide zijn hoofd opzij toen hij dat hoorde, en verraste Brunetti met die beweging. Maar zijn ogen gingen niet dicht en er was nu geen sprake van dat complete verdwijnen van alle menselijkheid zoals Brunetti dat eerder had waargenomen.

Hij draaide zijn hoofd terug. Zijn blik ontmoette die van Brunetti en hij vroeg met vaste stem: 'Wat wilt u weten?'

Brunetti overwoog heel even of hij de man zou vragen wat hij bedoelde, maar dottor Grandesso hield zijn blik vast en Brunetti zag dat dit een man was die geen tijd wilde verspillen. Die uitdrukking, zo vaak als cliché gebruikt, drong zich nu met grote kracht aan hem op. De dokter had een afspraak, niet met hem, en het was geen afspraak waar hij zich op verheugde, maar er was geen ontkomen aan.

'Ik wil weten of er een reden is waarom iemand haar letsel zou hebben willen toebrengen,' zei Brunetti. Toen hij zichzelf dit hoorde zeggen voelde hij een plotselinge kilte, alsof hem gevraagd was een munt in de mond van de man te leggen voor de overtocht naar de andere wereld of, erger nog, alsof hij hem opgezadeld had met een zware last om mee te nemen.

'Als ik in staat zou zijn Rizzardi te bellen, zou hij me dan vertellen dat ze aan een hartaanval is gestorven?' vroeg de dokter.

'Ja.'

Grandesso keek naar buiten, alsof hij op de luiken van het raam in de calle iets hoopte te vinden om te zeggen. 'U bent geen religieus mens, hè?'

'Nee.'

'Maar u bent wel godsdienstig opgevoed?'

'Ja,' moest Brunetti toegeven.

'Dan herinnert u zich vast nog wel dat gevoel wanneer je uit de biecht kwam – toen u er nog in geloofde, bedoel ik – dat opgebeurde gevoel – als dat het juiste woord is – omdat je je schuld en je schaamte kwijt was. De priester zei de woorden, jij zei de gebeden, en dan was je ziel op de een of andere manier weer schoon.'

Brunetti knikte. Ja, dat herinnerde hij zich nog, en hij was verstandig genoeg om blij te zijn dat hij die ervaring had gehad.

De ander moest Brunetti's gedachten van zijn gezicht hebben afgelezen, want hij vervolgde: 'Ik weet dat het vreemd klinkt, maar zij had een bepaald vermogen dat me daaraan deed denken. Ze luisterde naar me. Ze zat daar gewoon en glimlachte naar me, en soms hield ze mijn hand vast en dan vertelde ik haar dingen die ik sinds de dood van mijn vrouw nooit aan iemand heb verteld.' Hij verdween achter zijn gesloten ogen, en toen hij terugkwam zei hij: 'En soms ook dingen die ik zelfs nooit aan mijn vrouw heb verteld, vrees ik. Dan kneep ze even in mijn hand en dan voelde ik me opgelucht dat ik het eindelijk aan iemand had kunnen vertellen.' De dokter probeerde zijn hand op te tillen om een gebaar te maken, maar kreeg hem niet meer dan een paar centimeter boven het bed en liet hem weer vallen. 'Ze vroeg er niet naar, ze was nooit nieuwsgierig, niet op een gretige manier. Misschien kwam het door dat stille in haar dat ik haar dingen wilde vertellen. Ze stond nooit met een oordeel klaar, en ze toonde nooit verbazing of afkeuring. Ze zat daar alleen maar te luisteren.'

Brunetti wilde vragen wat hij haar verteld had, maar hij kon het niet. Hij hield zichzelf voor dat dat uit respect voor de situatie van de dokter was, maar wist dat het een soort religieus taboe was dat hem ervan weerhield het zegel van die biecht te verbreken, in ieder geval in aanwezigheid van een van de sprekers. 'Denkt u dat ze naar iedereen op dezelfde manier luisterde?' vroeg hij.

Er gleed iets wat een glimlachje zou kunnen zijn over het gezicht van de dokter, maar zijn mond was te schraal om het in zijn lippen tot uitdrukking te laten komen. 'Bedoelt u of ik denk dat iedereen tegen haar praatte?'

'Ja.'

'Dat weet ik niet. Dat hangt van de persoon af. Maar u weet hoe graag oude mensen praten, vooral over zichzelf. Over onszelf.' Hij ging verder: 'Ik heb haar wel met ze gezien, en ik denk dat de meesten vrijuit tegen haar zouden spreken. En als ze dachten dat ze hen daadwerkelijk kon vergeven, dan...' Hij maakte zijn zin niet af.

Brunetti kon zijn nieuwsgierigheid niet langer bedwingen. 'Dacht u dat?'

Hij probeerde zijn hoofd te bewegen, maar toen dat niet lukte zei hij: 'Nee.'

'Waarom niet?'

'Omdat ik net als u, signore,' zei de dokter, en dit keer bereikte de glimlach zijn lippen wel, 'niet in absolutie geloof.'

17

Opeens drong de vraag zich aan Brunetti op hoe deze aan zijn bed gekluisterde man signora Altavilla in gezelschap van andere mensen kon hebben gezien. 'Heeft u haar daadwerkelijk met anderen gezien, dottore?' vroeg hij.

Het duurde even voor de dokter antwoord gaf. 'Ik ben niet altijd zo geweest,' zei hij toen simpelweg, alsof hij duidelijk wilde maken dat hij geen tijd meer had voor uitleg, alleen nog maar voor feiten.

Brunetti bleef zo lang zwijgen dat de dokter zei: 'Ik denk dat het comfortabeler is als u gaat zitten.' Brunetti trok een rechte stoel bij het bed en nam daarop plaats.

Het was alsof Grandesso, niet Brunetti, zich ontspande. Zijn oogleden gingen één, twee keer dicht, maar toen sprongen ze open en zei hij: 'Ik heb vlak bij haar gezeten toen mensen haar dingen vertelden die ze beter vóór zich hadden kunnen houden,' en voordat Brunetti iets kon vragen liet hij erop volgen: 'Dokters zijn gewend geheimen te bewaren.'

Brunetti glimlachte en zei: 'Ik heb zo het idee dat u daar goed in bent, dokter.'

Dottor Grandesso glimlachte terug, maar toen werd zijn gezicht opeens verwrongen in een bankschroef van pijn. De pezen van zijn kaken trilden een paar keer en Brunetti dacht dat hij zijn tanden hoorde knarsen, maar hij wist het niet zeker. Er sprongen tranen in Grandesso's ogen, die over de zijkanten van zijn gezicht liepen. Brunetti kwam half overeind uit zijn stoel, niet goed wetend of hij de hand van de dokter moest vasthouden of hulp moest gaan halen, maar toen ontspande het gezicht van de ander zich. Hij klemde zijn kaken niet langer op elkaar en zijn mond viel open. Hij hijgde een paar keer, maar werd toen kalmer, al had hij nog steeds moeite met ademen.

'Is er iets wat ik kan...' begon Brunetti.

'Nee,' bracht hij met moeite uit. En even later: 'Niet zeggen, alstublieft.'

Brunetti schudde zijn hoofd, niet in staat te antwoorden.

'Geen ziekenhuis,' hijgde de dokter. 'Hier is het beter.' Hij sprak hortend, vechtend om lucht. Hij deed zijn ogen weer dicht, en dit keer ontspande zijn gezicht en kwam het gekwelde geluid van zijn ademhaling tot bedaren.

Een ogenblik lang dacht Brunetti dat de man voor zijn ogen was gestorven, zonder dat hij er iets aan had kunnen doen; toen hoorde hij hem weer met moeite ademen, maar zachter. Hij bleef roerloos zitten kijken tot hij zeker wist dat de dokter sliep. Zo stil als hij kon stond Brunetti op en liep achteruit naar de deur. Hij ging de gang op en liet de deur openstaan, zodat de slapende man te zien was.

De gang was leeg; achter de dichte deur van de keuken klonk het gekletter van borden en het geluid van stromend water. Brunetti leunde tegen de muur. Hij deed zijn hoofd naar achteren tot ook dat tegen de muur rustte en bleef zo een paar minuten staan.

Een van de donkere novicen kwam de keuken uit en liep de andere kant op. Toen hij haar voetstappen hoorde, maakte hij zich los van de muur en zei: 'Neemt u me niet kwalijk.'

Ze glimlachte toen ze hem zag. '*Sì, signore?*' Vervolgens vroeg ze: 'Hoe gaat het met hem?'

'Hij slaapt,' antwoordde Brunetti.

Ze was blij dat te horen en maakte aanstalten zich om te draaien. Brunetti dwong zichzelf te vragen: 'Kunt u me vertellen waar ik signora Sartori kan vinden?' Hij wist nog steeds niet goed hoe hij haar moest aanspreken. Ze droeg het habijt van een novice, dus hij kon haar geen 'suora' noemen, en ze had de mogelijkheid vaarwel gezegd om 'signorina' te worden genoemd.

'O, ik weet niet of ze wel bezoek mag hebben,' zei ze, en ze voegde er wat ongemakkelijk aan toe: 'Alleen haar man komt nog op bezoek tegenwoordig. Hij zegt dat ze van streek raakt als er andere mensen bij haar op de kamer komen. Hij wil niet dat ze wordt lastiggevallen.' Brunetti vroeg zich af wanneer dat 'tegenwoordig' begonnen was.

'Ah,' zei hij op teleurgestelde toon. 'Signora Altavilla's zoon heeft gevraagd of ik bij de mensen langs wilde gaan met wie zijn moeder het meeste contact had, om tegen ze te zeggen hoe belangrijk ze voor haar zijn geweest,' verduidelijkte hij met de ongedwongen glimlach van een oude vriend van de familie. Hij probeerde van haar gezicht af te lezen of ze hem geloofde of met hem te doen had, en toen hij tekenen van dat eerste zag voegde hij eraan toe: 'Hij wist zeker dat ze zou willen dat ze dat te horen kregen.'

'In dat geval denk ik dat het wel kan,' zei ze. Ze stond zichzelf een glimlach toe en onthulde een rij stralend witte tanden, waarvan de perfectie nog werd vergroot door het contrast met haar donkere huid. Brunetti vroeg zich af hoe signora Altavilla met haar bezoekjes iemand lastig zou hebben kunnen vallen, of hoe iemand het in dat licht zou kunnen zien. Hij hield die gedachte echter voor zich toen hij met de jonge vrouw meeliep naar de kamer van signora Sartori.

De deur van deze kamer stond ook open; ze liep meteen naar binnen zonder hun komst aan te kondigen. De vrouw die hij met zo'n intensiteit in haar eentje had zien eten, zat nu op een eenvoudige houten stoel voor het enige raam van het vertrek. Ze keek naar het geblindeerde raam aan de overkant, of misschien naar de muur eromheen. Haar gezicht was uitdrukkingsloos, en Brunetti zag het ook nu weer van opzij. Ze droeg nog dezelfde vuurrode lippenstift, die opnieuw leek te zijn aangebracht.

'Signora Sartori,' zei de novice. 'Ik heb hier een bezoeker voor u.' De vrouw bleef strak naar de muur kijken.

'Signora Sartori,' probeerde ze nogmaals. 'Deze meneer wil u graag spreken.' Nog steeds geen reactie.

Er klonk een geluid achter hen, en toen ze zich omdraaiden zagen ze de andere novice, degene die Brunetti aan een Toltekenbeeld had doen denken. Met haar handen verstopt onder haar schouderkleed zei ze: 'Zuster Giuditta heeft je hulp nodig in de keuken.' Ze glimlachte zenuwachtig naar Brunetti, niet goed wetend of ze ook iets tegen hem moest zeggen.

Bij dit bericht drukte de eerste novice haar handen tegen elkaar, keek even naar Brunetti, daarna naar haar collega en toen weer naar signora Sartori. Brunetti pompte zich op met de lucht van natuurlijk leiderschap. 'Goed dan. Gaat u maar even naar suora Giuditta toe, dan wacht ik hier op u.' Om te laten zien hoe geduldig hij was, en om duidelijk te maken dat hij niet van plan was de kamer te verlaten, keek hij om zich heen en ging toen in een stoel links van de deur zitten, op veilige, nadrukkelijke afstand van de vrouw bij het raam.

Bij deze manifestatie van mannelijk gezag knikten de meisjes – want ze waren nauwelijks meer dan dat – om vervolgens samen te vertrekken en hem bij signora Sartori achter te laten. Of haar bij hem.

Terwijl hij rustig bleef zitten probeerde hij vast te stellen hoeveel, of hoe weinig, ze van zijn aanwezigheid merkte, en naarmate de tijd verstreek begon hij te vermoeden dat ze zich net zo bewust was van zijn aanwezigheid als hij van de hare. Hij liet nog wat tijd verstrijken. Af en toe liepen er mensen voorbij, maar omdat Brunetti naast de deur zat, werd hij door niemand opgemerkt. Niemand bleef staan om naar binnen te kijken, en er kwam ook niemand binnen om iets tegen signora Sartori te zeggen. Na een minuut of tien begon Brunetti het idee te krijgen dat de novicen hem vergeten hadden of misschien dachten dat hij ondertussen vertrokken zou zijn.

Hij dacht terug aan de tafels in de eetzaal en de plaats waar hij had gezeten. Hij had links van signora Cannata gezeten, op de stoel die het dichtst bij signora Sartori had gestaan. Ze had makkelijk alles kunnen horen wat ze gezegd hadden, vooral toen het stiller was geworden nadat de andere twee vertrokken waren. Ze was zo ingespannen met haar eten bezig geweest dat het op dat moment niet in hem opgekomen was dat ze misschien ook nog met iets anders bezig was geweest, hoewel hij maar weinig tegen signora Cannata had gezegd, en zeker niets wat de nieuwsgierigheid had kunnen wekken.

De stilte en het wachten begonnen op hem te drukken, maar hij dwong zich stil te blijven zitten en niets te zeggen.

Toen haar stem kwam klonk hij schor, de stem van iemand die niet meer gewend is te spreken. 'Het was een goed mens.' Hoe vaak moest Brunetti dat nog horen, vroeg hij zich af. Hij had er nooit aan getwijfeld, en niets van wat hij over haar gehoord had, had hem het idee gegeven dat het niet zo was. Door de gebeurtenissen was signora Altavilla echter niet langer vatbaar voor kritiek, dus het maakte niet meer zoveel uit of ze een goed mens was geweest, en wie dat vond.

'Ze begreep dingen. Waarom mensen dingen doen.' Ze sprak met zo'n zwaar accent dat een niet-Venetiaan de grootste moeite zou hebben gehad om te begrijpen wat ze zei. Ze knikte om haar woorden te bevestigen, en ze knikte nog eens en nog eens, maar zonder Brunetti's kant op te kijken. Met een volstrekt andere stem zei ze: 'We moesten wel,' om vervolgens weer in stilzwijgen te vervallen.

'Het is moeilijk soms, om het te weten,' waagde Brunetti.

'We wisten het,' zei ze meteen, defensief.

'Natuurlijk,' beaamde Brunetti.

Toen draaide ze zich zijn kant op en keek hem aan. 'Bent u een vriend van hem?' vroeg ze.

Brunetti maakte een geluid dat van alles kon betekenen.

'Heeft hij u gestuurd?' Bij die vraag kneep ze als een slechte actrice haar ogen samen, alsof ze wilde laten zien dat ze zowel argwanend als slim was en het zou weten als hij loog. Nu hij voor het eerst haar hele gezicht zag, verraste het hem hoe gevuld het was en hoe vol haar mond was. Aan weerszijden daarvan liepen twee diepe, verticale rimpels; een derde rimpel, die horizontaal midden over haar kin liep, veranderde haar gezicht in dat van een houten pop, een gelijkenis die nog versterkt werd door haar onbewogen blik en haar eigenaardig ronde blauwe ogen.

'Nee, signora, hij heeft me niet gestuurd,' zei Brunetti, die geen idee had over wie ze het hadden. 'Ik ben bij u langsgekomen, zoals ik ook bij signora Cannata ben geweest, om te vertellen hoe belangrijk uw vriendschap voor signora Altavilla is geweest en dat ze heel erg op u gesteld was.'

Ze gaf vast de voorkeur aan wat er aan de overkant van de calle te zien was geweest, want daar richtte ze haar aandacht weer op.

Hij liet nog wat tijd verstrijken. 'U hebt haar verteld wat u hebt gedaan,' zei hij op gemoedelijke toon, en zoals hij het formuleerde kon het zowel een vraag zijn als iets wat hij haar in herinnering bracht.

Zijn woorden leken doel te treffen, want ze trok haar schouders op en bracht haar vuisten voor haar borst bij elkaar, maar ze keek niet zijn kant op.

Op een terloopse manier, alsof hij een of ander oud spreekwoord over het gedrag van kinderen te berde bracht, zei Brunetti: 'Ik denk dat het helpt, om mensen te kunnen vertellen wat we gedaan hebben en waarom we het gedaan hebben. Door erover te praten raak je het eerder kwijt.' Praten met haar was voor Brunetti net zoiets als bestellen van een menu in een taal die hij niet sprak: hij zag misschien een paar woorden die hem bekend voorkwamen, maar hij had geen idee wat er kwam als hij die woorden sprak.

'Er komt narigheid,' zei ze tegen het raam aan de overkant van de calle.

Alsof hij door haar woorden was opgeroepen, kwam er een man binnenlopen. Hij was ouder dan zij, dik in de tachtig, zo'n volks type dat je in bars tegenkwam: kort en gedrongen, de neus opgezwollen door een leven lang zwaar drinken, een beetje scheef door jarenlang ruig leven. Zijn spaarzame haar, donkerbruin geverfd, was aan één kant van zijn hoofd langer; het was zorgvuldig over zijn kale hoofd gekamd en werd op zijn plaats gehouden door een soort glimmende gel die ervoor zorgde dat zijn hoofd eruitzag alsof het was ingesmeerd met olie en daarna bestreken met donkere verf.

Hij kwam binnen op het moment dat zij sprak, zijn komst een tegenzang op haar woorden. Hij bleef plotseling staan, kennelijk omdat hij Brunetti bij de deur zag zitten. 'Wie bent u?' wilde hij boos weten, alsof Brunetti hem al de hele tijd had dwarsgezeten en hij er nu genoeg van had. Toen Brunetti niet meteen antwoord gaf, kwam de man een paar stappen dichterbij, bleef vervolgens staan en zette zijn voeten stevig neer voor een stabiele basis om een aanval te lanceren. 'Ik vroeg wie u bent,' zei hij.

De gesprongen adertjes in zijn neus en wangen werden rood, alsof ze door zijn boosheid waren aangezet. 'Wat doet u hier?' wilde hij weten, en hij keek naar de vrouw, die haar aandacht op het raam gericht hield. Zijn gezicht werd zachter toen hij naar haar keek, maar ze negeerde hem en hij maakte geen aanstalten om naar haar toe te gaan. Hij wendde zich weer tot Brunetti. 'Valt u haar lastig?'

Brunetti kwam langzaam overeind en deed het voorkomen alsof hij opgelucht was. Hij boog zich voorover en trok voorzichtig aan de knieën van zijn broekspijpen om te zorgen dat ze niet kreukten. 'Ah,' zei hij hoorbaar opgelucht, 'als u de echtgenoot van de signora bent, dan kunt u me de informatie misschien geven.'

Dit bracht de oude man in verwarring en hij vroeg: 'Wie denkt u wel dat u bent om mij vragen te stellen? En wat doet u hier?' Toen Brunetti weigerde antwoord te geven vroeg hij nog een keer, op luidere toon: 'Heeft u haar lastiggevallen?' Hij deed een paar stappen naar de vrouw toe en ging met zijn gedrongen lichaam tussen haar en Brunetti in staan.

Brunetti haalde zijn notitieboekje uit zijn zak. 'Ik heb alleen maar iets proberen te vragen,' zei hij, terwijl hij ergernis in zijn stem liet doorklinken. 'Maar ik heb gemerkt dat ik met iemand anders zal moeten spreken, signore.' Hij tuitte zijn lippen en zei zonder moeite te doen om zijn irritatie te verbergen: 'Ik kon geen zinnig woord uit haar krijgen.' Een uitdrukking die het midden hield tussen boosheid en pijn gleed over het gezicht van de man. Brunetti likte aan een vinger en sloeg een paar bladzijden om, en wees toen naar een pagina waarop hij, als voorbereiding op een ouderavond die de volgende week bij Chiara op school werd gegeven, een lijstje van leerkrachten en de vakken die ze gaven had geschreven.

'Ik heb de informatie nodig over de jaren 1988 en 1989. We kunnen niets doen zolang we die niet hebben.'

'Donder toch op met je 1988, en neem 1989 ook meteen mee,' zei de oude man, blij dat hij nu iets specifieks had om boos over te zijn en tevreden over zijn gevatte formulering.

Brunetti nam een uitdrukking van verbazing en daarna van verontwaardiging aan. Vervolgens keek hij deze luidruchtige oude man eens goed aan, alsof hij hem voor het eerst zag. Hij rechtte zijn rug en deed een stap naar hem toe; er school geen dreiging in die beweging. Hoewel de oude man iets terugdeinsde, kwam hij niet van zijn plaats, vastbesloten de vrouw te verdedigen.

Brunetti zwaaide met zijn notitieboekje. 'Ziet u dit, signore? Ziet u dit boekje? Daar staat haar hele arbeidsverleden in. Al die jaren. Maar geen 1988 en 1989, dus die zijn nooit op haar tegoed bijgeschreven.' Een getergde Brunetti wierp een blik op de vrouw. 'Daar heeft ze dus nooit geld voor gekregen.' Hij liet het klinken alsof hij daar, in het licht van hoe de man hem behandeld had, bijna blij om was.

'Ik heb bij haar naar die jaren geïnformeerd,' zei Brunetti, en hij keek haar kant op met een ergernis die hij tevergeefs probeerde te verbergen. Hij was helemaal hiernaartoe gekomen om te proberen een probleem op te lossen, en eerst kwam er geen stom woord uit die vrouw en nu zei die man dat hij op kon donderen. 'Alsof je tegen een muur praat.' Hij boog zich naar voren, en dit keer deed de oude man een stap terug. 'En dan moet ik ook nog naar u luisteren,' zei Brunetti boos en vol weerzin.

Hij haalde een paar keer diep adem, alsof hij zijn geduld probeerde te bewaren, maar zoals bij elke bureaucraat kwam er ook bij hem ooit een einde aan zijn geduld, en dat einde was nu bereikt. 'Je probeert mensen te helpen, en het enige wat je krijgt is een hoop geschreeuw.'

Terwijl zijn stem bij iedere zin die hij sprak bozer werd, hield Brunetti zijn ogen op de oude man gericht. Als hij hem met een naald had geprikt, had de man niet sneller leeg kunnen lopen. Vreemd genoeg werden dit keer de andere delen van zijn gezicht rood, terwijl zijn neus en wangen ongezond wit wegtrokken.

Hij wierp een blik op de vrouw om te zien of ze het gevolgd had, en Brunetti kon bijna ruiken dat hij bang was dat ze gehoord en begrepen had wat hij door zijn bemoeienis had veroorzaakt.

De man hief in een verzoenend gebaar beide handen naar Brunetti op. 'Signore, signore,' zei hij. Al zijn woede en agressie waren verdwenen. Hij probeerde te glimlachen.

'Nee,' zei Brunetti, die het notitieboekje onder de neus van de man dichtklapte en weer in zijn zak stopte. 'Nee. Het is zinloos om mijn tijd te verspillen aan mensen zoals u. Het is totaal zinloos om mensen een plezier te willen doen.' Hij zette een nog luidere stem op en schreeuwde bijna: 'U wacht maar tot u officieel bericht krijgt, net als ieder ander.'

Hij draaide zich om en liep naar de deur. De oude man deed aarzelend een stap zijn kant op, zijn handen nog steeds geheven, bijna smekend. 'Maar signore, ik had het niet begrepen. Het was niet mijn bedoeling om... Ze heeft...' jammerde hij haast op de toon van een burger die merkt dat hij de kans heeft verspeeld om geld van een overheidsinstantie te krijgen en weet dat hij nu moet wachten tot het de bureaucratie behaagt om de betaling uit te voeren.

Genietend van zijn verontwaardiging beende Brunetti de kamer uit en verdween de gang in. Hij liep naar de voordeur en verliet het casa di cura zonder nog een van de novicen of zusters te zien.

18

Eenmaal op straat en bevrijd van de rol van geërgerde bureaucraat dacht Brunetti na over, en had toen spijt van, zijn onbesuisde gedrag. Deze vertoning, deze lompe imitatie, was niet nodig geweest, maar iets in hem had geweten dat hij moest zien te voorkomen dat de man het idee zou krijgen dat de autoriteiten belangstelling hadden voor het bejaardenhuis of voor de mensen die er verbleven, en hij had dus gehandeld zonder erbij na te denken en in een impuls besloten zijn identiteit geheim te houden. Als hij ooit nog officieel als vertegenwoordiger van de wet met de man te maken zou krijgen, zou zijn bedrog de situatie juridisch ingewikkeld kunnen maken. Hij had zaken op minder zien stuklopen.

Maar hoe kwam hij erbij om zelfs maar te denken in termen van een zaak? Het enige wat hij had, was een opvliegende man die tegen hem had geschreeuwd en een vrouw met een onduidelijke geestesgesteldheid die hem had gewaarschuwd dat er narigheid kwam. Wanneer kwam er geen narigheid?

De oude man had narigheid gezien in de aanwezigheid van een onbekende bezoeker in haar kamer en had het verdacht gevonden dat Brunetti vragen stelde. Waarom zou hij zich daar druk om maken? Brunetti ging in gedachten nog een keer na wat er was voorgevallen. Hij had verteld dat het onmogelijk was om informatie uit haar te krijgen, en de boosheid van de man was pas verdwenen toen hij hoorde dat de vrouw misschien geld zou krijgen.

Brunetti veroorloofde zich maar zelden de luxe van antipathie jegens de mensen met wie hij in zijn werk te maken kreeg. Hij vormde zich een eerste indruk, dat wel, en soms een heel sterke. Meestal klopte die, maar niet altijd. In de loop der jaren had hij leren accepteren dat een negatieve eerste indruk meer vertekende dan een positieve: je liet je algauw door antipathie leiden.

Maar het meest van al had hij een hekel aan bullebakken. Hij had een hekel aan ze vanwege de onrechtvaardigheid van wat ze deden en vanwege hun behoefte om anderen te onderwerpen. Slechts één keer in zijn carrière had hij zichzelf niet meer in de hand gehad, bijna twintig jaar geleden, tijdens het ondervragen van een man die een prostituee had doodgeschopt. Hij was gepakt omdat zijn drie initialen geborduurd stonden op de linnen zakdoek die hij had gebruikt om het bloed van zijn schoenen te vegen en die hij niet ver van het lichaam had laten vallen.

Gelukkig waren er drie rechercheurs aangesteld om de man, een accountant die de zeggenschap over een reeks meisjes deelde met hun pooier, te ondervragen. Op het moment dat hem gevraagd werd of hij de zakdoek herkende, was het geen van de drie politiemannen ontgaan dat hij er net zo een in zijn borstzak droeg.

Zodra hij zich realiseerde wat die zakdoeken betekenden en wat de gevolgen ervan waren, had hij gezegd, van man tot man, ouwe-jongens-krentenbrood, en o zo bereid om te laten zien hoe stoer hij was: ‘Het was maar een hoer. Daar had ik geen linnen zakdoek aan moeten verspillen.’ Op dat moment was de jongere, rauwere Brunetti opgesprongen, en hij lag al half over de tafel toen verstandiger hoofden en handen tussenbeide kwamen. Hij werd stevig teruggezet in zijn stoel, waarna Brunetti zonder nog een woord te zeggen het verhoor had uitgezeten.

Het was toen een andere tijd geweest, en zijn aanval had geen juridische consequenties gehad. In het huidige juridische klimaat echter zou de onthulling van Brunetti's werkelijke beroep, als de oude man ooit van een misdrijf werd beschuldigd, koren op de molen zijn van iedere advocaat.

Terwijl hij zijn gedachten over dit alles liet gaan, liep Brunetti terug naar de Questura. Toen hij daar aankwam ging hij meteen naar de kamer van signorina Elettra, die hij daar lezend aantrof. Ze las geen tijdschrift, zoals op rustige momenten haar gewoonte was, maar een boek.

Ze legde een stukje papier tussen de bladzijden en deed het boek dicht. 'Weinig werkdruk vandaag?' informeerde hij.

'Zo zou u het kunnen zeggen, commissario,' zei ze, en ze legde het boek met het voorplat naar beneden naast haar computer.

Hij liep op haar bureau toe en zei: 'Ik heb vandaag een vrouw ontmoet, een van de mensen bij wie signora Altavilla op bezoek ging in het casa di cura.'

'En ik wil graag dat u eens kijkt wat we over haar te weten kunnen komen,' maakte ze zijn gedachte af, hoewel ze geen poging deed om zijn stem te imiteren.

'Is het zo overduidelijk?' vroeg hij glimlachend.

'U krijgt op een bepaalde manier wel iets roofdierachtigs,' zei ze.

'En verder?'

'U beperkt zich meestal niet tot die ene persoon, signore, dus ik bereid me erop voor om niet alleen te kijken wat ik over haar kan vinden, maar ook over haar man en eventuele kinderen die ze misschien hebben.'

'Sartori. Haar voornaam weet ik niet, en ik weet ook niet hoe lang ze er al zit. In ieder geval een paar jaar, zou ik zeggen. Ze heeft een man die bij voorbaat altijd boos lijkt te zijn. Ik weet niet hoe hij heet, en ik weet niet of ze kinderen hebben.'

'Denkt u dat ze daar particulier patiënt is?' vroeg signorina Elettra, die Brunetti met deze vraag in verwarring bracht.

'Ik heb geen idee,' zei hij. Hij dacht terug aan de kamer, maar het was gewoon een kamer in een bejaardenhuis. Het had geen luxueuze indruk gemaakt en hij kon zich niet herinneren persoonlijke voorwerpen te hebben gezien. 'Hoezo? Wat zou dat voor verschil maken?'

'Als ze onder de staatszorg valt, dan zou ik beginnen met de overheidsbestanden, maar als ze particulier is, dan moet ik toegang zien te krijgen tot het systeem van het casa di cura.' De klank van het woord 'toegang' uit de mond van signorina Elettra bracht Brunetti in een staat die te vergelijken was met die van een konijn onder de blik van een boa constrictor.

'Wat is makkelijker?' vroeg hij.

'Ah, het casa di cura, zonder meer,' zei ze met de meewarigheid van een wereldkampioen zwaargewicht tegenover de uitsmijter van een nachtclub.

'En dat andere?' vroeg hij, nieuwsgierig als altijd naar het belang dat de overheid hechtte aan de bescherming en juistheid van de informatie die ze bezat over haar burgers.

Zijn vraag ontlokte haar een zucht. Ze schudde haar hoofd, maakte een tonggeluidje en zei: 'Bij overheidsinstanties is het probleem niet zozeer om in het systeem te komen – in de meeste gevallen zou een middelbare scholier dat kunnen – maar om vervolgens de informatie te vinden.'

'Ik weet niet zeker of ik dat onderscheid begrijp,' moest Brunetti erkennen.

Ze zweeg even en probeerde te bedenken welk voorbeeld

simpel genoeg zou zijn voor iemand met zijn beperkte talenten. 'Het is waarschijnlijk net zoiets als inbreken, signore. Het huis binnenkomen is makkelijk, zeker als de deur niet op slot zit. Maar als je eenmaal binnen bent, merk je dat die mensen er een rotzooitje van maken, met vuile borden in de slaapkamer en oude schoenen en kranten in de keuken.' Ze zag het begrip bij hem dagen en ging verder. 'En zo leven ze al sinds het huis gebouwd is, dus het enige wat er in de loop der tijd is gebeurd, naarmate er meer spullen in dat huis terecht zijn gekomen, is dat die rotzooi is veranderd in een complete chaos, waarin je zelfs voor het eenvoudigste dingetje – een theelepeltje bijvoorbeeld – het hele huis door moet om het te vinden.'

Niet omdat hij het per se wilde weten, maar omdat haar uitleg hem nieuwsgierig had gemaakt: 'Geldt dat voor alle overheidsinstanties?'

'Gelukkig niet, commissario.'

'Welke zijn het best?' vroeg hij, zonder zich bewust te zijn van de dubbelzinnigheid van zijn vraag.

'O,' zei ze, 'er is geen beste, alleen maar een minst slechte.' Toen ze zag dat hij daar geen genoegen mee nam, zei ze: 'Uitzoeken aan wie er een paspoort is verstrekt is meestal een koud kunstje. Wapenvergunningen ook. Dat zijn vrij ordelijke systemen. Maar daarna krijg je een hele hoop onduidelijkheid, en je komt er vaak niet achter wie er een *permesso di soggiorno* of een werkvergunning heeft gekregen, of wat precies de regels of criteria zijn om die te krijgen.'

Aangezien dat allemaal onder het ministerie viel waar Brunetti ook voor werkte, kwam dat nieuws niet als een verrassing. Hij kon de verleiding niet weerstaan en vroeg: 'En het slechtst?'

'Dat kan ik eigenlijk niet echt beoordelen,' zei ze met

knap geveinsde bescheidenheid, 'maar wat ik altijd het moeilijkst vind om te... nou ja, te ontginnen – hoe makkelijk het ook is om op het punt te komen waar je dat kunt gaan doen – dat zijn de instanties die mensen het recht geven om dingen te doen, of misschien moet ik zeggen: de instanties die bedoeld zijn om ons te beschermen.' In reactie op zijn gerimpelde voorhoofd verduidelijkte ze: 'Ik bedoel de instanties die moeten nagaan of verpleegsters wel de juiste papieren hebben en of ze wel een opleiding hebben gevolgd waar ze zeggen dat ze die hebben gevolgd. Idem dito met dokters en psychiaters en tandartsen.' Ze sprak zonder emotie, de gefrustreerde onderzoekster die verslag doet van haar bevindingen. 'Daar mankeert echt van alles aan. In het systeem komen is geen probleem, zoals ik al zei, maar daarna is het allemaal ontzettend moeilijk.' Vriendelijk en meevoelend als altijd voegde ze hieraan toe: 'Voor die ambtenaren zelf ook, ongetwijfeld, arme zielen.'

Brunetti's gezin keek weleens naar een televisieprogramma waarin extreme gevallen van ambtelijke nalatigheid openbaar werden gemaakt. Om redenen die hij niet begreep vonden zijn kinderen het altijd buitengewoon grappig, terwijl Paola en hij gruwden van de onverschilligheid waarmee de instanties die de misstanden hadden moeten voorkomen of ontdekken op de onthullingen reageerden. Hoeveel nepdokters had het programma al niet ontdekt, hoeveel nephelers? En hoevelen van hen was een halt toegeroepen?

Brunetti zette die gedachten opzij en zei: 'Ik zou erg dankbaar zijn voor alles wat u kunt vinden over haar of haar man.'

'Natuurlijk, meneer,' zei ze, niet zonder opluchting dat er een eind was gekomen aan hun gesprek over haar cyberverkenningen en de ontdekkingen die daar het gevolg van waren. 'Ik zal kijken wat ik kan vinden.' Daarna, de efficiëntie zelf: 'Hoe ver zal ik teruggaan?'

'Tot u iets interessants vindt,' zei hij, en hij probeerde te klinken alsof hij een grapje maakte, maar vreesde dat hij daar niet in slaagde.

Vervolgens keerde hij terug naar zijn kamer. Toen hij eenmaal aan zijn bureau zat, werd hij opeens overvallen door honger. Hij keek op zijn horloge en zag tot zijn verrassing dat het al na drieën was. Hij belde naar huis, maar er nam niemand op; hij hing op voor het antwoordapparaat in werking trad. Paola weigerde een telefonino bij zich te dragen, en de kinderen waren allebei waarschijnlijk alweer op school. Hij kon het nummer van haar werk proberen, maar daar nam ze zelden op: haar studenten wisten haar te vinden en collega's die haar eventueel wilden spreken, liepen wat haar betrof maar even door de gang naar haar kamer.

Hij overwoog om nog een keer naar huis te bellen en een boodschap in te spreken, maar wat hij ook zou zeggen, het zou niets veranderen aan het feit dat hij voor de zoveelste keer niet voor het middageten was komen opdagen en vergeten had te bellen. Als de kinderen zoiets zouden proberen, zouden ze het nog dagen te horen krijgen.

Zijn telefoon ging en hij nam op met zijn naam.

'U spreekt met Maddalena Orsoni,' zei ze. 'Ik ben eerder terug dan ik gedacht had.'

Normaal gesproken zou Brunetti de hoop hebben uitgesproken dat dat niet betekende dat er iets vervelends was gebeurd, maar ze klonk niet als het soort vrouw dat veel geduld had met clichés of sentimenten, en hij zei dus: 'Zouden we elkaar nu meteen kunnen spreken?'

Geen van beiden, zo viel hem op, zei iets over het onderwerp waar het om ging. Hij was een overheidsbeambte op zoek naar informatie, maar toch vermeed hij het instinctief om specifieke vragen te stellen over de telefoon. Venetië maakte het zo gemakkelijk om iemand te spreken, om hem op straat te treffen, als bij toeval, en dan een kop koffie te gaan drinken; maakte het zo gemakkelijk om de stad in te lopen om iets te gaan drinken en een praatje te maken.

'Ja,' zei ze ten slotte.

'Een bar?'

'Prima.'

'Ik weet niet waar u bent,' zei hij, 'maar ik zit bij San Lorenzo. Kiest u maar iets wat u goed uitkomt, dan tref ik u daar.'

Ze nam de tijd om na te denken en zei toen: 'Er zit een bar aan het eind van de Barbaria delle Tole op het Campo Santa Giustina, op de linkerhoek als je vanaf de SS. Giovanni e Paolo komt. Ik kan daar over tien minuten zijn.'

'Ik zie u daar,' zei hij, en hij legde de telefoon neer.

19

Wat een vreemde plek om af te spreken. Was er een afgelegener plek dan het Campo Santa Giustina? Alleen iemand op weg naar de San Francesco della Vigna of de boothalte Celestia zou erlangs komen. Of iemand die, zoals Brunetti vaak deed, zomaar wat rondwandelde voor het simpele genoegen om de stad te bekijken. Hij was er jaren geleden een keer geweest op zoek naar iemand van wie beweerd werd dat ze poppen repareerde. Chiara had van haar grootouders voor Kerstmis een pop met een porseleinen kopje en een hoepelrok gekregen, maar die pop was een oog kwijtgeraakt. Brunetti kon zich niet meer herinneren of er een oog gevonden was, maar hij herinnerde zich wel de zwijgzame grijsharige vrouw die het poppenziekenhuis runde en die er zelf niet minder als een patiënt uitzag dan de poppen die ze in de etalage had. Hij was sindsdien wel vaker over het campo gekomen, maar was nooit meer naar de etalage toe gelopen om te kijken hoe de nieuwe patiënten het maakten.

Hij had niet lang nodig om er te komen. Aan de overkant van het campo herkende hij de treurige etalage van de tweedehandskledingwinkel. Zoals de meeste Italianen van zijn leeftijd vond Brunetti het een akelig idee om gebruikte kleren te kopen, of eigenlijk om wat dan ook gebruikt te kopen, tenzij het bijvoorbeeld een schilderij was. Maar wie zou er, behalve door absolute nooddruft, in de verleiding kunnen komen om iets uit die etalage te willen? Brunetti was nooit in Bulgarije geweest toen dat nog een communistisch land was, maar hij stelde zich voor dat de etalages daar er zo uitgezien moesten hebben: stoffige, stemmige, aardkleurige smeekbeden waar mensen zonder te kijken langs liepen.

Hij ging de bar binnen. Een donkerharige vrouw aan een tafeltje bij het raam was de enige klant. Hij liep naar haar toe en vroeg: 'Signora Orsoni?'

Ze keek hem aan zonder te glimlachen of een hand te geven. 'Goedemiddag, commissario,' zei ze, en ze knikte naar de stoel tegenover haar.

Hij trok de stoel naar achteren en ging zitten. Voor hij iets kon zeggen kwam de barman naar hen toe, en ze bestelden koffie; vervolgens veranderde Brunetti van gedachten en bestelde een glas witte wijn en een panini.

Toen de man zich van hun tafel had verwijderd, bekeken ze elkaar eens goed en wachtten tot de ander iets zou zeggen. Brunetti zag een vrouw van begin vijftig met lichte ogen die een verrassend contrast vormden met haar donkere haar en olijfkleurige huid. Ze had niet de moeite genomen om het grijs in haar haar bij te kleuren; daaruit, en uit de kraaienpootjes bij haar ogen, bleek dat ze geen vrouw was die de schijn van jeugdigheid probeerde op te houden.

'Ik ben Maddalena Orsoni, commissario. Ik heb Alba Libera opgezet en ik heb er vanaf het begin de leiding over gehad.'

'Hoe lang geleden is dat?' vroeg hij, zonder zich verrast te tonen over het feit dat ze de gebruikelijke inleidende beleefdheidsfrasen oversloeg.

'Vier jaar.'

'Mag ik vragen waarom u ermee begonnen bent?'

'Omdat mijn zwager mijn zusje vermoord had,' zei ze. Hoewel ze datzelfde antwoord al vele malen gegeven moest hebben, vermoedde Brunetti dat ze nieuwsgierig was naar het effect van die meedogenloze eerlijkheid. Hij begroette haar mededeling echter slechts met een knikje, en ze vervolgde: 'Hij was gewelddadig, maar ze hield van hem. En hij zei dat hij ook van haar hield. Er was natuurlijk altijd een reden voor zijn gewelddadigheid: hij had een zware dag gehad, er was iets mis met het eten, hij zag haar naar een andere man kijken.'

Toen hij haar dat zo hoorde opsommen vroeg hij zich af hoe vaak ze dit verhaal al verteld had, maar het herinnerde hem ook aan al die keren dat hij mannen dezelfde verklaringen had horen geven als rechtvaardiging van geweld, verkrachting of moord.

De barman kwam hun het bestelde brengen. Brunetti kon het niet over zijn hart verkrijgen om zijn tosti aan te raken, niet zolang haar woorden nog tussen hen in hingen.

'Gaat u maar eten, hoor,' zei ze, terwijl ze wat suiker in haar kopje deed. Ze roerde langzaam en zag de korrels oplossen.

Brunetti's maag knorde, misschien door de nabijheid van wat als substituut voor de gemiste lunch moest dienen. Ze glimlachte, dronk haar koffie op en zette het kopje neer. 'Toe maar. Ga uw gang.'

Hij probeerde te doen wat hem gezegd werd. Het roosteren had de smaak van het fabrieksbrood op geen enkele manier verbeterd, net zomin als de hitte de fabriekskaas had doen smelten of smaak had weten te verlenen aan de gekookte ham. Karton was erger geweest, dacht hij. Hij legde de panini weer op zijn bord en nam een slokje wijn. Die was tenminste te drinken.

'Ze wilde de politie niet bellen,' ging signora Orsoni verder. Brunetti begreep dat ze nog niet klaar was met het verhaal over haar zus. 'En op een gegeven moment durfde ze die niet meer te bellen. Hij brak haar neus, en toen haar arm, en toen belde ze toch.' Ze keek hem strak aan, taxerend. 'Ze deden niets.' Brunetti vroeg niet om uitleg. 'Er was geen enkele plek waar ze naartoe kon.' Ze hield zijn blik vast en zei: 'Of wilde. Ik woonde in Rome, en ze had me nooit verteld dat er iets mis was.'

'Uw familie?'

'Er waren alleen nog twee bejaarde oudtantes over, en die wisten van niets.'

'Vrienden?'

'Ze was zes jaar jonger dan ik, en we hebben nooit samen op school gezeten. Dus we hadden geen gemeenschappelijke vrienden.' Ze haalde haar schouders op. 'Zo was het nu eenmaal. Het is niet iets waar vrouwen over praten, hè?'

'Nee,' zei Brunetti, en hij nam nog een slok wijn.

'Ze was advocaat,' zei signora Orsoni met een scheef glimlachje, alsof ze wilde zeggen: geloof me, ik verzin dit niet, en wie zou kunnen geloven dat mijn zusje zo stom geweest zou zijn. 'Toen ze uiteindelijk de politie had gebeld – na die arm – namen ze hem mee, maar de gevangenis zat vol, dus gaven ze hem huisarrest.' Ze wachtte even om te zien wat deze vertegenwoordiger van de wet daarop te zeggen zou hebben, maar Brunetti bleef zwijgen.

'Dus toen is zíj weggegaan, en heeft een scheiding van tafel en bed aangevraagd, en toen ook dat hem niet bij haar vandaan hield, kwam er een gerechtelijk bevel tegen hem. Hij moest minstens honderdvijftig meter bij haar vandaan blijven.' Orsoni trok de aandacht van de barman en vroeg om een glas mineraalwater.

'Ze wilde verhuizen – ze woonden allebei nog steeds in Mestre. Ze had het appartement aan hem afgestaan, maar ze werkte daar, en...' Brunetti vroeg zich af hoe ze zou zeggen wat ze te zeggen had, iets wat hij al vele mensen had horen zeggen, achteraf. 'En ik denk dat ze gewoon geen idee had waar hij toe in staat was.' De barman bracht het water. Ze bedankte hem, dronk het glas half leeg en zette het op tafel.

'Op een avond is hij met een pistool naar haar nieuwe woning gegaan en heeft haar neergeschoten toen ze de deur opendeed. Daarna heeft hij nog drie keer op haar geschoten en toen heeft hij zichzelf door het hoofd geschoten.' Brunetti kon zich die zaak herinneren: vier, vijf jaar geleden.

'Bent u toen teruggekomen?'

'Bedoelt u op dat moment, toen ze was vermoord?'

'Ja.'

'Ja, ik ben teruggekomen. En besloot toen om te blijven en iets nieuws te gaan doen. Als dat lukte.'

'Alba Libera?' vroeg hij.

Misschien hoorde ze scepsis in de manier waarop hij die naam uitsprak, want ze zei meteen: 'Nou, het ís vrijheid die daagt voor het merendeel van die vrouwen.' Brunetti knikte, en ze ging verder. 'Ik heb twee jaar nodig gehad om het op te zetten. Ik was al directeur van een ngo in Rome, dus ik kende het systeem en ik wist hoe ik de vergunningen en het geld van de staat moest krijgen.'

Het beviel hem dat ze het gewoon 'geld' noemde en zich niet bezighield met al die eufemismen die mensen gebruikten. En nu ze het over aanpak en procedures had, was de boze ondertoon uit haar stem verdwenen.

Ze ging verder. 'Ze had naar een andere stad moeten gaan: ze had best werk kunnen vinden. De wet kon haar niet beschermen, maar dat wilde ze niet geloven. Er was geen veilige plek waar ze kon gaan wonen en bij mensen kon zijn die haar zouden proberen te beschermen.'

Brunetti wist heel goed hoe klein de kans was dat iemand

die gevaar liep op een of andere manier bescherming van de staat zou krijgen. De huidige regering deed er alles aan om het bestaande getuigenbeschermingsprogramma uit te hollen: er waren te veel mensen die in de rechtszaal lastige dingen over de maffia zeiden. En die getuigen verstrekten nog inlichtingen in ruil voor hun veiligheid. Wat voor kans op bescherming zou een vrouw hebben die de staat niets te bieden had?

Misschien hoorde ze zelf ook de verbolgen toon die bezig was in haar stem te sluipen. 'Ik denk dat het zo wel duidelijk genoeg is. U weet nu in ieder geval waarom ik ermee begonnen ben. We hebben een aantal huizen, de meeste op *terra ferma*. Hier in de stad hebben we wat mensen die een kamer beschikbaar stellen aan de vrouwen die we naar ze toe sturen, zonder vragen te stellen.'

'Zijn ze hier veilig?'

'Veiliger dan waar ze vandaan komen. Veel veiliger.'

'Altijd? Ze worden niet gevonden?'

'Dat gebeurt weleens,' zei ze, terwijl ze haar glas opzij schoof zonder het op te tillen.

'Vorig jaar was er een geval, vlak bij Treviso.'

Brunetti zocht in zijn geheugen, maar kon zich niets voor de geest halen. 'Wat is er toen gebeurd?'

'Haar vriend was erachter gekomen waar ze zat – we weten nog steeds niet hoe, of wie het hem verteld heeft – en hij is naar het huis gegaan waar ze woonde en heeft naar haar gevraagd.'

'En toen?'

Haar gezicht werd zachter, alsof ze te kennen wilde geven dat dit verhaal niet zo ellendig afliep. 'De oude vrouw bij wie ze logeerde – die is bijna negentig – zei dat ze echt niet wist waar hij het over had, dat ze alleen woonde, maar dat hij haar een aardige jongen leek en dat hij wel binnen mocht komen voor een kop koffie. Ze vertelde me dat ze hem alleen liet in de huiskamer, terwijl zij naar de keuken ging.'

Ze zag Brunetti's vrees voor de oude vrouw, en voor de jongere, dus toen verduidelijkte ze: 'Het is een heel gehaaid mens. Ze heeft me verteld dat haar ouders de hele oorlog een Joodse vriend bij zich hadden wonen. Daar heeft ze de regels vandaan die ze hanteert.' In antwoord op Brunetti's onuitgesproken vraag zei ze: 'Geen voorwerpen uit hun oude leven, zelfs geen ondergoed. Alle kleren die ze dragen worden bewaard in haar kast en haar laden, tussen haar eigen spullen. En elke keer als ze de woning verlaten, ongeacht waarvoor, moeten ze zorgen dat hun kamer eruitziet alsof hij niet wordt gebruikt.'

'Voor het geval dat?' vroeg Brunetti.

'Voor het geval dat.'

'Wat gebeurde er toen?'

'Ze is zo lang als ze kon met die koffie bezig geweest, en ondertussen hoorde ze hem de hele tijd door de andere kamers lopen. Hij ging ook de logeerkamer in. Daarna kwam hij de keuken in, en daar gaf ze hem koffie en wat koekjes, en ze begon over haar kleinkinderen te vertellen, en ze zei dat hij zo'n knappe jongeman was en vroeg of hij getrouwd was, en even later stond hij op en ging weg.'

'En toen?'

'En toen hebben we haar diezelfde avond naar een andere stad overgebracht.'

'Ah,' zei Brunetti. 'U bent erg efficiënt.'

'Dat moeten we wel zijn. Die mannen zijn soms heel slim. En ze zijn allemaal gewelddadig.'

Ze verwees hier niet nodeloos naar haar zus, en daar was Brunetti blij om.

‘En signora Altavilla?’

‘Een nicht van haar had haar over ons verteld. Ik heb met haar gesproken, en toen vertelde ze dat ze ons wel wilde helpen. Ze was weduwe, woonde alleen, had een kamer over, en er waren nog drie andere appartementen in dat pand.’ Toen ze zag dat Brunetti dat laatste niet begreep, verduidelijkte ze: ‘Dat betekent dat er voortdurend mensen in en uit lopen.’

‘Hoe lang geleden was dit?’

Ze hield haar hoofd naar rechts terwijl ze in haar geheugen zocht. ‘Twee, drie jaar geleden, denk ik. Ik zou het in het systeem moeten nakijken.’

‘Waar is uw kantoor, als ik vragen mag?’ zei Brunetti, al was dat makkelijk genoeg te achterhalen.

‘Niet ver hier vandaan,’ zei ze, en die onnodig ontwijkende reactie irriteerde hem.

Brunetti vervolgde: ‘Is zoiets als wat er met die oude vrouw is gebeurd – dat er een man naar haar huis kwam of dacht dat er iemand logeerde – ook ooit met signora Altavilla gebeurd?’

Ze legde haar handen op tafel en strengelde haar vingers ineen. ‘Ze heeft nooit iets gezegd.’ Bij wijze van verduidelijking voegde ze eraan toe: ‘Wij geven daar duidelijke instructies over. De eigenaar van het huis moet alles onmiddellijk melden, zelfs als het alleen maar een vermoeden is.’ Vervolgens zei ze met een vermoeide glimlach: ‘Niet iedereen is zo slim als die oude vrouw.’

‘Weet u of ze zich ooit zorgen heeft gemaakt over iets wat een van haar gasten haar verteld heeft?’

Haar glimlach werd warmer. ‘Dat is heel aardig van u,’ zei ze.

Brunetti was even in verwarring gebracht en zei: ‘Dat begrijp ik niet.’

'Om ze gasten te noemen.'

'Het lijkt me dat ze dat zijn,' antwoordde hij eenvoudig, haar afleidingsmanoeuvre negerend. 'Is dat ooit gebeurd, dat ze zich zorgen maakte over iets wat ze had gehoord?'

Signora Orsoni hief haar kin op en zoog lucht naar binnen, een geluid dat Brunetti aan de andere kant van de tafel kon horen. 'Nee, niet echt. Ik bedoel, ze heeft me daar nooit iets over verteld.' Ze bekeek hem met een taxerende blik en zei toen: 'Die vrouwen praten meestal heel weinig.' Ze ging hier verder niet op in, al had Brunetti het idee dat ze nog iets anders te zeggen had.

'Maar?' moedigde hij aan.

'Maar het kwam van de andere kant,' zei ze, en ze bracht hem daarmee opnieuw in verwarring. 'Dat wil zeggen, een vrouw die bij haar logeerde zei dat ze dacht dat Costanza ergens mee zat.'

'Wat zei ze precies?' vroeg Brunetti, die zijn plotselinge belangstelling probeerde te verbergen.

Orsoni wreef over haar voorhoofd, alsof ze Brunetti wilde laten zien hoezeer ze haar best deed om het zich te herinneren. 'Ze zei dat Costanza haar in eerste instantie een heel kalme vrouw had geleken, maar toen ze er een paar weken had gelogeerd, was Costanza op een dag thuisgekomen en had een gekwelde indruk gemaakt. Ze dacht dat het wel weer over zou gaan, maar die bui waarin ze was thuisgekomen hield maar aan.'

'Waar was ze naartoe geweest? Wist ze dat?'

'Ze zei dat Costanza nooit ergens anders kwam dan bij haar zoon of bij de oude mensen die ze bezocht in het verzorgingshuis.'

'Wanneer vertelde ze u dit?'

'Toen ze vertrok – toen ik met haar op weg was naar

het vliegveld. Dat moet ongeveer een maand geleden zijn geweest. Het kan zijn dat het daarna weer beter ging met Costanza.'

'Heeft die vrouw haar nog gevraagd wat er aan de hand was?'

Signora Orsoni legde haar handen plat op tafel. 'U moet goed begrijpen hoe het hier toegaat, commissario. U noemt die vrouwen gasten, maar zo is het niet. Ze houden zich schuil. Sommigen gaan de deur uit om te werken, maar de meesten blijven thuis, en het enige wat ze kunnen doen is zich zorgen maken over wat er met ze gaat gebeuren.'

Ze keek hem aan om er zeker van te zijn dat ze zijn volle aandacht had en ging verder. 'Er zijn verschrikkelijke dingen met die vrouwen gebeurd, commissario. Ze zijn geslagen, en verkracht, en mannen hebben geprobeerd om ze te vermoorden, dus het is moeilijk voor ze om zich bezig te houden met de problemen van andere mensen.' Ze wachtte even, als om in te schatten met hoeveel empathie hij hierop reageerde, en zei toen: 'Ze kunnen zich zelfs nauwelijks voorstellen dat mensen zoals degenen bij wie ze logeren – die een huis hebben, en een baan, en die geen financiële problemen hebben en geen gevaar lopen – ze kunnen zich haast niet voorstellen dat die mensen problemen kunnen hebben.' Ze keek hem over de tafel heen aan. 'Dus het is niet zozeer verbazend dat ze niet gevraagd heeft wat er aan de hand was, maar dat ze überhaupt gemerkt heeft dat er iets was. Angst verlamt mensen,' zei ze, en hij dacht aan haar zus.

'U zei dat u haar naar het vliegveld heeft gebracht?' zei Brunetti.

Zonder zich verrast te tonen dat hij zich niet door haar woorden had laten afleiden, zei ze: 'Ze is vertrokken. Dat heb ik u verteld.'

'Waarom?'
'Haar man was gearresteerd.'
'Waarvoor?'
'Moord.'
'Wie?'
'Zijn minnares.'

'Ah,' liet Brunetti zich ontvallen, maar vervolgens vroeg hij: 'En dus?'

'Dus kon ze terug naar haar huis.' Zoals signora Orsoni het zei, klonk het als een simpele keus, een voor de hand liggende zelfs. En misschien was het dat ook.

'Wie kwam er daarna?'

Hij keek toe terwijl ze een antwoord formuleerde. 'Een andere jonge vrouw, maar die was al weg voordat Costanza stierf.'

'Vertelt u eens iets over haar,' zei Brunetti.

'Er valt niet echt iets te vertellen. Alleen wat ze mij verteld heeft.' Na een aanmoedigend knikje van Brunetti vervolgde ze: 'Ze kwam uit Padua. Ze zat daar op de universiteit, studeerde economie.' Ze zweeg, maar Brunetti wachtte tot ze verderging. 'Haar familie is heel... traditioneel.' Toen Brunetti niet op dat woord reageerde, vervolgde ze: 'Dus toen ze thuis vertelde dat ze een vriend had... die uit Catania kwam... zeiden ze dat ze moest kiezen tussen hem en hen.' Ze schudde haar hoofd om dat soort dingen in deze tijd. 'Dus koos ze voor haar vriend en ging bij hem wonen.'

'Hoe kwam ze bij signora Altavilla terecht?' vroeg hij, al was het maar om te laten zien dat hij zich niet had laten afleiden door dit verhaal over die jonge vrouw, hoe traditioneel haar familie ook was.

'Een week of drie geleden belde ze ons kantoor in Treviso. Dat was nadat de politie had gezegd dat ze niets konden doen.' Toen Brunetti haar vragend aankeek, verduidelijkte ze: 'Die vriend. Ze zei dat het van het begin af aan mis was. Dat hij jaloers was. En gewelddadig: hij had haar een paar keer in elkaar geslagen, maar ze durfde de politie niet te bellen.' Ze zuchtte en hief getergd haar handen op.

'Dit keer dacht ze dat hij haar zou vermoorden; dat had ze tegen ze gezegd. Ze waren in de keuken toen het gebeurde, en om zichzelf te beschermen gooide ze pastawater over hem heen.' Brunetti vond dat ze iets ongewoon passiefs had terwijl ze dit vertelde.

'En toen?'

'Toen is ze ervandoor gegaan en heeft de politie gebeld.'

'Wat gebeurde er toen?'

'Ze zijn naar de woning toe gegaan om met hem te praten, maar ze hebben niets gedaan.'

'Waarom niet?'

'Omdat het zijn woord tegen het hare was. Hij zei dat zij die ruzie begonnen was en dat hij zichzelf alleen maar had proberen te verdedigen.' Hoewel ze het probeerde, slaagde ze er niet in haar minachting voor de politie en woede over de vooroordelen van mannen te verbergen. 'En trouwens, zij is een vrouw en hij is een man.' Het verbaasde Brunetti dat ze er niet nog aan toevoegde: 'En hij is een Siciliaan.'

Toen Brunetti bleef zwijgen, vervolgde ze: 'Ze woonden in Treviso, en zoals ik al zei heeft ze gebeld naar ons kantoor daar. Ze dachten dat ze hier in de stad veilig zou zijn: het is een flink stuk uit de buurt.'

Brunetti dacht na over wat ze hem verteld had en vroeg: 'Heeft u dit van de politie?'

Ze vertrok haar gezicht een beetje. 'Ik heb iemand van ons kantoor gesproken, en die heeft het verteld.'

Na een tijdje zei Brunetti: 'Signora Altavilla heeft u een paar jaar geholpen, zei u?'

Het was duidelijk dat ze niet blij was met die vraag, maar ze zei uiteindelijk: 'Ja.'

'En heeft daarmee zelf risico gelopen.' Toen hij zag dat ze wilde protesteren, voegde hij eraan toe: 'Theoretisch risico gelopen. Maar ze was evengoed bereid het te doen.'

Ze knikte, wendde haar blik af en keek hem toen weer aan.

'Die vrouw, u zei dat ze daar niet meer zat,' zei Brunetti. 'En er waren geen sporen van haar in de woning.'

Signora Orsoni knikte nogmaals.

'Kan ze naar de woning zijn teruggegaan?'

Op neutrale toon, emotieloos, zei ze: 'Ze had hier niets mee te maken.'

'Hoe weet ik of dat waar is?' vroeg hij.

'Omdat ik het tegen u zeg.'

'En als ik ervoor zou kiezen om u niet te geloven?'

Terwijl hij op haar reactie wachtte, zag Brunetti het moment waarop ze besloot te vertrekken. Hij zag het in haar ogen, en hij hoorde het toen ze haar voeten onder haar stoel trok. Hij stak een hand op om haar aandacht te vragen.

'Uw organisatie is tamelijk bekend, nietwaar?' zei hij vriendelijk.

Ze moest onwillekeurig glimlachen om wat ze voor een compliment hield. 'Ik hoop het,' zei ze.

'En ik stel me voor dat de gemeente u zo veel mogelijk steunt. En er zijn particulieren die geld geven.'

Ze glimlachte fijntjes. 'Ze weten misschien hoeveel goeds we doen.'

'Denkt u dat slechte publiciteit daar verandering in zou brengen?' informeerde Brunetti op dezelfde vriendelijke manier, en het had er alle schijn van dat hij echt geïnteresseerd was.

Het duurde even voordat tot haar doordrong wat hij gezegd had. 'Hoe bedoelt u? Wat voor slechte publiciteit?'

'Toe, signora. U hoeft tegen mij niet te doen alsof u niet weet waar ik het over heb. Het soort slechte publiciteit dat er zou komen als de kranten zouden schrijven dat uw organisatie een vrouw heeft ondergebracht in het huis van een weduwe – nee, maak daar maar van: een Venetiaanse weduwe – en dat nadat die Venetiaanse vrouw onder vreemde omstandigheden is gestorven, die vrouw die u daar heeft ondergebracht nergens meer te vinden is.' Hij glimlachte en zei op gemoedelijke toon: 'Dan komt toch het woord "risico" in je op, hè?'

Hij was veel serieuzer toen hij verderging met zijn reconstructie van wat er gebeurd was en hoe dat door de buitenwereld zou kunnen worden gezien, waarbij hij ook nog wat details toevoegde om het extra overtuigend te maken. 'De omstandigheden van haar dood zijn onduidelijk, en de politie is niet in staat om die vrouw te vinden die daar door Alba Libera was ondergebracht.' Hij zette zijn elleboog op tafel en ondersteunde zijn kin met zijn hand. 'Dat is het soort slechte publiciteit waar ik het over heb, signora.'

Ze stond op en Brunetti dacht dat ze naar buiten zou lopen, maar ze bleef staan en staarde hem een tijdje aan. Toen haalde ze haar telefonino te voorschijn en stak een hand op ten teken dat hij moest wachten. Ze ging bij de deur staan, maar keek vervolgens om naar Brunetti en stapte naar buiten. Ze tikte een nummer in.

Brunetti bestelde een glas mineraalwater en dronk daar langzaam van, terwijl hij het bord met de ongegeten panini steeds een stukje verder van zich af schoof, maar toen het water op was, had ze nog steeds het mobieltje in haar hand en was ze nog steeds bezig toetsen in te drukken.

Er lag een *Gazzettino* op de tafel naast hem, maar Brunetti wilde haar niet voor het hoofd stoten met zo'n overduidelijk teken van ongeduld. Hij haalde het notitieboekje uit zijn zak en schreef wat zinsneden op waarmee hij het gesprek weer terug zou kunnen halen. Doordat hij daarmee bezig was had hij niet in de gaten dat ze weer binnen was gekomen, en hij merkte pas dat ze naast hem stond toen ze zei: 'Ze neemt niet op.'

20

Brunetti stond op om de stoel voor haar naar achteren te schuiven. Ze ging zitten en legde haar telefonino voor zich neer. 'Ik weet niet waarom ze niet opneemt. Ze kan zien wie er belt,' zei ze, maar het kwam op Brunetti geforceerd en kunstmatig over.

Hij ging zelf ook weer zitten en wilde zijn glas pakken, maar zag dat het leeg was. Hij schoof het opzij en zei: 'Natuurlijk.' Hij keek naar de onappetijtelijke stukken tosti en toen naar signora Orsoni.

Zijn gezicht stond onvermurwbaar; hij zei niets.

'Ze heeft me gebeld,' zei signora Orsoni.

'Wie?' vroeg Brunetti. Ze gaf geen antwoord, en hij vroeg dus nog een keer: 'Wie heeft u gebeld, signora?'

'Signora... Costanza. Ze heeft me gebeld.'

Brunetti woog haar zwakte en vroeg: 'Waarom?'

'Ze vertelde me... ze vertelde dat ze hem gesproken had.' Ze zag dat Brunetti het niet volgde en zei: 'Die vriend.'

'Die Siciliaan? Hoe heeft ze die gevonden?'

Ze zette haar ellebogen op tafel en liet haar hoofd in haar handen zakken. Ze schudde een paar keer en zei terwijl ze naar het tafelblad keek: 'Hij heeft haar gevonden. Die vrouw had hem vanuit het huis gebeld, en toen hij later het nummer terugbelde nam Costanza op met haar naam, en toen vroeg hij of hij haar kon spreken.' Het duurde even voor Brunetti zich door alle voornaamwoorden heen had gewerkt, maar het kwam er zo te horen op neer dat de vrouw die bij signora Altavilla logeerde zo dom geweest was om haar vriend te bellen met signora Altavilla's telefoon en dat hij het nummer daarvan op zijn eigen telefoon had kunnen aflezen. Daarna kon hij natuurlijk gewoon dat nummer bellen om te kijken wie daar woonde.

'Heeft hij haar bedreigd?'

Haar handen verstrengelden zich tot een schild boven haar voorhoofd en schermden haar ogen af. Ze schudde haar hoofd.

'Wat wilde hij?'

Na een hele tijd zei ze: 'Hij zei dat hij alleen maar met haar wilde praten. Ze mocht zelf een plaats uitkiezen en dan zou hij haar daar treffen. Als ze wilde konden ze op een politiebureau afspreken of bij Florian: op iedere openbare plek waar ze zich veilig zou voelen.' Ze zweeg, maar haalde haar handen niet voor haar gezicht weg.

'Heeft ze hem ontmoet?' vroeg Brunetti.

Haar gezicht was nog steeds verscholen toen ze zei: 'Ja.'

In het besef dat het weinig uitmaakte waar die ontmoeting had plaatsgevonden, vroeg Brunetti: 'Wat wilde hij?'

Ze legde haar handen op tafel en balde ze tot vuisten. 'Hij zei dat hij haar wilde waarschuwen.'

Dat werkwoord verraste Brunetti. Hij probeerde het meteen te duiden. Hield die jongeman er misschien een of ander krankzinnig Siciliaans idee over persoonlijke eer op na en wilde hij die oude vrouw uit de vuurlinie weg hebben? Of wilde hij een of ander verhaal opdissen over de vrouw die bij haar woonde?

'En toen?' vroeg hij met een stem die hij zo kalm hield alsof hij haar vroeg hoe laat het was.

'Ze zei dat hij dat inderdaad deed: hij waarschuwde haar.'

'Voor hemzelf?' vroeg Brunetti meteen, die zich door

zijn wilde scenario liet meeslepen.

Ze was zichtbaar verbaasd door die vraag. 'Nee, voor haar.'

'Die vrouw?' vroeg Brunetti. 'Die bij haar logeerde?'

'Ja.'

Brunetti moest even overschakelen en vroeg toen: 'Wat heeft hij tegen haar gezegd?'

Ze werd afgeleid door een geluid bij de deur, die opengeduwd werd door twee mannen. Ze bleven daar even staan en kregen gezelschap van een derde, die een brandende sigarettenpeuk op straat gooide, waarna ze met zijn drieën aan de bar gingen staan en koffie bestelden. Het geluid van hun stemmen vulde de ruimte, de barse amicaliteit van werklui die pauze houden.

'Signora?' zei hij.

'Dat ze een dief was en dat ze haar beter niet in huis kon hebben.' Hij zag dat het haar moeilijk viel om dit te vertellen. Dat begreep Brunetti wel: signora Orsoni deed alles wat ze kon om vrouwen die gevaar liepen voor geweld te behoeden. En dan dit.

'Wat gebeurde er toen?'

Ze leek zich erg opgelaten te voelen en gaf in eerste instantie geen antwoord, maar toen zei ze: 'Het was waar.'

'Hoe weet u dat?'

'Hij had kopieën bij zich van krantenartikelen, politierapporten.'

'Wat stond er in die rapporten?'

'Dat dat haar tactiek was. Ze ging naar een stad toe, begon een verhouding met een man, trok bij hem in of liet hem bij haar intrekken. En dan begon ze ruzie met hem te maken, en zorgde ervoor dat het gewelddadig werd. En als de politie dan kwam…' Ze bracht haar vuisten omhoog en duwde ermee tegen haar ogen, ofwel van schaamte, of om te voorkomen dat hij haar gezicht kon zien. 'Hij zei dat dat het meest effectief was: als de buren de politie belden.'

Op afgemeten toon vervolgde ze: 'Dan was zij het slachtoffer en nam de politie contact op met een van de groepen die mishandelde vrouwen helpen, en dan werd ze in een huis ondergebracht, en daar bleef ze net zo lang tot ze haar eigen sleutel had en wist wat er in het huis te vinden was. Daarna verdween ze met zoveel als ze kon dragen.'

Terwijl ze er vol afkeer het zwijgen toe deed, hoorde Brunetti het gerinkel van kopjes op schotels, hartelijk gelach, het geluid van munten die op de bar vielen, en daarna ging de deur open en dicht en waren de werklui verdwenen.

Toen het weer stil was in de bar zei ze: 'Dat heeft hij allemaal aan Costanza verteld, en hij heeft haar die rapporten laten zien en haar gesmeekt om hem te geloven.'

'En hoe zat het met die brandwonden?' vroeg Brunetti. Toen ze dat niet leek te begrijpen zei hij: 'Van dat pastawater?'

Ze ging met een vingernagel op en neer door een van de diepe groeven in het hout van het tafelblad. 'Costanza zei dat hij nog mank liep, maar hij heeft er niets over gezegd.'

Ze stond op, liep naar de bar en kwam even later terug met twee glazen water. Ze zette er een voor hem neer en ging weer zitten.

'Wanneer was dit, signora?' vroeg hij.

Ze dronk het water voor de helft op en zette het glas op tafel. Ze keek Brunetti een tijdje aan voordat ze zei: 'De dag voordat Costanza stierf.'

'Hoe weet u dit allemaal?' vroeg hij, zonder acht te slaan op het glas voor hem.

'Ze heeft me gebeld. Costanza. Ze belde me toen ze weer

thuis was nadat ze met die man had gesproken en vroeg of ik naar haar toe wilde komen, of eigenlijk zei ze meer dat ik moest komen.' Haar ademhaling begon weer sneller te gaan. 'Ik ben ernaartoe gegaan, en toen heeft ze me die artikelen laten lezen en die politierapporten laten zien.'

'Waar was die man gebleven?'

'Ze vertelde dat hij had gezegd dat hij haar alleen maar wilde waarschuwen en op het gevaar wilde wijzen, en toen hij dat gedaan had bedankte hij haar dat ze had willen luisteren en toen is hij weggegaan. Dat was alles. Het was voor hem genoeg om te zien dat ze hem geloofde. Hij zei dat niet veel mensen dat deden, omdat hij een Siciliaan is.' Hierna zweeg ze een hele tijd, evenals Brunetti, totdat ze uiteindelijk zei: 'Ze vertelde dat hij haar een aardige man leek.'

Ze zat er verslagen bij en Brunetti was zo verstandig om niets te zeggen. In plaats daarvan vroeg hij: 'Wat gebeurde er toen?'

'Costanza zei dat ik die vrouw moest bellen en tegen haar moest zeggen dat ik met haar wilde praten.'

'En heeft u dat gedaan?'

Haar boosheid vlamde op. 'Natuurlijk heb ik dat gedaan. Ik had geen keus, of wel soms?' Ze kreeg zichzelf weer in de hand en ging verder. 'Ik had een baantje voor haar geregeld waarbij ze een oude vrouw gezelschap moest houden. Ze hoefde niet echt iets te doen, alleen middageten klaar te maken en daar aanwezig te zijn voor het geval er iets gebeurde.'

'Juist ja,' zei Brunetti. 'En toen?'

'Ik heb gevraagd of ze naar het appartement wilde komen zodra de dochter van die oude vrouw om vier uur thuiskwam van haar werk, en dat zou ze doen, zei ze.'

'En?'

'Toen ze kwam heb ik tegen haar gezegd dat we haar naar een andere stad moesten overbrengen.'

'Geloofde ze dat?'

Ze haalde haar schouders op. 'Ik weet het niet.'

'En toen?'

'Toen is ze naar haar kamer gegaan en heeft haar spullen gepakt.'

'Bent u met haar meegegaan?'

'Nee. Wij zijn in de huiskamer gebleven. Zij is naar haar kamer gegaan en heeft haar koffer gepakt.' Ze wilde nog iets anders zeggen, maar zag iets in Brunetti's gezicht wat haar deed besluiten haar mond te houden.

'Vermoedde ze helemaal niets?' vroeg Brunetti.

'Ik weet het niet. Het kan me niet schelen.'

'Wat gebeurde er toen?'

'Ze kwam binnen met haar koffer, zei Costanza gedag, gaf haar de sleutel, en toen zijn we weggegaan.'

'En toen?'

'Toen hebben we de vaporetto naar het station genomen en zijn samen naar het loket gegaan, en daar heb ik gevraagd waar ze naartoe wilde.'

'Dus toen had ze ondertussen wel door wat er was gebeurd?'

'Dat zal wel,' zei signora Orsoni, en haar ontwijkende reactie wekte Brunetti's ergernis.

'En toen?'

'Toen heb ik een kaartje voor haar gekocht voor de laatste trein naar Rome. Die vertrekt iets voor halfacht.'

'Heeft u haar op de trein zien stappen?'

'Ja.'

'Heeft u gewacht tot hij vertrok?'

Ze deed geen poging haar toenemende boosheid te verbergen. 'Natuurlijk heb ik gewacht. Maar voor hetzelfde geld is ze in Mestre uitgestapt.'

'Maar ze had de sleutel teruggegeven?'

'Costanza hoefde er niet eens om te vragen,' zei ze, en ze liet er bijna met voldoening op volgen: 'Maar ze kan natuurlijk een kopie hebben laten maken.'

Brunetti zei hier niets op terug.

'Hoe heet ze?' vroeg hij.

Hij zag haar aarzelen, en hij wist dat hij haar mee zou nemen voor verhoor als ze weigerde antwoord te geven. Voor ze iets kon zeggen voegde hij eraan toe: 'En die man. Die Siciliaan.'

'Gabriela Pavon en Nico Martucci.'

'Dank u,' zei Brunetti, en hij stond op. 'Als ik nog meer informatie nodig heb, bel ik u wel om te vragen of u naar de Questura wilt komen.'

'En als ik dat weiger?' vroeg ze.

Brunetti nam niet de moeite om die vraag te beantwoorden.

21

Brunetti was blij dat hij van haar af was en realiseerde zich toen pas hoe weinig sympathie hij voor deze vrouw voelde. Haar getraineer en haar halve waarheden en pogingen om hem te manipuleren hadden hem geïrriteerd. En wat erger was: ze leek zich alleen maar druk te maken om de dood van signora Altavilla voor zover die een bron van schuld was voor haarzelf of van potentieel gevaar voor haar organisatie met die belachelijke naam Alba Libera. Wat gaven ze toch weinig om mensen, die mensen die de mensheid wilden helpen.

Hij liep deze dingen te overpeinzen terwijl hij zich weer op weg begaf naar de Questura, maar opeens, alsof hij wakker werd uit een droom, viel hem op hoeveel licht er al uit de dag was verdwenen. Hij keek op zijn horloge en zag tot zijn verbazing dat het al bijna vijf uur was. Hij vond het onzin om nog naar de Questura terug te gaan, maar deed niets om zijn voetstappen een andere kant op te sturen, en hij zag zichzelf van boven af voortsjokken als een dier dat weer op weg was naar de stal. Op de Questura ging hij meteen naar de kamer van signorina Elettra. Ze zat aan haar bureau te lezen, zo te zien in hetzelfde boek dat hij de vorige keer ook had gezien. Ze keek op toen hij binnenkwam en deed haar boek achteloos dicht en schoof het opzij. 'U ziet eruit als iemand die meer werk komt brengen,' zei ze glimlachend.

'Ik heb net met de baas van Alba Libera gesproken,' zei hij.

'Ah, Maddalena. Wat vond u van haar?' vroeg ze neutraal, zonder ook maar iets prijs te geven van haar eigen mening.

'Dat ze graag mensen helpt,' antwoordde Brunetti even neutraal.

'Dat lijkt me in ieder geval een waardig streven,' was signorina Elettra's reactie.

Brunetti vroeg zich af wanneer een van beiden zich gewonnen zou geven en een mening zou geven.

'Ze doet mij een beetje denken aan die vrouwen in negentiende-eeuwse romans die zich inzetten voor de morele verheffing van hun minderen,' zei ze.

Brunetti vroeg zich even af of meer dan tien jaar blootstelling aan zijn kijk op de wereld de hare misschien had beinvloed, maar realiseerde zich toen dat hij zichzelf daarmee te veel eer aandeed: signorina Elettra had heus haar eigen rijke voorraad scepticisme.

Hij had opeens genoeg van hun spielerei en zei: 'Een van de vrouwen die ze geholpen heeft, logeerde bij signora Altavilla tot de avond voor haar dood, maar het blijkt dat die vrouw ook in andere huizen heeft gelogeerd, in soortgelijke omstandigheden...'

'En er met het zilver vandoor is gegaan?' zei signorina Elettra voor de grap.

'Zoiets, ja.' Hij zag de verrassing op haar gezicht en was blij met het feit dat ze verrast was.

'Hoe heet ze?' vroeg ze.

'Gabriela Pavon, al betwijfel ik ten zeerste of dat haar echte naam is. En de man voor wie ze zich zogenaamd schuilhield is Nico Martucci, een Siciliaan. Dat is waarschijnlijk wel zijn echte naam. Hij woont in Treviso.' Toen ze de namen begon op te schrijven zei Brunetti: 'Laat maar zitten. Ik heb een vriend in Treviso die het me kan vertellen. Dat scheelt tijd.'

Hij maakte aanstalten om te vertrekken, maar ze wees naar wat paperassen op haar bureau en zei: 'Ik heb een paar dingen gevonden over signora Sartori en de man met wie ze samenwoonde.'

'Dus ze zijn niet getrouwd?' vroeg hij.

'Niet volgens de administratie van het verzorgingshuis. Haar hele pensioen gaat daar rechtstreeks naartoe, en haar partner Morandi betaalt de rest.' Ze zag zijn verbazing en voegde eraan toe: 'Hij zou niet hoeven betalen, aangezien ze niet getrouwd zijn, maar dat doet hij wel.' Brunetti dacht terug aan de man met het rode gezicht die hij in de kamer van signora Sartori had gezien.

'Hoeveel kost het?' vroeg hij, terwijl hij dacht aan wat zijn broer en hij al die jaren voor hun moeder hadden moeten betalen.

'Vierentwintighonderd per maand.' Toen hij zijn wenkbrauwen optrok, zei ze: 'Het is een van de beste huizen van de stad.' Ze bracht een hand omhoog en liet hem vallen. 'En zo zijn die prijzen.'

'Hoeveel pensioen krijgt ze?'

'Zeshonderd euro. Ze is vier jaar eerder dan normaal gestopt, dus ze komt niet in aanmerking voor het hele pensioen.'

Voor hij aan het rekenen sloeg, vroeg Brunetti: 'En hij?'

'Vijfhonderdtwintig.' Hun twee pensioenen samen dekten amper de helft van de kosten.

De man had geen welgestelde indruk gemaakt; zij ook niet, moest Brunetti erkennen. Als hij was wat hij leek te zijn, een gepensioneerde die met moeite zijn huur, gas en licht, en eten kon betalen, waar haalde hij dan het geld voor dat verzorgingshuis vandaan?

Ze pakte de papieren en gaf ze aan hem; het was tot zijn verbazing meer dan een paar velletjes. Wat konden twee oude mensen zoals zij in hun leven hebben gedaan?

'Wat staat er allemaal in?' vroeg hij, terwijl hij deed of hij het papieren gewicht torste.

Signorina Elettra trok haar meest sibillijnse gezicht en zei: 'Hun leven is niet onopgemerkt voorbijgegaan.'

Brunetti glimlachte en stond het zichzelf toe te ontspannen, voor het eerst die dag, zo leek het. Hij wuifde met de paperassen en zei: 'Ik zal eens kijken.' Ze knikte en richtte haar aandacht op de computer.

Op zijn kamer belde hij eerst naar huis.

Paola nam op met een 'Sì?' zo van geduld gespeend dat zelfs de meest geharde telefonische verkoper erdoor ontmoedigd zou zijn geraakt en haar kinderen van schrik meteen naar huis zouden zijn gekomen om hun kamer op te ruimen.

'"En de stem der tortelduif wordt gehoord in ons land,"' kon hij niet nalaten te zeggen.

'Guido Brunetti,' zei ze, en haar stem klonk geen greintje vriendelijker dan tijdens dat onpersoonlijke 'Sì', 'begin jij nu niet tegen me uit de Bijbel te citeren.'

'Ik heb het Lied der Liederen als literatuur gelezen, niet als heilige tekst.'

'En je gebruikt het als provocatie.'

'Ik volg gewoon de traditie van tweeduizend jaar christelijke apologeten.'

'Je bent een verdorven en irritante vent,' zei ze op een lichtere toon, en hij wist dat het gevaar geweken was.

'Ik ben een verdorven en irritante vent die je graag mee uit eten wil nemen.'

'Om de *turbanti di soglie* mis te lopen, in alle rust gegeten aan je eigen tafel, in vreugdevolle harmonie met je gezin?' vroeg ze, waarop hij zich afvroeg of haar stemming was omgeslagen door de gedachte aan zijn aanwezigheid of door het vooruitzicht van de maaltijd.

'Ik zal proberen op tijd te zijn.'

'Mooi,' zei ze, en hij dacht al dat ze zou ophangen, maar ze voegde er nog aan toe: 'Ik ben blij dat je er straks bent.' Daarna was ze weg, en Brunetti had het gevoel alsof de temperatuur in de kamer zojuist iets was gestegen of dat het licht op de een of andere manier intenser was geworden. Meer dan twintig jaar, en nog steeds kon ze dit bij hem teweegbrengen, dacht hij. Hij schudde zijn hoofd, zocht naar het nummer van zijn vriend in Treviso en belde hem op.

Zoals hij al had vermoed heette de vrouw niet Gabriela Pavon: de politie van Treviso kon wel zes schuilnamen noemen die gebruikt werden door deze vrouw, wier vingerafdrukken overal te vinden waren in het appartement dat ze met haar vriend had gedeeld, maar kon hem niet haar echte naam geven. De Siciliaan – Brunetti hield zichzelf voor dat hij ermee moest ophouden hem zo te noemen en, wat belangrijker was, op die manier aan hem te denken – was scheikundeleraar aan een technische school, had geen strafblad en was, in ieder geval volgens de politie daar, slachtoffer van een misdrijf. Van de vrouw was geen spoor te bekennen, en zijn vriend ging er gelaten van uit dat dat zo zou blijven totdat ze dezelfde misdaad in een ander deel van het land zou begaan.

Brunetti vertelde hem wat de vrouw in Venetië vermoedelijk van plan was geweest en kreeg van zijn mismoedige vriend het verzoek om een rapport op te sturen, 'niet dat het ook maar iets zal uithalen. Ze heeft geen misdrijf gepleegd.'

Nadat hij had opgehangen richtte Brunetti zijn aandacht op de papieren die signorina Elettra hem had gegeven. Signora Maria Sartori was tachtig jaar geleden in Venetië geboren, Benito Morandi drieëntachtig jaar geleden. Brunetti werd getroffen door de voornaam van de man; hij wist maar al te goed wat voor soort familie haar zoon in die tijd Benito zou hebben genoemd. Maar de aanblik van die twee namen samen prikkelde op de een of andere manier Brunetti's geheugen, alsof Ginger opeens weer haar Fred had gevonden, of Bonnie haar Clyde. Hij keek weg van de papieren en volgde in zijn hoofd de kronkelende stroom van zijn herinneringen. Iets met een oud iemand, maar niet een van hen tweeën; een ander oud iemand, en toen zij nog niet oud waren. Het was iets uit het leven van voor zijn werk, van voor Paola en alles wat uit zijn omgang met haar voortkwam. Zijn moeder zou het zich zeker herinnerd hebben, dacht hij onwillekeurig, zijn moeder zoals ze ooit geweest was.

Hij belde het nummer van Vianello's telefonino. Toen de inspecteur opnam, vroeg Brunetti: 'Ben je beneden?'

'Ja.'

'Wil je even boven komen?'

'Ik kom eraan.'

Staren hielp. Brunetti liep naar het raam en keek uit over het kanaal, terwijl hij de namen in zijn hoofd liet rondtuimelen, in de hoop dat als hij ze uit elkaar liet vallen en weer bij elkaar bracht er een herinnering boven zou komen.

Zo trof Vianello hem aan, met zijn handen achter zijn rug, geheel in beslag genomen door ofwel de gevel van de kerk of anders het drie verdiepingen tellende zwerfkattenhuis dat ertegenaan was gebouwd.

In plaats van iets te zeggen ging Vianello in een van de stoelen voor het bureau van zijn chef zitten. En wachtte.

Zonder zich om te draaien zei Brunetti: 'Maria Sartori en Benito Morandi.'

Bij Vianello bleef het stil, afgezien van het geluid van zijn hakken die over de grond schraapten terwijl hij zijn benen strekte. Er ging nog wat tijd voorbij, en toen kwam de lange zucht van de hervonden herinnering. 'Madame Reynard,' zei hij, en hij stond zichzelf een glimlachje toe omdat hij er als eerste op gekomen was.

Iedere Venetiaan van hun leeftijd zou er vroeg of laat op gekomen zijn. Nu Vianello de naam had genoemd, kwam de herinnering ook bij Brunetti boven. Madame Marie Reynard, toen al een legendarische schoonheid, was – hoe lang geleden, bijna honderd jaar inmiddels? – met haar man naar Venetië gekomen. Ze hadden een jaar of vijf samen gehad toen hij op spectaculaire wijze om het leven kwam. Brunetti kon zich het werktuig van zijn dood niet meer herinneren: boot, auto, vliegtuig. Haar alles verterende verdriet kostte haar hun ongeboren zoon en nadat ze weer hersteld was, verviel ze in een leven van weduwschap en afzondering in hun palazzo aan het Canal Grande.

Hij wist niet meer wanneer hij het verhaal voor het eerst had gehoord, maar toen Brunetti nog niet eens op de middelbare school zat was Madame Reynard al een legende, zoals het lot is van treurende weduwen, in ieder geval als ze zowel mooi als rijk zijn. De geheimzinnige Française verliet nooit haar palazzo, of ze verliet het alleen 's nachts om in stilte huilend over straat te gaan, of ze liet uitsluitend priesters bij zich komen, met wie ze, gehuld in haar weduwesluier, eindeloos de rozenkrans bad voor de zielenrust van haar man. Of ze was een kluizenaarster, gekweld door verdriet. Twee elementen bleven hetzelfde in al die varianten: ze was mooi en ze was rijk.

En uiteindelijk, meer dan twintig jaar geleden, toen ze honderd was en al driekwart eeuw weduwe, stierf ze. En haar advocaat – die in geen van die legenden ooit een rol had gespeeld – bleek erfgenaam te zijn van het palazzo en al wat zich daarin bevond, en van de grond die ze bezat, haar beleggingen, en het patent op een proces dat iets met de sterkte van katoenvezels deed, waardoor ze tegen hogere temperaturen bestand waren. Wat het ook precies deed – en de stof veranderde van katoen in zijde in wol, afhankelijk van de versie die verteld werd – dat patent bleek uiteindelijk onvergelijkelijk veel meer waard te zijn dan het palazzo of de rest.

'Natuurlijk, natuurlijk,' zei Brunetti, terwijl de figuurtjes in zijn geheugen zich samenvoegden en Maria haar Benito vond, want dat waren de namen van de getuigen van het testament – Sartori en Morandi – die het onderwerp van roddels en speculaties waren geweest die de stad maandenlang hadden beziggehouden. Ze hadden in het ziekenhuis gewerkt, hadden de stervende vrouw voordien niet gekend, werden zeker niet als begunstigden in het testament genoemd, en werden dus beschouwd als mensen die verder geen rol in deze zaak speelden. Brunetti liep weer naar zijn bureau toe.

'Was er geen sprake van Franse familieleden?' vroeg Vianello.

Brunetti zocht tussen de verhalen die zich in zijn geheugen hadden losgemaakt tot hij het juiste had gevonden: 'Dat bleken geen familieleden te zijn, maar mensen die over haar fortuin hadden gelezen en dachten dat ze het weleens konden proberen.' Er borrelde nog wat informatie in hem naar boven en hij liet erop volgen: 'Maar inderdaad, het waren wel Fransen.'

Ze probeerden allebei nog meer stukjes en beetjes uit hun geheugen te vergaren. 'En was er niet ook nog een veiling?' vroeg Vianello.

'Ja,' zei Brunetti. 'Een van de laatste grote. Nadat ze gestorven was. Ze hebben alles verkocht.' Vervolgens, omdat het Vianello was tegen wie hij sprak, en omdat hij dat soort dingen wel tegen hem kon zeggen, zei hij: 'Mijn schoonvader zei dat alle verzamelaars van de stad er waren. Alle verzamelaars van Veneto zelfs.' Brunetti wist van twee tekeningen die van die veiling kwamen. 'Hij heeft zelf twee pagina's uit een schetsboek van Giovannino de Grassi gekocht.'

Vianello schudde zijn hoofd in onkundigheid.

'Veertiende eeuw. Er is een heel schetsboek in Bergamo, met tekeningen – schilderijen eigenlijk – van vogels en andere dieren, en een fantasiealfabet.' Zijn schoonvader bewaarde zijn twee tekeningen in een map, uit het licht. Brunetti hield zijn handen ongeveer twintig centimeter van elkaar. 'Dit zijn maar losse pagina's, zo groot ongeveer. Schitterend.'

'Veel waard?' vroeg de veel pragmatischer Vianello.

'Ik weet het niet precies,' zei Brunetti. 'Maar het lijkt me wel. Ik heb van mijn schoonvader begrepen dat de meeste verzamelaars er waren vanwege de tekeningencollectie van haar man. Het was niet zoals tegenwoordig, dat je op internet precies kon zien wat er allemaal geveild zou worden. Hij zei dat er altijd verrassingen waren. Maar dit keer was de verrassing dat er zo weinig tekeningen waren. Dat neemt niet weg dat hij die twee toch nog heeft kunnen kopen.'

'Jammer van Cuccetti, hè?' zei Vianello, en het verbaasde Brunetti dat hij zich de naam van de advocaat die de erfenis had opgestreken nog herinnerde.

'Wat, dat hij kort daarna is gestorven? Wat was het, twee jaar later?'

'Ik geloof het wel, ja. En met zijn zoon. Die zoon reed, hè?'

'Ja, dronken. Maar het is allemaal doodgezwegen.' Ze waren allebei vrij goed op de hoogte van dit soort dingen. 'Cuccetti had een hoop belangrijke vrienden,' voegde Brunetti eraan toe.

Alsof Brunetti's bewering de nacht was en zijn vraag de dag, vroeg Vianello: 'Het testament is nooit aangevochten, hè?'

'Alleen door die Fransen, en dat hield geen dag stand.' Brunetti pakte de papieren die signorina Elettra hem had gegeven en zei: 'Dit zijn de dingen die ze gevonden heeft.' Hij las het eerste blad en gaf het toen aan Vianello. In genoeglijk stilzwijgen, zonder dat een van beiden het nodig vond om commentaar te leveren, lazen ze de papieren door.

Maria Sartori was verpleegster geweest, eerst in het Ospedale al Lido en daarna in het Ospedale Civile, waar ze meer dan vijftien jaar eerder met pensioen was gegaan. Ze was nooit getrouwd geweest en had het grootste deel van haar volwassen leven op hetzelfde adres gewoond als Benito Morandi. Ze had haar hele werkzame leven een rekening bij dezelfde bank gehad, waarop kleine bedragen waren gestort die ook weer waren opgenomen. Ze had nooit in het ziekenhuis gelegen en was ook nooit in aanraking gekomen met de politie. En dat was alles: geen woord over vreugde of verdriet, dromen of teleurstellingen. Tientallen jaren werk, pensionering en een pensioen, en nu een kamer in een particulier casa di cura, betaald van haar pensioen en de bijdrage van haar partner.

Aan het tweede blad was een fotokopie van haar *carta*

d'identità gehecht. Brunetti herkende de vrouw met de zachte trekken bijna niet: dat kon toch niet de jongere versie zijn van de vrouw met het gegroefde gezicht die hij gezien had? Hij onderdrukte de neiging om tegen het jongere gezicht te fluisteren dat ze gelijk had gehad: er komt narigheid.

Terwijl hij het tweede blad aan Vianello gaf, richtte Brunetti zijn aandacht op haar partner. Morandi had als soldaat gediend in de Tweede Wereldoorlog. Brunetti's eerste gedachte was dat Morandi daarover gelogen moest hebben, maar toen hij ging rekenen zag hij dat het nog net mogelijk was.

Brunetti's vader had het vaak gehad over de chaos die er heerste in die verschrikkelijke tijd, dus het was misschien mogelijk dat een jonge tiener helemaal aan het eind van de oorlog dienst had genomen. Maar toen las Brunetti Morandi's staat van dienst, waarin stond dat hij had gevochten in Abessinië, Albanië en Griekenland, en dat hij in Griekenland gewond was geraakt en vervolgens naar huis was gestuurd en uit de dienst was ontslagen.

'*No, eh?*' hoorde Brunetti zichzelf hardop zeggen, en hij merkte dat hij Vianello daarmee liet schrikken. Als de geboortedatum in dit dossier klopte, dan was Morandi pas twaalf toen hij naar Griekenland vertrok en zestien toen Italië zich overgaf aan de geallieerden. Hij was dan wel door zijn ouders Benito genoemd, maar de kans was toch niet zo groot dat ze hun puberzoon met die andere Benito mee de oorlog in zouden hebben gestuurd.

Een paar jaar nadat Morandi naar Italië was teruggekeerd – althans, volgens deze gegevens – had hij een baan gekregen in de haven van Venetië, waar hij meer dan tien jaar bleef werken, al werd er geen preciezere functieomschrijving gegeven dan 'handarbeider'. Brunetti las dat er uiteindelijk ontslag volgde, maar de reden werd niet genoemd.

Een paar jaar later begon hij als schoonmaker te werken in het Ospedale Civile. Brunetti boog zich opzij en pakte de papieren die Vianello op zijn bureau had gelegd; signora Sartori werkte toen al in het Ospedale.

Morandi had meer dan twintig jaar als *portiere* en schoonmaker gewerkt en was twintig jaar geleden met pensioen gegaan. Zijn pensioenuitkering was minimaal.

Brunetti herkende het stempel van het ministerie van Justitie op de volgende drie bladzijden, die een overzicht boden van Morandi's relatie met het gezag, waarvoor hij geen onbekende was. Hij was voor het eerst gearresteerd toen hij begin dertig was, op beschuldiging van het verkopen van gesmokkelde sigaretten aan tabakszaken op het vasteland. Vijf jaar later werd hij aangehouden voor het verkopen van gestolen goed van schepen die in de haven werden gelost en kreeg hij één jaar voorwaardelijk. Zeven jaar daarna werd hij gearresteerd omdat hij een collega op zijn werk had aangevallen en ernstig verwond. Toen de man weigerde tegen hem te getuigen kwam de aanklacht te vervallen. Hij was ook gearresteerd voor verzet tegen een arrestatie en voor het doorgeven van gestolen goederen aan een heler in Mestre. Er was in die zaak een of andere administratieve fout gemaakt bij de verwerking van het bewijsmateriaal, en na vijf jaar werd de zaak ingetrokken, al leek signor Morandi toen inmiddels naar de kant van de engelen te zijn overgestapt, want sinds hij met zijn werk in het ziekenhuis was begonnen, was hij niet meer gearresteerd.

De laatste bladzijden hadden betrekking op signor Morandi's financiële leven. Ongeveer in de tijd dat hij met pensioen ging, had Morandi een appartement in San Marco gekocht zonder daarvoor een hypotheek te nemen. Een briefje in signorina Elettra's handschrift vertelde Brunetti dat Morandi kort daarna samen met signora Sartori in dat appartement was getrokken, want binnen enkele maanden na de aankoop stonden ze allebei op dat adres ingeschreven.

Zijn bankrekening, die geen enkele rol had gespeeld bij de aankoop van het appartement, vertoonde min of meer hetzelfde patroon als die van signora Sartori: kleine af- en bijschrijvingen en, nadat het appartement was gekocht, een maandelijks afgeschreven bedrag voor onderhoudskosten. Dat bedrag was in de loop der jaren steeds hoger geworden en bedroeg nu meer dan vierhonderd euro per maand, wat niet meer zo makkelijk van zijn bescheiden pensioen kon worden betaald.

Vanaf het moment dat signora Sartori in het verzorgingshuis was opgenomen, was signor Morandi's bankpatroon veranderd. Een maand voordat haar eerste factuur moest worden betaald, was er bijna vierduizend euro op zijn rekening gestort. Sindsdien was er elke drie of vier maanden een bedrag van vier- à vijfduizend euro gestort en werd er elke maand ruim twaalfhonderd euro automatisch overgemaakt naar het verzorgingshuis.

Dat leek het zo'n beetje te zijn. Brunetti bladerde terug om de data te bekijken en zag dat het appartement weliswaar gekocht was nadat Morandi met pensioen was gegaan, maar dat signora Sartori in het ziekenhuis was blijven werken. Het was niet waarschijnlijk dat mensen met een dergelijke baan genoeg bij elkaar hadden gespaard om een appartement te kopen. Gezien het ontbreken van een hypotheek en het lage salaris van degene die was blijven werken, was het zelfs bijna onmogelijk. Noch de inhoud van deze papieren, noch zijn korte ontmoeting met hem had Brunetti het idee gegeven dat Morandi's leven in het teken van zuinigheid had gestaan.

Brunetti stond op en liep naar het raam, waar hij zich weer verdiepte in de twee gevels die daar te zien waren. Terwijl hij wachtte tot Vianello klaar was met lezen liet hij zijn gedachten over het fenomeen pensionering gaan. Mensen in andere landen, zo was hem verteld, zagen het bereiken van de pensioengerechtigde leeftijd als een kans om naar een warmer klimaat te verhuizen en aan iets nieuws te beginnen: een taal te leren, een duikuitrusting aan te schaffen, taxidermie te gaan beoefenen. Hoe volstrekt vreemd was dat verlangen aan zijn eigen cultuur. De mensen die hij kende en degenen die hij al zijn hele leven observeerde, wilden na hun pensioen niets anders dan zich nog dieper nestelen in hun huis en in de gewoonten die ze in de loop van tientallen jaren hadden ontwikkeld, en brachten geen enkele verandering in hun leven aan behalve dat ze zich ontdeden van de noodzaak om elke ochtend naar hun werk te gaan en misschien de mogelijkheid openhielden om af en toe te reizen, maar niet zo vaak, en niet te ver. Hij kende niemand die na zijn pensionering een nieuw huis had gekocht of zelfs maar had overwogen om van adres te veranderen.

Wat zou dan de verklaring kunnen zijn van die plotselinge aankoop, aan het einde van zijn werkzame leven, van een nieuw appartement door signor Morandi? Was er misschien nog een andere Morandi? Was dit een vergissing van signorina Elettra? Vergissing? Hoe haalde hij het in zijn hoofd? Brunetti deed zijn hand voor zijn mond, alsof hij dat onbesuisde woord wilde onderdrukken.

'Waarom heeft hij een appartement gekocht?' vroeg Vianello van zijn kant van de kamer.

'Waarván heeft hij het gekocht?' vroeg Brunetti. 'Er is nergens sprake van een hypotheek.'

Brunetti liep terug naar zijn stoel, boog zich over het bureau om zijn hand op de papieren te leggen en zei: 'Wat hierin staat wijst niet in de richting van iemand die zijn hele leven heeft gespaard om een huis te kopen.' Hij toetste het nummer van signorina Elettra in.

'Sì, commissario?' zei ze toen ze opnam.

'De inspecteur en ik vragen ons af hoe signor Morandi zijn appartement heeft kunnen kopen,' zei hij.

Het was even stil en toen vroeg ze: 'Heeft u de datum gezien waarop het gekocht is?'

Brunetti hield met een opgetrokken schouder de telefoon tegen zijn oor en bladerde met twee handen door de papieren. Hij vond de datum en zei: 'Dat was drie maanden nadat hij met pensioen is gegaan. Maar ik begrijp niet zo goed waarom dat van belang is.'

'Het helpt misschien om te weten dat het ook precies één maand was nadat madame Reynard is gestorven.'

Toen er geen commentaar of vraag volgde, vroeg ze: 'Heeft u de naam gezien van degene die het appartement verkocht heeft?'

Hij zocht het op. Hij zei: 'Matilda Querini.' Hij zag Vianello's niet-begrijpende blik en zette de luidspreker aan.

Opnieuw gaf hij geen commentaar. 'U kunt zich die zaak dus niet meer herinneren?' vroeg ze.

'Ik weet nog dat die mensen de getuigen waren en dat Cuccetti alles geërfd heeft.'

'Ah,' zei ze, en ze rekte die lettergreep uit en liet hem zachtjes wegsterven.

'Vertel maar,' zei Brunetti.

'Matilda Querini was zijn vrouw.'

'Ah, zijn vrouw,' zei Brunetti, haar bewust imiterend. Vervolgens, een paar hartslagen later, vroeg hij: 'Leeft ze nog?'

'Nee. Ze is zes jaar geleden gestorven.'

'Rijk?'

'Bergen geld.'

'En waar is dat naartoe gegaan? Die zoon was toch hun enige kind?'

'Volgens de geruchten heeft ze het aan de kerk vermaakt.'

'Alleen maar volgens de geruchten, signorina?'

'Goed dan,' zei ze. 'Volgens de feiten. Ze heeft het aan de kerk vermaakt.' Voor hij ernaar kon vragen vertelde ze: 'Ik heb een vriend die op het kantoor van de patriarch werkt. Ik heb hem gebeld en gevraagd hoe het zat, en hij zei dat het het grootste bedrag was dat ze ooit hadden ontvangen.'

'Zei hij ook hoeveel?'

'Ik vond het onbeleefd om dat te vragen.' Vianello kreunde zachtjes.

'Dus?' vroeg hij, in de wetenschap dat ze zoiets onmogelijk zou kunnen laten rusten.

'Dus toen heb ik het aan mijn vader gevraagd. Haar geld stond niet bij hem op de bank, maar hij kent de directeur van de bank waar het wel op stond en hij heeft het aan hem gevraagd.'

'Wil ik het weten?'

'Zeven miljoen euro. Het kan een paar honderdduizend meer of minder zijn. En het patent op dat proces, en op zijn minst acht appartementen.'

'Aan de kerk?' vroeg Brunetti, en bij die vraag legde Vianello zijn hoofd nogal melodramatisch in zijn handen en schudde het heftig heen en weer.

'Ja,' antwoordde ze.

Hij kreeg een idee en vroeg: 'Heeft u naar de bankrekeningen van Cuccetti en zijn vrouw gekeken?' Als ze dat gedaan had, had ze de wet overtreden. Als hij wist dat ze dat gedaan had en zelf niets deed, dan overtrad hij de wet.

'Natuurlijk,' antwoordde ze.

'Laat me raden,' zei Brunetti, die het niet kon laten om een beetje te indruk te willen maken, 'op geen van beide rekeningen is geld overgemaakt toen dat appartement is verkocht?'

'Geen cent,' antwoordde ze. 'Het kan natuurlijk zijn dat ze dat appartement uit pure goedheid aan Morandi cadeau heeft gedaan,' voegde ze eraan toe op een toon die deze mogelijkheid bij voorbaat uitsloot.

'Gezien Cuccetti's reputatie is dat niet erg waarschijnlijk, hè?' zei Brunetti.

'Nee,' beaamde ze. 'Maar in dat licht is het besluit van zijn vrouw om alles aan de kerk na te laten ook nogal...' Ze kon niet een-twee-drie het geschikte woord vinden.

'Grotesk?' stelde Brunetti voor.

'Ah,' zei ze vol waardering voor de juistheid van zijn keus.

22

Brunetti bracht Vianello op de hoogte van het gemiste deel van zijn gesprek met signorina Elettra. 'Ik weet dat ik eigenlijk niet mag lachen,' zei Vianello met een ernstig gezicht, 'maar het idee dat alles wat die hebberige rotzak van een Cuccetti bij elkaar gestolen heeft in de zakken van de kerk terecht is gekomen, is...' Hij knikte berustend, in bewondering of verbijstering, en zei: 'Wat je verder ook van ze vindt, je moet toegeven dat ze onovertroffen zijn.'

'De priesters?'

'Priesters, Nonnen. Monniken. Bisschoppen. Noem maar op. Ze zitten al met hun snuit in de soep voordat je het bord op tafel hebt gezet. Ze hebben haar op het eind weten te vinden, en ze hebben alles opgeslurpt. Mijn complimenten,' zei hij, en hij schudde zijn hoofd in wat volgens Brunetti echte – zij het onwillige – bewondering was.

Aangezien hij niets had om daartegen in te brengen, zei Brunetti dat ze allebei maar beter naar huis konden gaan naar hun gezin, een opvatting die Vianello deelde. Ze verlieten samen de Questura en gingen buiten ieder huns weegs.

Brunetti besloot te gaan lopen, hij had behoefte aan dat gevoel van beweging en vrijheid dat hij kreeg wanneer hij door de stad liep zonder na te hoeven denken over waar hij naartoe ging. Herinnering en verbeelding, tot rust gekomen door het lopen, dienden zich weer aan om de namen Cuccetti en Reynard onder de loep te nemen. De eerste riep alleen een vage weerzin op, terwijl de tweede aan pathos en verlies deed denken.

Hij bleef onder aan de Rialto staan en onderbrak zijn gedachten. Het vooruitzicht om over de minder drukke riva naar huis te lopen trok hem aan, maar hij besloot bij Biancat langs te gaan en bloemen te kopen voor Paola: het was een eeuwigheid geleden dat hij dat voor het laatst had gedaan. De bloemenzaak bleek dicht. Nu hij het idee van bloemen eenmaal in zijn hoofd had, was hij geïrriteerd – meer dan dat – dat hij ze niet voor Paola mee kon nemen. Hij stond voor de etalage en keek naar de irissen die hij wilde hebben; daar stonden ze in een witte plastic cilinder achter de beslagen ruit, prachtig, en des te begeerlijker omdat hij er niet bij kon komen. 'Typisch een mannenactie,' mompelde hij in zichzelf, waarna hij zich omdraaide en zijn eigen calle in liep. Hij was op tijd; dat moest de plaats van de bloemen maar innemen.

Brunetti was geen gelovig man, althans niet op een manier die uitging van een opperwezen dat zich bezighield met het doen en laten van mensen. Als politieman wist Brunetti genoeg van het doen en laten van mensen om te hopen dat de godheid er zijn bekomst van had en op zoek was gegaan naar een dankbaarder soort. Maar er waren momenten in zijn leven dat hij opeens vervuld werd van een gevoel van grenzeloze dankbaarheid; het kon hem op ieder willekeurig moment overvallen en het kwam altijd als een volstrekte verrassing. Deze avond overviel het hem terwijl hij de laatste trap naar zijn woning op liep. Hij was gezond, hij vond zichzelf niet gek of gewelddadig, hij had een vrouw van wie hij zielsveel hield en twee kinderen op wie hij al zijn hoop op geluk op deze aarde had gevestigd. En tot dusver waren ellende en pijn en gebrek en ziekte buiten de denkbeeldige ring van vuur gebleven die hen in zijn verbeelding omgaf. Iets wat hij beschouwde als een primitief soort bijgeloof weerhield hem ervan op enigerlei wijze uiting te geven aan zijn dankbaarheid: daarmee zou hij rampspoed over zichzelf afroepen. En wie zo dacht, zo wist hij, was een primitieve dwaas.

Hij stapte zijn woning binnen, hing zijn jas links van de deur op en ging naar de keuken. Inderdaad, turbanti di soglie, of anders was zowel Paola als zijn neus een leugenaar. Ze stond in de keuken te lezen, haar handen op tafel aan weerszijden van een opengeslagen krant, haar hoofd gebogen.

Hij kwam achter haar staan en gaf een kus in haar nek. Ze negeerde hem. Hij deed het kastje rechts van haar open en haalde er een glas uit, daarna nog een. Hij deed de koelkast open en haalde nog een fles Moët uit de groentela, terwijl hij zich gelukkig prijsde dat hij getrouwd was met een vrouw die men met zulke smakelijke middelen probeerde om te kopen. Hij trok het folie eraf, draaide het ijzerdraad los, zette zijn duimen onder de kurk en schoot hem door het vertrek. Zelfs de knal was niet in staat haar tot enige actie of commentaar te verleiden.

Hij schonk voorzichtig wat in allebei de glazen, liet het schuim zakken, schonk nog wat bij, wachtte, schonk weer wat bij, deed toen een stop op de fles en zette die in de deur van de koelkast. Hij schoof één glas naar haar toe tot het de rand van de pagina raakte, pakte toen zijn eigen glas op en tikte daarmee het hare aan. 'Cin, cin,' bromde hij vriendelijk.

Ze negeerde hem en sloeg een pagina om. Hij stak zijn hand uit om haar glas veilig te stellen, dat door het omslaan van de krant aan het wiebelen was gebracht. 'Het doet een mens altijd weer goed om thuis te komen in de boezem van zijn gezin en verwelkomd te worden met de hartelijkheid die hij gewend is,' zei hij, en hij nam een slokje wijn. 'Ach, die uitbundige warmte, dat heerlijke gevoel van intimiteit en welbevinden dat een mens alleen maar thuis ervaart, omgeven en gekoesterd door degenen die hem het meest dierbaar zijn.'

Ze pakte haar glas en nam een slokje. Wat ze proefde bracht haar ertoe hem van opzij aan te kijken. 'Is dit weer die Moët?' vroeg ze.

'Die vrouw verdient een prijs,' zei hij, en hij hief zijn glas naar haar op en nam nog een slok.

'Ik dacht dat we die voor een speciale gelegenheid zouden bewaren,' zei ze, en het was duidelijk dat de verrassing haar geenszins onaangenaam was.

'En wat is er specialer dan dat ik terugkeer naar mijn dierbare vrouw en door haar begroet wordt met de liefdevolle genegenheid – waaronder de sintels van een felle hartstocht gloeien – die onze verbintenis al meer dan twintig jaar kenmerkt?' Hij probeerde zo idioot mogelijk te glimlachen.

Ze zette haar glas boven op de krant – sterker nog, boven op het gezicht van de man die zich net die dag kandidaat had gesteld voor het burgemeesterschap – en zei: 'Als je op weg naar huis eerst nog ergens naar binnen bent gestapt voor een paar *ombre*, Guido, dan is het zonde van die champagne.'

'Nee, mijn liefste. Ik ben op de vleugelen der liefde naar huis gesneld, zozeer voortgedreven door het verlangen om met jou te worden herenigd dat ik geen tijd heb gehad om ergens naar binnen te stappen.'

Ze pakte haar glas en nam nog een slokje, waarna ze met de voet van het glas naar de foto wees. 'Dat is toch niet te geloven? Hij wil minister blijven en tegelijkertijd burgemeester worden.'

'Welke dagen krijgen wij?' vroeg Brunetti. 'Maandag, woensdag en vrijdag? En de regering in Rome dinsdag, donderdag en zaterdag?' Hij nam een slok en zei: 'Ieder weldenkend mens zou dat een belediging vinden, zowel voor het land als voor de stad.'

Ze haalde haar schouders op. 'Bleef de vorige niet ook in Brussel werken en lesgeven aan de universiteit?' vroeg ze.

'We worden geregeerd door helden,' verklaarde Brunetti, terwijl hij de koelkast opendeed.

'Wat denk je, zouden ze allemaal verdwijnen als we die fles snel opdrinken?' vroeg ze, en ze leegde haar glas en hield het hem voor.

Hij schonk, wachtte, schonk, en zei toen: 'Eventjes maar, en daarna komen ze allemaal weer terug, als kakkerlakken, maar we kunnen er in ieder geval door champagnebubbels naar kijken.'

Op een normale conversatietoon vroeg ze: 'Denk je dat er nog andere mensen op deze wereld bestaan die hun politici net zozeer verachten als wij?'

Hij vulde zijn eigen glas bij en zei: 'O, de meeste mensen ongetwijfeld, afgezien van Scandinavië en Zwitserland.'

Ze hoorde de onuitgesproken gedachte die op die zin volgde en zei: 'Maar?'

Brunetti keek naar de foto in de krant. 'Maar wij hebben er waarschijnlijk meer reden toe.' Hij nam een lange slok.

'Ik vraag me toch af op wat voor planeet ze eigenlijk denken dat ze leven,' zei Paola, en ze vouwde de krant dicht en schoof hem opzij. 'Ze spreken een taal die niemand verstaat, ze hebben geen andere passies dan hebzucht en...'

'Als je hun passies gaat opnoemen, vergeet dan niet die

recente voor transseksuelen,' zei hij, in de hoop haar een beetje op te vrolijken, al wist hij niet precies hoe het onderwerp transseksuelen dat zou moeten doen.

'Die mensen hebben zo'n totaal gebrek aan moreel besef dat die ene dode transseksueel – ik weet niet eens meer hoe ze heet, het arme kind – naast hen wel wijlen Moeder Teresa lijkt.'

'Dat is een vergelijking waar veel religieuze mensen aanstoot aan zouden nemen,' zei hij.

Ze gaf dit de aandacht die het verdiende en zei: 'Je hebt gelijk. Zelfs ik neem er aanstoot aan. Maar ik laat me meeslepen door dit soort dingen.'

Hij boog zich voorover en gaf een kus op haar lippen. 'Dat weet ik, liefje, en dat is een van de redenen waarom je mijn hart hebt veroverd.'

'O, hou op, Guido,' zei ze, en ze hield hem haar glas voor. 'Schenk nog maar wat in, dan ga ik water opzetten voor de pasta.'

Hij deed wat ze gevraagd had, hielp vervolgens de tafel dekken en was blij te vernemen dat de kinderen er allebei zouden zijn. Wat kan het toch verkeren in het leven, dacht hij, terwijl hij de servetten vouwde en naast de borden legde. Vroeger, toen Raffi als kleintje aan tafel mee-at en slurpend en morsend, zonder goed te weten wat hij met zijn vork aan moest, evenveel naast zijn bord en op de grond terecht liet komen als in zijn mond, had Brunetti dat gedrag niet als charmant ervaren, maar als een voortdurende afleiding van zijn eigen maaltijd. En nu, jaren later, hoopte hij alleen maar dat die jongen – inmiddels meer dan vaardig in het gebruik van zijn vork – de tijd zou vinden om met hen mee te eten in plaats van de avond bij een vriend thuis door te brengen. Het had niets te maken met de conversatie van zijn zoon, of met zijn geestigheid of zijn inzicht in bepaalde kwesties, besefte Brunetti. Het maakte hem gewoon gelukkig om hen daar te hebben en hen te kunnen zien en horen, en te weten dat ze veilig waren, en geborgen, en goed gevoed.

'Wat is er?' vroeg Paola achter hem.

'Hmm?' zei Brunetti, en hij draaide zich naar haar om.

'Je stond daar zo naar de tafel te kijken. Ik dacht dat er misschien iets aan de hand was,' zei ze.

'Nee. Niets. Ik dacht gewoon na.'

'Ah,' zei ze op de toon van iemand die dat wel vaker had gehoord. En vervolgens: 'Zullen we nog een neut nemen voordat de kinderen komen?'

Met pavloviaanse snelheid draaide Brunetti zich om naar de koelkast. 'De elegantie van die gedachte wordt slechts geëvenaard door die van je formulering.'

Ze glimlachte en hield haar lege glas bij. 'Dat is het lot van iemand die met twee pubers leeft.'

Er bleef nog genoeg champagne over om ook voor de kinderen een glas in te schenken, dat klaarstond toen ze aan tafel kwamen.

'Hebben we wat te vieren?' vroeg Raffi terwijl hij zijn glas pakte.

'Je hoeft niet per se iets te vieren te hebben om champagne te drinken,' zei Chiara, die probeerde te klinken als iemand die inmiddels een heel spoor van Jeroboams achter zich liet. Ze pakte haar glas, tikte ermee tegen dat van Raffi en nam een slokje.

Raffi, die naar zijn glas keek maar geen aanstalten maakte om eruit te drinken, zei: 'Ik snap het niet van die champagne.'

Paola zette een bord turbanti voor hem neer en een voor

Chiara, en ging daarna voor Brunetti en zichzelf opscheppen. Ze zette hun borden neer en ging zitten. 'Wat snap je niet?' vroeg ze, maar pas nadat ze een slokje had genomen, alsof ze eerst het bewijsmateriaal opnieuw wilde keuren.

'Waarom mensen er zo weg van zijn of vinden dat het zo lekker is,' zei Raffi, terwijl hij zijn glas naast zijn bord schoof en zijn vork pakte.

'Snobisme,' zei Chiara met een mond vol vis.

'Chiara,' zei Paola op waarschuwende toon, en Chiara knikte en deed haar hand voor haar mond om te laten zien dat ze de berisping begrepen had. Ze schonk wat mineraalwater in en nam een slok, legde haar vork neer en herhaalde: 'Snobisme.' Brunetti, die naar haar gezicht zat te kijken, zag dat iets van de molligheid van de puberteit was geweken voor het hoekige van de volwassenheid, waardoor ze nog meer op haar moeder leek.

'En wat wil dat zeggen?' zei Raffi, die de volle aandacht op zijn bord richtte.

'Indruk maken op anderen,' zei Chiara. 'Door te laten zien hoe chic je bent en wat een goede smaak je hebt.' Voor Raffi daar iets op kon zeggen, voegde ze eraan toe: 'Mensen doen het aan de lopende band, met alles. Auto's, wat ze wel of niet dragen, wat ze zeggen dat ze leuk vinden.'

'Waarom zou je zeggen dat je iets leuk vindt als dat niet zo is?'vroeg Raffi met zo te horen oprechte verbazing, en Brunetti vroeg zich af of, zonder dat Paola en hij het wisten, hun zoon de laatste paar jaar zijn vrije tijd op een andere planeet had doorgebracht.

Chiara legde haar vork weer neer, zette haar kin op haar hand en keek over de tafel naar haar broer. Hij negeerde haar. Uiteindelijk zei ze: 'Snobisme is dat je Tod's wilt, en niet een paar gewone schoenen.'

Raffi reageerde niet en bleef dooreten.

'Of dat de ouders van mijn vriendinnen allemaal vinden dat ze naar de Malediven of de Seychellen op vakantie moeten,' hield ze vol.

Raffi schonk een glas water voor zichzelf in en negeerde de champagne. Hij dronk het water op, zette zijn glas neer, schoof toen zijn stoel naar achteren en draaide zich half om naar zijn zusje. Hij deed één voet omhoog en stak die in haar richting. 'Van de zomer op de Lignanomarkt gekocht voor negentien euro,' zei hij trots, en hij draaide zijn voet rond om de schoen beter te laten zien. 'Geen Tod's, geen merk.' Hij liet zijn voet weer zakken, ging recht zitten en trok zichzelf weer op zijn plaats aan tafel, waarna hij zijn vork pakte en verderging met eten.

Mismoedig keek Chiara eerst naar haar moeder en toen naar haar vader. Als ze een jongen was geweest, was er waarschijnlijk wel een soort handgemeen tussen haar en Raffi ontstaan, en Brunetti vermoedde dat hij in dat geval tussenbeide gekomen zou zijn om het jongere kind te beschermen. Waarom was het dan zo dat als er alleen maar woorden werden gebruikt, ze met rust moest worden gelaten en zichzelf moest beschermen?

Brunetti had zelf in zijn kindertijd een, naar hij aannam, normaal aantal vechtpartijen meegemaakt: dat was nooit verder gegaan dan wat stompen en een hoop geduw en getrek. Hij kon zich niet herinneren ooit echt gewond te zijn geweest, of iemand anders te hebben verwond, en er was geen enkel gevecht geweest waar hij nog een duidelijke herinnering aan bewaarde. Maar hij kon zich wel de middag herinneren dat Geraldo Barasciutti, die naast hem zat bij wiskunde, had gelachen toen Brunetti een taalfout had gemaakt door zijn Italiaans te verhaspelen met Veneziano.

'Wat krijgen we nou? Is je vader soms havenarbeider?' had Geraldo gezegd, terwijl hij hem een por in zijn ribben gaf.

Hij had het als grapje bedoeld: het was heel gewoon dat kinderen de twee talen door elkaar haalden. Maar die opmerking had Brunetti's zelfbeeld – dat toch al broos was omdat hij altijd de afgedankte schoenen en jassen van zijn broer moest dragen – een geweldige knauw gegeven, want zijn vader had inderdaad ooit in de haven gewerkt en zijn brood verdiend met het laden en lossen van schepen. Die dag en die opmerking herinnerde Brunetti zich als het ergste wat hem als kind was overkomen. Zijn universitaire opleiding, zijn positie als commissario van politie, de status en rijkdom van de familie van zijn vrouw: al die dingen konden in twijfel worden getrokken door de herinnering aan die woorden en de pijn die ze met hun onbedoelde waarheid hadden veroorzaakt.

'Het rare is,' zei Brunetti, die zijn glas naar Raffi ophief, hoewel hij ter verdediging van Chiara sprak, 'dat ik waarschijnlijk niet eens het verschil kan proeven tussen dit hier en de prosecco die we alle dagen drinken.'

'Alle dagen?' vroeg Paola, maar niet voordat Brunetti een glimlachje had gewisseld met zijn dochter.

'De prosecco die we normaal gesproken drinken,' verbeterde hij zich. Hij dronk zijn champagne op, pakte de lege fles van tafel en ging naar de koelkast om een tweede te halen. Hij koos voor hun alledaagse prosecco.

'Wat jullie vader doet,' zei Paola tegen de kinderen terwijl Brunetti het folie lospeuterde, 'is een voorbeeld geven van de wetenschappelijke methode. Hij wil niet zomaar een uitspraak doen,' ging ze verder, 'zonder die ook proefondervindelijk te bewijzen.'

'Welke uitspraak?' vroeg Raffi. 'Over het verschil tussen champagne en prosecco of dat jullie het alle dagen drinken?'

'Ik sla gewoon twee vliegen in één klap,' zei Brunetti, een opmerking die werd gevolgd door een zeer luide plop.

23

De volgende ochtend stond Brunetti vroeg op en ging koffie voor zichzelf maken. Terwijl hij wachtte tot de koffie kookte, liep hij naar het raam aan de achterkant in de hoop dat de bergen te zien waren, maar dat was niet het geval. Hij staarde naar de wazigheid in de verte en dacht na over het vreemde geval van madame Reynard. Het was onmogelijk te achterhalen, behalve door het hun rechtstreeks te vragen, hoe Sartori en Morandi medeondertekenaars van het testament waren geworden. En waarom had een vrouw van madame Reynards leeftijd – om het nog niet eens over haar rijkdom te hebben – in het Ospedale Civile gelegen in plaats van in een privékliniek?

Het pruttelen van de koffie leidde zijn aandacht af. Hij schonk hem in, roerde er suiker door en deed er koude melk bij, al had hij liever gehad dat die warm was. Daarna pakte hij de draad van zijn gedachten weer op. Door wat voor conjunctie hadden de banen van die vier mensen elkaar in een ziekenhuiskamer gekruist: een stervende erfgename, een advocaat die haar erfgenaam werd, en de getuigen van het handgeschreven testament dat hem als zodanig aanwees? Alsof ze uit de hemel waren komen vallen, waren een verpleegster en een man met een strafblad aanwezig geweest bij de ondertekening van dit testament dat voorzag in de overdracht van miljoenen. Een eigenaardige constellatie. En hoe groot was eigenlijk dat appartement dat een van de getuigen kort daarna had gekocht?

Zijn gedachten richtten zich op de vrouw die bij signora Altavilla had gewoond. Brunetti dacht met enige ongemakkelijkheid terug aan zijn aanvankelijke neiging om niet haar te verdenken, maar haar minnaar, de scheikundeleraar, die de moed had gehad om signora Altavilla te komen waarschuwen voor de koekoek in haar nest. De zuiderling.

Hij staarde naar het schilderij aan de keukenmuur, van het Canal Grande zoals dat er eeuwen geleden had uitgezien, en dacht toen terug aan signora Altavilla's appartement zoals ze dat hadden aangetroffen. Hij keek nog een keer naar hun schilderij, en zag opeens de eenzame spijkers aan signora Altavilla's muren weer voor zich. Hij haalde zijn telefonino uit de zak van zijn colbert en toetste het nummer van Niccolini in.

Zodra de dierenarts zijn naam hoorde, zei hij: 'Commissario, ik was al van plan u vandaag te bellen.'

'Waarover, dottore?' vroeg Brunetti, blij dat de gebruikelijke uitwisseling van beleefdheden hem bespaard bleef.

'De woning van mijn moeder. Er ontbreken wat dingen,' zei Niccolini, en hij klonk bezorgd, niet boos.

'Hoe weet u dat, dottore?'

'Ik ben er gisteren geweest. Met een vriend. Gewoon om te kijken. Hij was mee om...' Hij maakte zijn zin niet af, en bij de gedachte aan wat er in dat appartement te zien was geweest, leek het Brunetti wel zo aardig om dat voor hem te doen.

'Te helpen.'

Natuurlijk begreep Brunetti dat.

'Kunt u me vertellen wat er ontbreekt?' vroeg Brunetti.

'Drie tekeningen,' antwoordde Niccolini. 'Ze waren alle drie vrij klein.'

'Is dat het enige?'

'Ik geloof het wel. Voor zover ik nu weet, tenminste.'

'Waar hingen ze?'

'Er hing er eentje in de logeerkamer. En twee op de gang, vlak bij de logeerkamer.'

Brunetti herinnerde zich de fantoomprent onder de spijker in de logeerkamer, en was zich vaag bewust van de twee lichte rechthoeken op de gang. Hij kon zich niet herinneren er nog meer gezien te hebben. Maar als Gabriela Pavon besloten had ze op het laatste moment nog even snel in haar koffer te stoppen, dan hadden deze het meest voor het grijpen gehangen. Wat een lef moest ze hebben gehad, om ze mee te nemen terwijl die twee andere vrouwen verderop in de huiskamer stonden.

'Wat waren het voor tekeningen?'

'Eentje was een Corot. En die twee andere waren van Salvator Rosa. Klein, maar van goede kwaliteit.'

De dierenarts zweeg een tijdje, en zei toen zwakjes, aarzelend: 'Ik vond dat ik dat tegen u moest zeggen. Misschien betekent het iets.' Brunetti bedankte hem en hing op.

Hij bleef nog een tijdje naar het schilderij zitten kijken, dronk vervolgens zijn koffie op, zette het kopje in de gootsteen en ging een douche nemen.

Veertig minuten later stond hij op de kade van San Lorenzo. Hij leunde met zijn ellebogen op de reling en keek naar de boten die voorbij voeren, terwijl hij probeerde te bedenken hoe hij Patta zover kon krijgen dat hij een officieel onderzoek naar de dood van signora Altavilla zou laten instellen. Hij stelde zich het beeld van de geblinddoekte Vrouwe Justitia voor, met in haar hand de weegschaal van het recht. Aan de ene kant legde hij de woorden 'alleen maar een mogelijkheid' en in de andere de publiciteit die zeker het gevolg zou zijn van het nieuws dat er een vrouw in haar woning was vermoord.

Na al die jaren had de manier van denken van zijn meerdere geen geheimen meer voor hem, en hij wist van tevoren al dat het eerste obstakel de schade aan het imago van de stad zou zijn en het tweede de schade aan het toerisme.

'En het effect op het toerisme?' wilde een verontwaardigde Patta een halfuur later van hem weten. Hij had de volgorde van zijn zorgen weliswaar omgekeerd, maar stelde Brunetti evengoed niet voor een verrassing. De vice-questore had zich met veel vertoon van wilskracht ingehouden tot hij alle onzin van zijn altijd weerspannige ondergeschikte had aangehoord. 'Wat moeten we tegen die mensen zeggen? Dat ze niet veilig zijn in hun eigen huis, maar dat ze zich toch maar moeten vermaken?'

Brunetti, die de retorische excessen en inconsistenties van zijn superieur maar al te goed kende, zag ervan af hem erop te wijzen dat toeristen wanneer ze in Venetië waren niet in hun eigen huis waren, hoe veilig of onveilig ze er verder ook waren. Hij knikte op een manier die, zo hoopte hij, verstandig overkwam.

Brunetti probeerde de blik van zijn baas vast te houden – Patta had er een hekel aan als iemand de aandacht liet afdwalen, voorwaar de eerste stap op weg naar ongehoorzaamheid – en deed het voorkomen alsof hij hier met rationele tegenwerpingen te maken had. 'Ja, ik begrijp wat u bedoelt, vice-questore,' zei Brunetti. 'Ik hoop alleen dat dottor Niccolini...' Hij liet zijn stem wegsterven, alsof zijn gedachten op een schoolbord stonden en hij ze uitwiste.

'Wat is er met hem?' vroeg Patta, zijn blik speurend naar alles wat hij als een nuance beschouwde.

'Niets, meneer,' zei Brunetti ontwijkend, niet goed wetend of hij zich verveeld of beschaamd moest voelen door zijn eigen gedrag.

'Wat is er met dottor Niccolini?' zei Patta op kille toon, precies de toon die Brunetti had proberen uit te lokken.

'Dat is het nou juist, meneer: hij is dokter. Zo heeft hij zichzelf voorgesteld in het ziekenhuis, en zo heeft Rizzardi hem ook aangesproken.' Dit was pure fantasie van Brunetti. Maar het had waar kunnen zijn, en dat was voldoende.

'Dus?'

'Ze hebben hem gevraagd het lichaam van zijn moeder te identificeren,' zei Brunetti, en hij probeerde het te laten klinken alsof hij iets wilde laten doorschemeren wat te gevoelig lag om zomaar ronduit te zeggen.

'Mensen krijgen alleen maar het gezicht te zien,' verklaarde Patta, die vervolgens zijn eigen zekerheid aan het wankelen bracht door te vragen: 'Toch?'

Brunetti knikte en zei: 'Natuurlijk,' alsof daarmee de kous af was.

'Wat bedoel je daarmee?' wilde Patta weten op een toon die dreigend bedoeld was, maar die Brunetti, al vele jaren bekend met het beest, herkende als de toon van onzekerheid.

Brunetti keek expres eerst naar zijn handen, die gevouwen in zijn schoot lagen, en daarna recht in Patta's ogen, altijd de beste tactiek om te liegen. 'Ze zullen hem die plekken hebben laten zien, vice-questore,' zei hij, en voor Patta daar iets over kon vragen, vervolgde hij: 'En omdat ze dachten dat hij een dokter was, zullen ze er iets over hebben gezegd. Althans, ze zullen gezegd hebben waardoor die plekken veroorzaakt zouden kunnen zijn.'

Patta dacht hierover na. 'Denk je dat Rizzardi dat inderdaad heeft gedaan?' vroeg hij, zichtbaar misnoegd bij de gedachte dat de medico legale iemand misschien de waarheid had verteld.

'Dat zal hij correct hebben gevonden, omdat hij met een collega sprak,' zei Brunetti.

'Maar hij is maar een dierenarts,' riep Patta vol minachting uit. Hij was kennelijk niet alleen vergeten hoe belangrijk Niccolini voor de husky van zijn zoon was geweest, maar ook hoe vaak hij in het verleden de mening had geventileerd dat een mens beter af was bij de gemiddelde dierenarts dan bij de dokters in het Ospedale Civile.

Brunetti knikte, maar zei niets. In plaats daarvan bleef hij rustig naar Patta's gezicht zitten kijken, terwijl deze de voor- en nadelen afwoog en bij zichzelf naging wat de mogelijkheden waren. Niccolini was een onbekende speler: hij werkte buiten Venetië, dus mogelijk legde hij een zeker politiek gewicht in de schaal waar Patta niet van op de hoogte was. Dierenartsen werkten met boeren, en boeren stonden dicht bij de Lega, en de Lega was een groeiende politieke kracht. Hierna schoot Brunetti's verbeelding tekort om die van Patta nog te kunnen volgen.

Uiteindelijk zei Patta met zichtbare tegenzin: 'Ik zal een magistraat om toestemming voor een en ander moeten vragen.' Opeens gleed er een gedachte over zijn knappe gezicht. Trok de vice-questore daar nu even zijn das recht? 'Ja, we moeten dit tot op de bodem uitzoeken. Zeg maar tegen signorina Elettra wat je wilt dat ik aan hem vraag. Dan maak ik het in orde.'

Het ging zo snel dat Brunetti de verandering niet had zien plaatsvinden. Hij moest denken aan de passage – hij dacht dat het Canto Vijfentwintig was – waarin Dante de dieven in hagedissen ziet veranderen, en de hagedissen in dieven, zonder zichtbare overgang. Het ene moment is er het een, het andere moment het ander. Zo was ook Patta veranderd van een bewaarder van de lieve vrede, tot elk compromis bereid, in een onvermoeibare ijveraar voor gerechtigheid, klaar om de sterke arm der wet in te zetten om de waarheid te achterhalen. Net als Dantes zondaars viel hij ter aarde reeds in de gedaante van zijn tegendeel, stond daarna op en liep weg met niets meer dan een blik over zijn schouder.

'Zal ik dat nu meteen maar even met haar bespreken, meneer?' stelde Brunetti voor.

'Ja,' moedigde Patta aan. 'Zij weet wel welke magistraat het beste is. Een van de jongere, denk ik.'

Brunetti stond op en wenste zijn meerdere een goede morgen.

Signorina Elettra leek verrast noch verheugd door de koerswijziging van haar baas. 'Er is een aardige jonge magistraat aan wie ik het wel kan vragen,' zei ze met een glimlach alsof ze de slager om een malse jonge kip vroeg. 'Hij heeft niet zo veel ervaring, dus hij staat waarschijnlijk open voor... suggesties.' Waarschijnlijk zou de Oude Man van de Berg net zo over zijn jonge assassijnen hebben gesproken wanneer hij ze met een moordopdracht op pad stuurde, dacht Brunetti.

'Hoe oud is hij?' vroeg hij.

'Hij kan nog geen dertig zijn,' zei ze alsof dat getal een woord was dat ze in een andere taal had gehoord en waarvan ze misschien de betekenis kende. Daarna vroeg ze op veel serieuzere toon: 'Wat wilt u vragen?'

'Toegang tot de administratie van het Ospedale Civile voor de tijd dat madame Reynard daar patiënt was; ook de personeelsgegevens uit die periode, als die bijgehouden zijn; toestemming om met Morandi en signora Sartori te spreken; belastinggegevens van die twee en alle documenten die betrekking hebben op de verkoop van het appartement van Cuccetti's vrouw aan Morandi; Reynards overlijdensakte en inzage in het testament, om te kijken hoeveel ze aan hem heeft nagelaten, en eventuele andere legaten.' Dat leek Brunetti meer dan genoeg om mee te beginnen.

Ze had ondertussen aantekeningen gemaakt en toen hij klaar was, keek ze hem aan en zei: 'Een deel van die informatie heb ik al, maar ik kan de data veranderen zodat het eruitziet alsof het verzoek pas is ingediend nadat de magistraat toestemming heeft verleend.' Ze bekeek haar aantekeningen en zei, terwijl ze met de achterkant van haar potlood tegen het lijstje tikte: 'Hij weet waarschijnlijk nog niet precies hoe hij dat allemaal moet regelen, maar ik denk dat ik hem wel een paar suggesties aan de hand kan doen.'

'Suggesties,' zei Brunetti zonder een spier te vertrekken.

De blik die ze hem toewierp zou een mindere man op de knieën hebben gekregen. 'Toe, commissario,' was het enige wat ze zei, en daarna pakte ze de telefoon.

Het was binnen een paar minuten geregeld, en de secretaresse van de magistraat, met wie signorina Elettra op uiterst gemoedelijke toon had gesproken, zei dat de bevelen de volgende ochtend zouden worden bezorgd. Brunetti hield zich in en vroeg niet naar de naam van de magistraat, in de overtuiging dat hij die de volgende dag wanneer hij de papieren onder ogen kreeg wel uit de ondertekening kon opmaken. Ach, hield hij zichzelf voor, na zijn aanvankelijke verbazing over de snelheid waarmee haar verzoek was ingewilligd: waarom zou het bij de rechterlijke macht anders toegaan dan bij enig ander openbaar of particulier instituut? Er werden gunsten verleend aan degene wiens verzoek vergezeld ging van een *raccomandazione*, en hoe machtiger degene van wie de raccomandazione afkomstig was, of hoe hechter de vriendschap tussen de assistenten die de details regelden, hoe sneller het verzoek werd ingewilligd. Had je een ziekenhuisbed nodig? Dan kon je het beste een neef hebben die arts was in dat ziekenhuis, of die ermee getrouwd was. Had je problemen met de Commissie voor Schone Kunsten over een schilderij dat je naar je appartement in Londen wilde verhuizen? De juiste persoon hoefde maar de juiste ambtenaar aan te spreken, of iemand aan wie die ambtenaar iets verschuldigd was, en alle paden werden geëffend.

Brunetti had er, niet voor het eerst, ambivalente gevoelens over. In dit geval was het in zijn voordeel – en, zo hield hij zichzelf voor, in het algemeen belang – dat signorina Elettra het gerechtelijk apparaat van de stad tot haar leengoed had gemaakt. Maar op plekken waar minder... rechtschapen mensen... het voor het zeggen hadden, pakte het allemaal misschien niet zo heilzaam uit.

Hij schudde deze gedachten van zich af, bedankte haar voor haar hulp en ging terug naar zijn kamer.

Nadat hij daar een uur had zitten lezen en verschillende documenten en rapporten had geparafeerd, kwam signorina Elettra naar hem toe. ‘Ik heb de man van mijn dromen gevonden,’ zei ze toen ze binnenkwam, en ze zei het op zo’n manier dat Brunetti meteen begreep dat ze het over de jonge magistraat had.

‘Ik neem aan dat hij dankbaar gebruik heeft gemaakt van uw ruime ervaring met de eigenaardigheden van deze stad.’

Haar glimlach was kalm, haar knikje hoffelijk. ‘Zijn secretaresse heeft iets aardigs over me gezegd voordat ze me met hem doorverbond.’

‘Waarna u hem hebt overgehaald om een oogje dicht te

knijpen voor de twijfelachtige rechtmatigheid van bepaalde zaken waarvoor u zijn toestemming verlangde?'

Ze deed even alsof ze diep gekrenkt was door deze uitspraak en antwoordde toen: 'Ik weet niet of er nog wel rechtmatigheid in dit land bestaat die niet twijfelachtig is.'

'Dat mag zo zijn, signorina,' zei Brunetti, 'maar ik ben toch benieuwd waarvoor u precies zijn toestemming hebt weten te krijgen.'

'Voor alles,' zei ze met onverhuld genoegen. 'Ik denk dat deze jongeman weleens goud waard kan zijn voor ons.'

Brunetti dacht aan de waarschuwing die geschreven stond boven de poort van de hel en kwam even in de verleiding zich te distantiëren van haar verdere voortgang in een gebied, niet van twijfelachtige, maar van ontbrekende rechtmatigheid, maar hypocrisie behoorde niet tot zijn ondeugden. Bovendien was hem niet ontgaan dat ze de meervoudsvorm had gebruikt, en dus glimlachte hij en zei: 'Ik huiver bij de gedachte wat u hem misschien allemaal nog zult vragen te autoriseren.'

Met iets van teleurstelling zei ze: 'Ik zou u nooit in gevaar brengen, dottore.'

'Alleen uzelf?' vroeg hij, wetend dat dat niet zou gebeuren.

Het uitblijven van haar antwoord dwong hem, eindelijk, onder ogen te zien dat ze al jaren verzoeken indiende die haar bevoegdheid ver te buiten gingen. Maar hoe de vraag te stellen zonder deze als een beschuldiging te laten klinken?

'Aan wie worden de reacties op die verzoeken gestuurd?'

'Aan de vice-questore, natuurlijk,' zei ze eenvoudig, en heel even had Brunetti een visioen hoe ze eruit zou zien wanneer ze dit tegen een rechter zou zeggen, het haar strak naar achteren, geen spoortje make-up op haar gezicht, geen sieraden; de sobere wijze waarop ze gekleed ging, misschien een donkerblauw pakje met een rok van onmodieuze snit en lengte, praktische schoenen. Zou ze het aandurven om een bril te dragen? Haar ogen zouden bescheiden neergeslagen zijn ten overstaan van de majesteit van de wet, en ook haar toon zou bescheiden zijn; geen grapjes, geen woordenspel, geen gevatheid. Hij vroeg zich voor het eerst af of ze misschien niet een of andere kleurloze tweede naam had die ze bij zo'n gelegenheid zou gebruiken: Clotilde, Olga, Luigia. En Patta – Brunetti moest onwillekeurig aan de Amerikaanse uitdrukking denken – *would take the fall.*

'En als er iets mis zou gaan,' zei Brunetti, 'zou u dan Patta ervoor op laten draaien?'

Ze leek oprecht geschokt door die vraag, geschokt en ook teleurgesteld dat hij zoiets kon vragen. 'O,' zei ze, en ze rekte die klank lang uit, 'ik zou nooit met mezelf kunnen leven als ik dat deed. Trouwens, u moest eens weten hoe lang het zou duren voor ik zijn opvolger zou hebben getraind.' Ze had in ieder geval geen last van valse bescheidenheid, dacht Brunetti.

Enigszins schoorvoetend voegde ze eraan toe: 'En ik moet bekennen dat hij me in de loop der jaren bijna dierbaar is geworden.' Nu Brunetti haar dit zo hoorde zeggen, moest hij tot zijn verrassing toegeven dat hij haar gevoelens waarschijnlijk deelde.

Ze gunde hem de tijd om even na te denken over alles wat ze gezegd had en zei toen met een ontspannen glimlach: 'Trouwens, alle verzoeken worden ingediend namens hoofdinspecteur Scarpa.' Het gebruik van de lijdende vorm ontging Brunetti niet.

Hij had niet lang nodig om in te zien hoe briljant dit was. 'De hoofdinspecteur is dus blijkbaar al die jaren buiten zijn bevoegdheden getreden? Door zonder opdracht van een magistraat allerlei informatie op te vragen,' mijmerde hij, en het leek hem niet nodig om nog iets te zeggen over het spoor van bewijzen dat Scarpa ongetwijfeld, zonder het zelf te weten, in cyberspace achter zich aan sleepte.

'Hij heeft ook bankcodes gekraakt, informatie gestolen van Telecom, geheime dossiers over mensen in overheidsfuncties bekeken, en creditcardafschriften gedownload,' zei ze, gechoqueerd door de omvang van 's mans bedrog.

'Ik ben sprakeloos,' zei Brunetti. En dat was hij ook: wat voor brein was er nodig om zo'n ingewikkelde val voor de hoofdinspecteur op te zetten? 'En al die verzoeken komen rechtstreeks van zijn e-mailadres?' zei hij, terwijl hij zich afvroeg wat voor labyrint ze moest hebben gecreëerd om de antwoorden op te vangen.

Haar aarzeling was minimaal, haar antwoord een glimlach, waarna ze zei: 'De hoofdinspecteur denkt dat hij de enige is die het wachtwoord van zijn account heeft.' Haar toon werd zachter, maar haar blik niet. 'Ik wil hem niet lastigvallen met al die antwoorden, dus die worden automatisch doorgestuurd naar een van de accounts van de vice-questore.' De naam 'Giorgio' drong zich aan Brunetti op, signorina Elettra's vaak genoemde vriend, het computergenie van alle computergenieën, maar discretie weerhield hem ervan die naam hardop uit te spreken, en hij vroeg evenmin of de vicequestore op de hoogte was van het bestaan van zijn account.

'Opmerkelijk, dat de hoofdinspecteur zo onvoorzichtig is om zijn eigen e-mailadres te gebruiken,' zei Brunetti, en hij dacht aan Riverre en Alvise, en hoe veilig ze waren dankzij deze informatie.

'Hij denkt waarschijnlijk dat hij te slim is om gepakt te worden,' opperde ze.

'Wat dom van hem,' zei Brunetti, die terugdacht aan alle keren dat de hoofdinspecteur zijn eigen superieure slimheid aan signorina Elettra had proberen te bewijzen. 'Hij zou toch moeten weten hoe gevaarlijk het is,' begon Brunetti, en toen hij zag dat ze moest glimlachen om de diepte van zijn inzicht, voegde hij eraan toe: 'Om te denken dat hij met alles weg kan komen.'

'Soms stelt de hoofdinspecteur mijn geduld wel op de proef,' zei ze. De koelheid van haar glimlach verwarmde zijn hart.

24

Alsof ze vleugels had gekregen door de nieuwe ervaring van het werken binnen de grenzen van de wet, wist signorina Elettra de ontbrekende informatie de volgende dag al rond het middaguur te bemachtigen en bracht die meteen naar zijn kamer. Hoewel ze probeerde de neutrale gelaatsuitdrukking van de geblinddoekte Vrouwe Justitia te imiteren toen ze de papieren op zijn bureau legde, kon ze niet verhullen dat ze in haar nopjes was met de snelheid waarmee ze haar taak had volbracht.

'Het is zo makkelijk, ik denk er gewoon over om mijn leven te beteren,' zei ze, al hoorde Brunetti meteen dat dat gelogen was.

'Dat is een hoop die ik zal blijven koesteren,' zei hij vriendelijk terwijl hij naar het eerste papier keek, een kopie van een document geschreven in een kriebelig handschrift, ondertekend met een onontcijferbare krabbel. Eronder stonden nog twee handtekeningen.

'Misschien wilt u even naar het tweede blaadje kijken, meneer,' stelde ze voor. Dat deed hij, en hij zag dat het de overlijdensakte van madame Reynard was.

In al die jaren was Brunetti er nooit achter gekomen of signorina Elettra hem liever op dingen wees of dat ze er de voorkeur aan gaf dat hij ze zelf ontdekte. Om tijd te besparen vroeg hij: 'En dan kijk ik naar?'

'De data, meneer.'

Hij wierp weer een blik op het eerste blad en zag dat het

vier dagen eerder gedateerd was dan de overlijdensakte. Hij wees ernaar en zei: 'Dus dit is het beroemde testament?' Geen wonder dat er zo veel gedoe over was geweest: alleen een expert kon dit handschrift ontcijferen.

'Het derde blaadje is een transcriptie, meneer. Dat is door drie verschillende mensen gedaan, en het heeft bij alle drie min of meer dezelfde tekst opgeleverd.'

'Min of meer?'

'Niets van belang. Volgens de begeleidende papieren, tenminste.'

Hij richtte zijn aandacht op het derde blad en las dat Marie Reynard, bij haar volle verstand, haar hele bezit, bestaande uit bankrekeningen, investeringsrekeningen, huizen met bijbehorende grond, appartementen, patenten en alle roerende eigendommen, naliet aan avvocato Benevento Cuccetti, en dat deze wilsbeschikking een herroeping van alle eerdere wilsbeschikkingen inhield en uitdrukking gaf aan haar volle verlangen en onherroepelijke besluit.

'Leuke mengeling van het poëtische en het juridische, dat "volle verlangen en onherroepelijke besluit",' merkte Brunetti op.

'Ook een leuke mengeling van roerend en onroerend goed,' zei signorina Elettra met een knikje naar de papieren in zijn hand. Brunetti draaide de transcriptie om en zag een lijst met bankrekeningen, onroerend goed en andere bezittingen.

'Wat bent u nog meer te weten gekomen?' vroeg hij.

'Het appartement dat aan Morandi is verkocht ligt achter de Basilica, bovenste verdieping, honderdtachtig vierkante meter.'

'Als Cuccetti's vrouw de eigenaar was, dan kan het geen deel uitgemaakt hebben van de nalatenschap van madame Reynard.'

'Nee, ze had dat appartement al ruim tien jaar toen ze het aan hem verkocht.'

'De prijs die opgegeven is?'

'Honderdvijftigduizend euro,' antwoordde ze.

Voor hij daarop kon reageren voegde ze eraan toe: 'Het is nu waarschijnlijk meer dan tien keer zoveel waard.'

'En het was minstens drie keer zoveel waard toen hij het kocht,' zei Brunetti op neutrale toon. Vervolgens, meer ter zake: 'Interessant dat niemand bij de belastingdienst vraagtekens bij die prijs heeft gezet. Het is toch overduidelijk dat die niet klopt.'

Ze haalde haar schouders op. Een man die zo machtig en zo rijk was als Cuccetti was in de loop van zijn leven waarschijnlijk nog wel met ergere dingen weggekomen, en als de belastingdienst hém niet eens tegemoetkwam, wie dan wel?

Vianello verscheen in de deuropening. 'Signorina, de vice-questore wil u graag spreken.'

Ze vroegen zich geen van drieën af waarom Patta niet gewoon de telefoon had gebruikt. Op deze manier zagen ze alle drie dat de vice-questore Vianello met een boodschap naar boven kon sturen en dat hij signorina Elettra kon dwingen om stante pede op te houden met wat ze aan het doen was en naar zijn kamer te komen, terwijl hij ondertussen Brunetti duidelijk maakte voor wie ze eigenlijk werkte en aan wie ze loyaliteit verschuldigd was.

Ze vertrok en Vianello kwam zonder dat het hem gevraagd was voor Brunetti's bureau zitten.

'Ik heb eens in de wetboeken gekeken,' zei Brunetti, en hij wees met zijn duim naar de boekenkast achter hem, waarin hij zijn civiel- en strafrechtelijke boeken had staan. 'En de verjaringstermijn is al jaren verstreken.'

'Voor wat?'

'Het vervalsen van een officieel document. In dit geval een testament.'

'Ik wist dat niet,' zei Vianello met de nadruk op het eerste woord.

'Wat bedoel je daarmee?'

'Dat als ik het niet wist, het erg onwaarschijnlijk is dat iemand als Morandi het wel wist, denk je niet?'

'En dat betekent?'

Vianello kruiste zijn enkels, sloeg zijn armen over elkaar, zakte onderuit in zijn stoel en zei, heel langzaam en afgewogen: 'En dat betekent dat een mogelijke verklaring van een en ander zou kunnen zijn dat signora Sartori iets tegen signora Altavilla heeft gezegd over datgene wat zij en Morandi hebben gedaan. Over het testament, bedoel ik.'

'Dat ze wisten dat het vals was toen ze als getuigen optraden?' vroeg Brunetti.

'Misschien.'

'Madre Rosa had het over haar "verschrikkelijke eerlijkheid". Iets in die geest,' zei Brunetti, die zich de formulering niet meer precies kon herinneren, maar wel dat hij getroffen was door de vreemdheid ervan. 'Dus als signora Altavilla iets van signora Sartori heeft gehoord, dan kan het zijn dat ze Morandi ermee heeft geconfronteerd.'

'Omdat ze wilde dat hij zou bekennen?' vroeg Vianello.

Brunetti dacht een tijdje na voordat hij antwoord gaf. 'Daar heb ik ook aan gedacht. Maar met welk doel? Die oude vrouw is dood, Cuccetti en zijn vrouw en zoon zijn dood. De nalatenschap bestaat niet meer: de kerk heeft wat er nog van over was.' Hij haalde niet-begrijpend zijn schouders op toen hij eraan toevoegde: 'Misschien dacht ze dat hij daarmee zijn reputatie zou redden, of zijn geweten zou ontlasten.' Hij zweeg even. 'Of zijn ziel zou redden.' Je wist maar nooit, mensen geloofden wel vreemdere dingen.

'Morandi lijkt me niet het type dat zich zorgen maakt over zijn geweten,' zei Vianello. 'Of over zijn reputatie.' De inspecteur zei maar niets over het derde.

'Het zou je verbazen.'

'Wat?'

'Hoezeer de mensen van wie je dat het minst zou verwachten aan hun reputatie hechten.'

'Maar hij is een man zonder opleiding, met een lang strafblad, een notoire dief,' zei Vianello.

'Dat geldt ook voor heel wat mensen in het parlement,' antwoordde Brunetti, die het als grapje had bedoeld, maar opeens besefte hoe waar het was. Los van dat grapje wist Brunetti dat hij wel degelijk op een waarheid was gestuit: zelfs de slechtste mensen wilden graag als beter gezien worden dan ze waren. Hoe had de hypocrisie anders tot zulke grote hoogten kunnen stijgen?

Hij dacht terug aan zijn ontmoeting met Morandi. De oude man was verrast geweest om hem daar aan te treffen en had instinctief gereageerd. Maar toen hij eenmaal doorhad dat Brunetti een overheidsdienaar was, daar aanwezig in de uitoefening van zijn functie – een functie waarvan hij dacht dat die verband hield met pensioenen – was zijn houding veranderd. Brunetti moest aan zijn eigen gewelddadige vader denken: hoe bont hij het soms ook maakte, hij had altijd eerbied getoond voor het gezag en voor degenen wier oordeel hij zich aantrok. En hij had zijn vrouw altijd met respect behandeld en zijn best gedaan om te zorgen dat hij haar respect kreeg. Wat veranderden die oude vormen langzaam.

Vianello onderbrak zijn gedachten door te zeggen, op schoorvoetende toon: 'Misschien heb je gelijk.'

'Waarmee?'

'Dat het belangrijk voor hem is wat anderen van hem vinden. Je zei dat hij je bij die vrouw vandaan probeerde te houden.'

'Daar leek het wel op, ja.'

'Was dat omdat hij niet wilde dat ze met je praatte of omdat hij niet wilde dat je haar lastigviel?'

Brunetti moest hier even over nadenken. 'Allebei een beetje, denk ik, maar het tweede meer dan het eerste.'

'Waarom zou dat zijn?'

'Omdat hij van haar houdt,' zei Brunetti, die zich herinnerde hoe de oude man naar haar had gekeken. 'Dat lijkt me de meest voor de hand liggende reden.' Voordat Vianello daar commentaar op kon leveren of bezwaar tegen kon maken, zei Brunetti: 'Een van de dingen waar Paola me ooit op heeft gewezen, is dat we geneigd zijn de spot te drijven met de emoties van eenvoudige mensen. Alsof onze eigen emoties op de een of andere manier beter zijn.'

'En liefde is liefde?' vroeg Vianello.

'Dat denk ik wel, ja.' Brunetti had er nog steeds moeite mee om dit echt onverdeeld te geloven, zoals Paola wel leek te doen. Hij beschouwde dat als een wezenlijke tekortkoming van zichzelf.

Opeens gooide hij het over een heel andere boeg en vroeg: 'Maar waar komt het geld vandaan?' Hij zag de verrassing bij Vianello en verduidelijkte: 'Het geld dat op die rekening wordt gestort.'

'Geen flauw idee. Het lijkt me sterk dat hij drugs verkoopt,' zei Vianello, die dat als een grapje bedoelde.

'Maar hij is in de tachtig, dus er moet wel íets zijn dat hij verkoopt; hij zal echt niet meer inbreken, en hij is te oud om te werken,' zei Brunetti, en toen hij Vianello's blik zag liet hij erop volgen: 'En aangezien Cuccetti dood is, en de rest van zijn gezin ook, en alles aan de kerk is vermaakt, is er niemand die hij kan chanteren.'

Vianello glimlachte. 'Ik word altijd weer vrolijk van jouw opbeurende kijk op de menselijke natuur, Guido.'

Was een retorische stijl besmettelijk, vroeg Brunetti zich af. Tien jaar geleden zou Vianello niet in staat zijn geweest tot zo'n soort bloemrijke formulering. Hij vond het wel een prettige gedachte.

'Dus hij verkoopt iets,' ging Brunetti verder alsof de ispettore niets had gezegd. 'En als dat zo is, en als hij geen dingen meer steelt in de haven, dan is het misschien iets wat ze aan hem hebben gegeven toen ze het testament hebben getekend, of toen hij dat appartement van hen heeft gekocht.'

'Of iets wat hij heeft gestolen,' opperde Vianello, wiens kijk op de menselijke natuur kennelijk niet zoveel van die van Brunetti verschilde.

Die mogelijkheid leek Brunetti niet waarschijnlijk. 'Hij heeft haar ontmoet toen hij in het ziekenhuis ging werken, en daarna heeft hij het nooit meer met ons aan de stok gehad.'

'Misschien is hij gewoon niet gepakt.'

'Hij is niet zo slim, dus hij zou zeker gepakt zijn,' hield Brunetti vol. 'Kijk maar hoe vaak hij voor die tijd gearresteerd is.'

'Maar hij is wel steeds de dans ontsprongen. Misschien dat hij er met dreigementen onderuit is gekomen.'

'Als hij echt gewelddadig of gevaarlijk was geweest, zou dat in het dossier hebben gestaan,' zei Brunetti. 'Dan hadden we het geweten.'

Vianello dacht hierover na en knikte ten slotte beamend.

'Het zou kunnen. Ik heb de liefde wel vreemdere dingen met mensen zien doen dan ze voorzichtig maken.'

'Of ze beter maken,' corrigeerde Brunetti.

'Het klinkt haast alsof je het over de apostel Paulus hebt,' zei Vianello, geamuseerd bij die gedachte. 'Hij is in galop onderweg om een röntgenapparaat van het ziekenhuis te stelen, ziet signorina Sartori in haar witte uniform, stort ter aarde, en als hij weer opstaat is hij een ander mens.'

Misschien had hij genoeg van Vianello's retorische zijsprongen. 'Ben jij een beter mens sinds je met Nadia getrouwd bent?' vroeg hij tot Vianello's verrassing.

Vianello deed zijn benen van elkaar en sloeg ze toen in omgekeerde volgorde weer over elkaar. Hij keek zo ongemakkelijk dat Brunetti bijna dacht dat hij 'pas' zou roepen en zou weigeren om antwoord te geven. Maar toen knikte de inspecteur, en hij zei glimlachend: 'Ik snap wat je bedoelt.' Hij dacht nog even na en zei toen: 'Het zou kunnen.'

'Misschien was het verzoek om getuige te zijn een verleiding die hij niet kon weerstaan,' zei Brunetti. 'Een huis in ruil voor twee handtekeningen.' Het kwam in Brunetti op om eraan toe te voegen dat Parijs wel een mis waard was, maar hij was bang dat Vianello dat misschien niet zou begrijpen en zei dus verder niets.

Vianello glimlachte en zei: 'Wie was die heilige ook alweer die zei: "Maak me kuis, maar nu nog niet"?'

'Augustinus, geloof ik.'

Vianello glimlachte.

'Maar daarmee weten we nog steeds niet waar het geld vandaan komt, hè?' zei Brunetti.

Ze lieten nog een tijdje hun gedachten over het onderwerp gaan, in een poging een verklaring te vinden voor die terugkerende stortingen. 'En waarom zou je dat geld op de bank storten?' vroeg Vianello. 'Je moet toch wel gek zijn om zo'n spoor achter te laten?'

'Of geen idee hebben hoe makkelijk het is om het te achterhalen.' Terwijl hij zichzelf dat hoorde zeggen, besloot Brunetti nog een keer naar die stortingen te kijken. Hij haalde de map met Morandi's bankgegevens uit zijn la en zocht het overzicht op. Hij ging met zijn vinger langs de kolom met stortingen en zag dat de eerste twee per cheque waren gedaan.

Hij toetste het nummer van signorina Elettra in, en terwijl hij wachtte tot ze opnam hoorde hij Vianello in zichzelf mompelen: 'Niemand is zo stom.'

Hij vertelde haar wat hij wilde dat ze uitzocht, waarop ze antwoordde: 'O, geweldig, en ik mag het dit keer helemaal legaal doen.' Ze klonk zo opgetogen alsof hij haar gezegd had dat ze de rest van de dag vrij kon nemen.

Niet goed wetend in hoeverre ze een grapje maakte, zei hij: 'Nieuwe ervaringen zijn altijd nuttig voor een mens,' en hing op.

25

Hoewel signorina Elettra de complete informatie over alle banktransacties van Morandi binnen twintig minuten had gevonden, geloofde Brunetti geen moment dat het gemak waarmee ze daarin geslaagd was haar tot het pad van de legaliteit zou weten te bekeren.

De stortingen – de eerste van vierduizend, de tweede van drieduizend euro – waren gedaan met cheques uitgeschreven door Nicola Turchetti, een naam die Brunetti bekend voorkwam. Aangezien Vianello was teruggegaan naar de agentenkamer, moest Brunetti de naam alleen zien te achterhalen. Toen hem na een tijdje nog niets concreets te binnen was geschoten, haalde Brunetti het telefoonboek te voorschijn en sloeg dat open bij de T.

Om de een of andere reden had hij er genoeg aan om de naam zwart op wit te zien. Turchetti, de kunsthandelaar, was een man met een janusachtige reputatie: zijn deskundigheid werd nooit in twijfel getrokken, zijn integriteit soms wel. Voor zover Brunetti wist was de man nooit in staat van beschuldiging gesteld. Zijn naam werd echter vaak genoemd wanneer het over gewiekst zakendoen ging: in positieve zin door degenen die iets zeldzaams in zijn winkel waren tegengekomen, in negatieve zin door mensen die speculeerden over de herkomst van sommige van zijn aankopen. Brunetti's schoonvader, die zich van geen van beide opvattingen iets aantrok, was nog steeds klant bij Turchetti en had in de loop der jaren vele schilderijen en tekeningen van hem gekocht.

Tekeningen. Brunetti's gedachten gingen terug naar de legendarische Reynardveiling en de tekeningen die niet onder de hamer waren gekomen, tot grote teleurstelling van de vele aanwezige verzamelaars. Had niemand de inventaris opgemaakt? Of, en dat was waarschijnlijker, was de inventaris opgemaakt onder toezicht van avvocato Cuccetti? Het palazzo van madame Reynard was nu een hotel, wist Brunetti, en de voorwerpen die het ooit had bevat waren allang overgegaan in de handen van gretige kopers. Avvocato Cuccetti was daar waar madame Reynard hem was voorgegaan, en ze hadden geen van beiden iets met zich mee kunnen nemen.

Omdat het telefoonboek opengeslagen voor hem lag toetste Brunetti het nummer in. Er werd opgenomen door een secretaresse met het soort slordige Romeinse accent waar Brunetti een hekel aan had. Brunetti noemde zijn naam, maar niet zijn rang, en toen de vrouw vertelde dat signor Turchetti het druk had, liet hij er de naam van zijn schoonvader en diens titel op volgen, waarop de wateren zich scheidden en hij onmiddellijk met dottor Turchetti werd doorverbonden.

'Ah, dottor Brunetti,' zei een zware stem, 'conte Orazio heeft het vaak over u gehad.'

'En ook over u, dottore,' antwoordde Brunetti met zalvende wellevendheid.

'Hoe kan ik u van dienst zijn?' vroeg Turchetti na een korte aarzeling.

'Ik vroeg me af of u tijd hebt om mij iets over een van uw cliënten te vertellen.'

'Natuurlijk,' zei hij ontspannen. 'Welke?'

'Zal ik dat maar zeggen als ik bij u ben?' vroeg Brunetti, en zonder op antwoord te wachten hing hij op en verliet zijn kamer.

Brunetti nam de Nummer Een en stapte uit bij Accademia, ging linksaf en liep terug in de richting van het Guggenheim. Vlak voor de eerste brug vond hij de galerie, waar hij even buiten bleef staan om de schilderijen in de etalage te bekijken voor hij naar binnen ging. Het was een grote ruimte met een laag plafond, waarvan het effect deels werd ondervangen door de verlichting, die vanaf de muren schuin omhoog scheen zodat de laagte goed werd gemaskeerd. Er kaatste ook licht naar binnen vanaf het kanaal, wat bijdroeg aan het gevoel van ruimte.

Een man die Brunetti herkende omdat hij hem ettelijke keren op straat was tegengekomen, stond op van een met catalogi bedekt bureau om hem te begroeten. De vrouw die de telefoon had opgenomen, was nergens te bekennen.

'Ah, dottor Brunetti,' zei Turchetti terwijl hij met uitgestoken hand op hem toeliep. Hij was een man die zich het beste liet omschrijven als *'robusto'*, niet zo erg lang, maar daardoor steviger ogend. Als hij langer was geweest, zou de energieke vitaliteit van zijn bewegingen imposant zijn geweest. Nu hij dat niet was, leek hij iets vaag strijdlustigs over zich te hebben, alsof al die energie in zo'n lage ruimte gepropt noodgedwongen op een andere manier moest zien te ontsnappen. Hij had donkere ogen en een heel breed gezicht, met een neus die naar links week, wat de indruk van strijdlustigheid nog versterkte.

Zijn glimlach was aangenaam en uitnodigend, en toonde zich zowel in zijn ogen als om zijn mond, maar Brunetti kon niet anders dan er de glimlach van een verkoper in zien. Zijn handdruk was stevig, maar absoluut niet competitief. Zijn revers waren met de hand gestikt. 'Waarmee kan ik u helpen, dottore?' vroeg hij, en het klonk tot Brunetti's verrassing als een echte vraag.

Voor hij antwoord gaf, liet Brunetti zijn blik door de galerie gaan. Aan de muur links van hem hing een klein portret van Sint-Catharina van Alexandrië, het hoofd naar links gedraaid, de blik gericht op martelaarschap en zaligverklaring, terwijl één verraderlijke hand beschermend op haar parelsnoer rustte. Ze droeg haar martelaarskroon al, maar ook daar werd afbreuk aan gedaan, omdat hij was bezet met een reeks parels. Haar rechterhand lag achteloos op haar martelaarsrad en liet de palmtak bijna los. Wat wordt het, meisje? Aarde of hemel? Plezier of verlossing? Gevangen in een moment van volmaakte besluiteloosheid keek ze naar de lichtstraal in de bovenhoek van het schilderij, haar gezicht een en al onzekerheid.

'Ze is schitterend, hè?' zei Turchetti. Hij deed een stap opzij om op zijn gemak naar het schilderij te kijken. 'Ik zal het heel erg vinden als ze weggaat,' zei hij, alsof de vrouw op het schilderij zelf kon beslissen wanneer ze haar rokken zou optillen en uit de galerie weg zou lopen.

Vervolgens wendde de kunsthandelaar zich van het schilderij af en zei tegen Brunetti: 'U was geïnteresseerd in een van mijn cliënten?'

'Ja. Benito Morandi.'

Turchetti's ogen reageerden onmiddellijk op die naam en zijn mondhoeken trokken een beetje samen, alsof hij aan een onaangename smaak werd herinnerd. 'Ah,' zuchtte hij, een geluid dat net zo makkelijk verwarring als herkenning kon uitdrukken, maar dat hem in beide gevallen de tijd gaf om over zijn reactie na te denken. Brunetti, bekend met die tactiek, bleef staan wachten zonder iets te zeggen en bood de man slechts zijn onbewogen gezicht.

'Zullen we even gaan zitten?' stelde Turchetti voor, en hij draaide zich om naar zijn bureau. Brunetti liep met hem mee, ging in een van de stoelen aan de cliëntenkant zitten en keek om zich heen naar de overige schilderijen en tekeningen, waarvan er geen zo uitnodigend was als de martelares. Turchetti ging in eerste instantie tegen het bureau geleund staan en deed zijn armen over elkaar, maar vervolgens, alsof hij opeens besefte dat hij op die manier boven zijn gast uittorende, ging hij in een stoel tegenover Brunetti zitten. 'Uw schoonvader,' begon Turchetti, 'heeft me verteld wat voor werk u doet.'

Brunetti kon niet anders dan bewondering opbrengen voor de uitgelezen fijngevoeligheid die zichzelf er niet toe kon brengen het woord 'politieman' uit te spreken. Hij knikte.

'En dat u een man bent met een zeker... hoe zal ik het zeggen?' zei Turchetti, die even aarzelde alsof hij op zoek was naar de meest vleiende omschrijving. Brunetti zat ondertussen de neiging te onderdrukken om de ander te zeggen dat het hem niet kon schelen hoe hij om het even wat noemde, zolang hij hem maar over Benito Morandi vertelde. Hij hield zijn hoofd schuin, een beetje zoals Sint-Catharina, maar dan op een manier die, zo hoopte hij, milde nieuwsgierigheid uitdrukte in plaats van hemelse verrukking.

'... rechtvaardigheidsgevoel? Is dat het woord dat ik zoek?'

Brunetti dacht dat dat waarschijnlijk wel het geval was en knikte dus.

Turchetti hernieuwde zijn glimlach. 'Goed dan.' Hij leunde achterover en sloeg zijn benen over elkaar, waarmee hij leek aan te geven dat ze, nu het voorwerk was verricht, konden beginnen met praten. 'Morandi is in die zin een cliënt van mij dat hij me weleens dingen heeft verkocht.'

Brunetti glimlachte alsof hij iets hoorde wat al algemeen

bekend was. Dus Turchetti moest zich herinneren, het misschien zelfs betreuren, dat hij die cheques aan Morandi had uitgeschreven. Had hij te weinig contant geld gehad? Had hij de betaling willen uitstellen? Of had hij met cheques betaald om nog tijd te hebben om de authenticiteit van wat hij gekocht had vast te stellen? Of om de herkomst ervan na te gaan?

'Wat voor dingen?' vroeg Brunetti.

'O, het een en ander,' zei Turchetti met een ontspannen glimlach en een wuivend handgebaar.

'Wat voor dingen?'

Zonder ook maar enige verbazing te laten zien over Brunetti's toon zei hij: 'O, af en toe een tekening.'

'Wat voor tekeningen?'

Terwijl Turchetti erover nadacht hoe hij daarop zou antwoorden, haalde Brunetti zijn notitieboekje uit zijn zak. Hij sloeg het open bij de pagina met de namen van Chiara's leerkrachten en liep het lijstje af.

Voor hij zijn vraag kon herhalen zei Turchetti: 'O, geen bekende kunstenaars, niemand van wie u gehoord zult hebben, denk ik.'

Brunetti haalde een pen uit zijn binnenzak, wierp Turchetti een neutrale blik toe en zei: 'Laat maar eens horen.'

Turchetti's glimlach was hoffelijk. 'Johann von Dillis en Friedrich Salathé,' zei hij, en hij sprak de voornaam van de tweede schilder uit alsof hij was grootgebracht met Goethe en Heine.

Brunetti had van de eerste gehoord, maar hij knikte alsof hij bekend was met beide namen en schreef ze op. Hij had geen van beide namen ooit door zijn schoonvader horen noemen, maar de graaf was een verzamelaar en bracht veel tijd in kunsthandels door, dus als Turchetti ze in zijn zaak had gehad, had hij ze misschien wel gezien en kon Brunetti via hem misschien de verkoopprijs te weten komen.

'En de andere?' vroeg Brunetti.

Turchetti glimlachte. 'Dat zou ik in mijn administratie moeten nakijken. Het is zo lang geleden.'

'Maar de laatste verkoop was niet meer dan...' zei Brunetti, die zich de papieren die signorina Elettra hem had gegeven voor de geest probeerde te halen, terwijl hij ondertussen een pagina van zijn notitieboekje omsloeg, 'een maand of drie geleden.'

Als Turchetti een vis was geweest, had Brunetti hem nu zien spartelen om van de haak los te komen, maar dan wel op zo'n manier dat hij zichzelf zo min mogelijk schade zou toebrengen. Turchetti hapte niet naar lucht, in ieder geval niet op de wijze van een vis; hij haalde twee keer diep adem en zei: 'Zullen we onszelf tijd besparen, commissario, en zegt u gewoon wat u wilt weten?'

'Ik wil weten wat hij aan u verkocht heeft en hoeveel ze waard waren.'

Met een glimlach die lonkend zou zijn geweest als hij aan een vrouw gericht was, vroeg de kunsthandelaar: 'Wilt u niet weten hoeveel ik ervoor betaald heb?'

Brunetti had de neiging om hem opzij te meppen, maar Turchetti wist niet dat Brunetti al wist wat hij betaald had, aangezien Morandi het geld zo consciëntieus op zijn bankrekening had gestort. Het was voor een kunsthandelaar waarschijnlijk onbegrijpelijk dat iemand iets zou verkopen en het geld vervolgens op zijn rekening zou storten.

'Nee, signore,' zei Brunetti, die Turchetti's titel achterwege liet, 'alleen wat ze waard waren.'

'Mag ik het schatten?' vroeg Turchetti onomwonden, alsof hij genoeg had van het spelletje. Hij nam niet de moeite om het nog over zijn 'administratie' te hebben. Brunetti was opgegroeid in een tijd dat priesters nog over aflaten spraken, dus hij wist heel goed hoe plooibaar het begrip waarde was.

'Gaat uw gang,' zei Brunetti.

'Die Dillis was ongeveer veertigduizend waard, die Salathé iets minder.'

'En de andere?' zei Brunetti terwijl hij naar de namen van Chiara's geschiedenislerares en wiskundeleraar keek.

'Er waren wat prenten: Tiepolo, niet meer dan tien of twaalf waard. Ik denk dat het er zes of zeven waren.'

'U heeft hem geen prijs geboden voor alles samen?'

'Nee,' zei Turchetti, die zijn irritatie niet kon verbergen. 'Hij wilde ze per se een voor een verkopen.' Het was zelfvoldaanheid die hij niet kon verbergen toen hij eraan toevoegde: 'Hij dacht dat hij er op die manier meer voor zou krijgen.' Zijn toon maakte duidelijk dat dat een illusie was geweest.

Brunetti misgunde hem de voldoening van een reactie en vroeg: 'Wat nog meer?'

'Wilt u alles weten?' vroeg Turchetti met zorgvuldig geregisseerde verbazing en nog een lonkende glimlach.

Langzaam en met zorg haakte Brunetti zijn pen aan de binnenkant van het notitieboekje en klapte het dicht. Hij keek Turchetti aan en zei: 'Misschien ben ik niet duidelijk genoeg geweest, signore.' Hij bewoog zijn lippen in iets wat niet als een glimlach was bedoeld. 'Ik heb een lijst, met bedragen en data, en ik wil weten wat hij u gegeven heeft in ruil voor het geld dat hij heeft ontvangen.'

'En ik neem aan dat u toestemming hebt om dit soort dingen te vragen?' vroeg Turchetti. Er werd nu helemaal niet meer geglimlacht.

'Niet alleen kan ik die krijgen als ik erom vraag,' zei Brunetti, 'maar ik heb ook de aandacht van mijn schoonvader.'

Turchetti was zichtbaar verrast en begon zich duidelijk ongemakkelijk te voelen. 'Wat bedoelt u daarmee?'

'Ik hoef hem maar in te fluisteren dat de herkomst van sommige voorwerpen in deze galerie twijfelachtig is, en ik weet dat hij zijn vrienden zal bellen om te vragen of zij dat ook hebben gehoord.' Hij wachtte even en vervolgde toen: 'En ik neem aan dat die ook hun vrienden zullen bellen. En zo gaat het verder.' Brunetti kon weer glimlachen. Hij deed zijn notitieboekje weer open en zei: 'Wat nog meer?'

Turchetti kwam met een buitengewoon nauwkeurige opsomming van tekeningen en prenten, met de geschatte data en ook de prijzen erbij. Brunetti gebruikte de ruimte rechts van de namen van Chiara's leerkrachten om aantekeningen te maken en ging op de volgende bladzijde verder om de lijst af te maken. Toen Turchetti klaar was, vond Brunetti het niet nodig om te vragen of hij nu alles had genoemd.

Hij klapte het notitieboekje dicht, stopte de pen weer in zijn zak en stond toen op. 'Heeft u ze allemaal verkocht?' vroeg hij, hoewel hij met die vraag eigenlijk niet veel opschoot. Ze behoorden toe aan wie ze had, en al zouden ze juridisch teruggevorderd kunnen worden, aan wie behoorden ze dan toe?

'Nee. Er zijn er nog twee over.' Brunetti zag dat Turchetti iets wilde zeggen, zich inhield, en daarna toch aan zijn impuls toegaf. 'Hoezo? Moet ik u er een geven?'

Brunetti draaide zich om en verliet de galerie.

26

Zo zo. Brunetti liep terug naar de brug. Die Dillis was dus veertigduizend waard en die arme sul van een Morandi had er maar vier gekregen. En waarom beschouwde hij Morandi als een arme sul? Omdat die Salathé bijna net zoveel waard was en hij zich door Turchetti had laten afschepen met drie?

Brunetti was zich ervan bewust dat hij wel kon vinden dat zijn eigen morele systeem deugde, maar dat het moeilijk uit te leggen was, zelfs aan zichzelf. Hij had de Grieken en de Romeinen gelezen en wist hoe zij dachten over gerechtigheid en goed en kwaad en het algemeen belang en het persoonlijk belang, en hij had de kerkvaders gelezen en wist wat zij hadden gezegd. Hij kende de regels, maar merkte dat hij in specifieke situaties steeds vastliep in de bijzonderheden van wat er met mensen gebeurde; hij merkte dat hij partij koos voor of tegen hen vanwege de dingen die ze dachten of vonden, en niet per se in overeenstemming met de regels die geacht werden alles te bepalen.

Morandi was ooit een schurk geweest, maar Brunetti had zijn bezorgde blik naar die eenzame vrouw aan de andere kant van de kamer gezien, en kon daardoor niet geloven dat Morandi haar er eerder van had willen weerhouden om met hem praten dan dat hij had willen voorkomen dat iemand het kleine beetje rust dat ze nog had zou komen verstoren.

Hij stond op de Nummer Twee te wachten en zag de mensen de brug oversteken. Er kwamen boten voorbij varen in beide richtingen, één ervan tot de dolboorden gevuld met de bezittingen, en misschien de hoop, van een hele familie die aan het verhuizen was. Naar Castello? Of zouden ze links afslaan, terug naar San Marco? Een ruwharige, zwarte hond stond boven op een tafel die gevaarlijk balanceerde op een aantal kartonnen dozen op de voorsteven van de boot; zijn neus wees trots naar voren als was hij een boegbeeld. Wat hielden honden van boten. Kwam dat door de buitenlucht en de rijkdom aan geuren die voorbijkwam? Hij kon zich niet meer herinneren of honden goed ver weg konden zien of juist alleen van dichtbij. Misschien verschilde het wel al naar gelang het ras. Nou ja, van deze viel met geen mogelijkheid een ras vast te stellen: er zat evenveel bergamasco als labrador in, en evenveel spaniël als windhond. Hij was blij, dat was wel duidelijk, en misschien was dat wel het enige wat een hond hoefde te zijn en het enige wat Brunetti over een hond hoefde te weten.

Zijn gedachten werden onderbroken door de komst van de vaporetto, maar Morandi bleef in zijn hoofd zitten. 'Mensen veranderen niet.' Hoe vaak had hij zijn moeder dat niet horen zeggen? Ze had nooit psychologie gestudeerd, zijn moeder. Ze had zelfs geen middelbare school gedaan, maar dat nam niet weg dat ze een scherp verstand had. Als ze geconfronteerd werd met een voorbeeld van onkarakteristiek gedrag placht ze erop te wijzen dat dat gewoon iemands ware aard was die bovenkwam, en wanneer ze mensen dan aan gebeurtenissen uit het verleden herinnerde, bleek ze vaak gelijk te hebben.

Meestal verrasten mensen ons, bedacht hij, met het kwaad dat ze deden, wanneer een of andere duistere impuls aan de leiband ontsnapte en henzelf, en anderen, in het verderf stortte. En wat was het dan gemakkelijk om in het verleden de onopgemerkte symptomen van hun slechtheid te vinden. Maar hoe vond je de onopgemerkte symptomen van goedheid?

Toen hij op zijn kamer kwam keek hij nogmaals in het telefoonboek en zag dat Morandi erin stond. De telefoon werd niet opgenomen, maar na acht keer overgaan zei een mannenstem dat hij niet thuis was en dat hij te bereiken was op zijn telefonino. Brunetti schreef het nummer op en belde het meteen.

'*Sì?*' zei een mannenstem.

'Signor Morandi?'

'*Sì. Chi è?*'

'Goedemiddag, signor Morandi. U spreekt met Guido Brunetti. We hebben elkaar twee dagen geleden gesproken in de kamer van signora Sartori.'

'U bent die pensioenman?' vroeg Morandi. Brunetti dacht dat hij hernieuwde hoop in zijn stem hoorde, en wist zeker dat hij er beleefdheid in hoorde.

Zonder de vraag te beantwoorden zei Brunetti: 'Ik zou u graag nog een keer spreken, signor Morandi.'

'Over Maria's pensioen?'

'Onder andere,' antwoordde Brunetti vriendelijk. Hij wachtte op de vraag, op de argwaan over wat die andere dingen konden zijn. Maar er kwam niets.

In plaats daarvan vroeg Morandi: 'Wanneer kunnen we praten? Wilt u dat ik naar uw kantoor kom?'

'Nee, signor Morandi. Ik wil niet dat u al die moeite doet. Misschien kunnen we ergens dichter bij uw huis afspreken.'

'Ik woon achter de San Marco,' zei hij, zonder te beseffen dat Brunetti wel meer over zijn huis wist dan de locatie. 'Maar ik moet om halfzes in het casa di cura zijn. Misschien kunnen we daar in de buurt afspreken?'

'Op het campo?' stelde Brunetti voor.

'Goed. Dank u wel, signore,' zei de oude man. 'Over een kwartier?'

'Goed,' zei Brunetti, en hij hing op. Er was genoeg tijd, dus ging hij eerst naar beneden naar de bewijzenkamer en vertrok daarna pas naar het campo. De late najaarszon gaf hem een klap op zijn achterhoofd, maar hij werd er alleen maar vrolijk van.

De oude man zat op een van de bankjes voor het casa di cura. Hij zat voorovergebogen en gooide iets naar een groepje mussen dat rond zijn voeten danste. O God, zou Brunetti zich laten inpakken door een paar broodkruimels uitgestrooid tussen hongerige vogeltjes? Hij wapende zich en liep op de oudere man toe.

Morandi hoorde hem aankomen, gooide de rest van wat hij in zijn handen had naar de vogeltjes en duwde zich overeind. Hij glimlachte, iedere herinnering aan hun eerste ontmoeting uitgewist of genegeerd, en gaf Brunetti een hand. Het verbaasde Brunetti hoe slap die handdruk was. Zo dichtbij was hij veel langer dan de oude man. Brunetti kon van bovenaf de roze huid van zijn hoofd zien glimmen tussen de slierten donker haar die eroverheen waren geplakt. 'Zullen we gaan zitten?' stelde hij voor.

De oude man boog zich voorover, ondersteunde zich met één hand en liet zich langzaam op de bank zakken. Brunetti liet wat ruimte tussen hen vrij toen hij zelf ging zitten, en de vogeltjes hipten naar Morandi's voeten toe. Hij stak automatisch zijn hand in zijn jaszak en haalde er wat graankorrels uit, die hij ver het campo op gooide. Geschrokken van zijn armbeweging vlogen sommige vogeltjes op, om daarna tussen de korrels te landen op het moment dat de andere, die eropaf gerend waren, arriveerden. Ze maakten geen ruzie, maar begonnen allemaal zoveel op te pikken als ze konden.

Morandi keek even naar Brunetti en zei: 'Ik kom hier bijna elke dag, dus ze kennen me ondertussen.' Terwijl hij sprak kwamen de vogeltjes weer dichterbij, maar hij leunde naar achteren en sloeg zijn armen over elkaar. 'Zo is het klaar. Ik moet nu met die meneer praten.' De vogeltjes protesteerden kwetterend, wachtten even, en lieten hem met zijn allen in de steek toen er aan de andere kant van het campo een vrouw met wit haar arriveerde.

'Ik denk dat ik u moet vertellen, signor Morandi,' begon Brunetti, die het beter vond om zijn geweten te zuiveren, 'dat ik daar niet was vanwege het pensioen.'

'Bedoelt u dat ze geen verhoging krijgt?' vroeg hij, terwijl hij zich vooroverboog en zich naar Brunetti toe draaide.

'Er was geen sprake van een vergissing: ze krijgt haar pensioen over die jaren al,' zei Brunetti.

'Dus er komt geen verhoging?' vroeg Morandi nogmaals, niet in staat zomaar te geloven wat hij hoorde.

Brunetti schudde zijn hoofd. 'Ik vrees van niet, signore.'

Morandi's schouders zakten omlaag, maar daarna ging hij overeind zitten tegen de rugleuning van de bank. Hij keek uit over het campo, beschenen door de middagzon, maar voor Brunetti was het alsof de oude man uitkeek over een woestenij.

'Het spijt me dat ik verwachtingen heb gewekt,' zei Brunetti.

De oude man boog zich naar hem toe en legde een hand op zijn arm. Hij kneep er zwakjes in en zei: 'Dat geeft niet, jongen. Het klopt al niet zo lang als ze het krijgt, maar dit keer konden we in ieder geval een beetje hoop hebben.' Hij keek Brunetti aan en probeerde te glimlachen. Het waren dezelfde gesprongen aderen, dezelfde scheve neus en hetzelfde belachelijke haar, maar Brunetti vroeg zich af waar de man gebleven was die hij in het casa di cura had gezien, want dit was toch echt iemand anders.

De woede of angst of wat het ook geweest was, was verdwenen. Hier in het zonlicht was Morandi een rustige oude man op een parkbankje. Misschien reageerde hij, als een lijfwacht, alleen defensief in nabijheid van degene die hij moest beschermen, en was hij verder gewoon tevreden als hij op een bankje kon zitten en de vogeltjes kon voeren.

Maar wat dan te denken van zijn strafblad? Na hoeveel jaar deed een strafblad er niet meer toe?

'Bent u van de politie?' vroeg Morandi tot zijn verrassing.

'Ja,' zei Brunetti. 'Hoe weet u dat?'

Morandi haalde zijn schouders op. 'Toen ik u daar in die kamer zag, was dat het eerste wat ik dacht, en nu u zegt dat u daar niet was voor het pensioen komt die gedachte weer terug.'

'Waarom dacht u dat ik van de politie was?' wilde Brunetti weten.

De oude man keek hem even aan. 'Ik dacht wel dat jullie zouden komen. Vroeg of laat,' zei hij. Hij haalde zijn schouders op en legde zijn handen op zijn dijen. 'Ik had alleen niet gedacht dat het zo lang zou duren.'

'Hoezo? Hoe lang dan?' vroeg Brunetti.

'Sinds ze dood is,' antwoordde Morandi.

'En waarom dacht u dat we zouden komen?'

Morandi keek naar zijn handen, naar Brunetti, en toen weer naar zijn handen. Met veel zachtere stem zei hij: 'Vanwege wat ik gedaan heb.' Hij leunde naar voren en leek zich met zijn armen af te zetten tegen zijn dijen, maar Brunetti kon zien dat hij geen aanstalten maakte om te gaan staan: hij keek naar de grond. Opeens waren de vogeltjes terug. Ze keken naar hem op en kwetterden aan één stuk door. Brunetti had de indruk dat hij ze niet zag.

De oude man ging met zichtbare moeite weer rechtop zitten en leunde tegen de rugleuning van de bank. Hij keek op zijn horloge en kwam abrupt overeind. Brunetti stond ook op. 'Het is tijd. Ik moet naar haar toe,' zei Morandi. 'De dokter zou om vijf uur komen, en de zusters zeiden dat ik naar haar toe kon zodra hij met haar had gesproken. Voor een paar minuten maar. Zodat ze zich niet ongerust hoeft te maken over wat hij heeft gezegd.'

Hij draaide zich om en liep in de richting van het casa di cura, aan de andere kant van het campo. Het gebouw had alleen maar een voordeur, dus Brunetti had rustig op het campo kunnen blijven wachten, maar hij liep met Morandi mee, die er geen erg in leek te hebben of, als dat wel zo was, het niet erg vond.

Uit respect voor Morandi's leeftijd nam Brunetti dit keer de lift, hoewel hij er een hekel aan had en zich er opgesloten in voelde. De Tolteek stond bij de lift te wachten. Ze glimlachte naar Morandi, gaf Brunetti een knikje, nam de oude man bij de arm en liep met hem mee naar binnen, de gang in.

Brunetti bleef alleen achter en ging naar een klein zijkamertje dat uitzicht bood op de toegangsdeur. Hij ging op een wankele stoel zitten en pakte het enige tijdschrift – *Famiglia cristiana* – dat op tafel lag. Op een gegeven moment zag hij zich geconfronteerd met de keus tussen het lezen van de pauselijke catechismusles van die week of het recept voor een ham-kaastaart. De ingrediënten werden net de oven in geschoven toen hij iemand de kamer binnen hoorde komen.

Eén sliert van Morandi's haar had losgelaten en hing op de schouder van zijn jas. Hij keek Brunetti met verbijsterde ogen aan. 'Waarom moeten ze zo nodig de waarheid vertellen?' vroeg hij met rauwe, wanhopige stem. Brunetti kwam gauw overeind en nam de man bij de arm. Hij ondersteunde hem en nam hem mee naar de luxueus beklede bank.

Morandi ging in het midden zitten, balde zijn rechterhand tot een vuist en sloeg ermee in het zitkussen naast hem. 'Dokters. Weg d'r mee. Rotzakken, allemaal.' Met elke frase werd zijn gezicht vlekkeriger en kwam zijn vuist op het kussen neer, en met elke frase begon hij meer te lijken op de man die Brunetti in signora Sartori's kamer had gezien.

Eindelijk uitgeput liet hij zich tegen de rugleuning van de bank vallen en sloot zijn ogen. Brunetti ging terug naar zijn stoel, sloeg het tijdschrift dicht en legde het weer op tafel. Hij vroeg zich af welke Morandi zo dadelijk de ogen open zou doen: de zachtmoedige San Francesco of de woedende vijand van dokters en bureaucraten.

Terwijl hij wachtte probeerde Brunetti een scenario te bedenken. Morandi had verwacht dat de politie hem na de dood van signora Altavilla zou komen opzoeken, en kon daar een andere reden voor zijn dan schuld? Brunetti dacht aan die blauwe plekken en keek naar Morandi's handen: breed en grof, de handen van een arbeider. Als de aanblik van een vreemde in signora Sartori's kamer of de gedachte dat een dokter de waarheid zou vertellen hem al in zo'n woede kon doen ontsteken, hoe zou hij dan wel niet reageren op... op wat eigenlijk? Welke vorm had signora Altavilla's gevaarlijke eerlijkheid aangenomen? Had ze erop aangedrongen dat hij zou bekennen dat hij had geholpen bij het bedrog rond madame Reynard, zonder erbij stil te staan wat voor effect dat zou hebben op signora Sartori?

Brunetti werd opeens door een heel andere gedachte getroffen. *Oddio*, stel dat madame Reynards testament niet vervalst was. Stel dat het inderdaad haar handschrift was geweest en dat ze echt gewild had dat haar advocaat – die natuurlijk zo hoffelijk en behulpzaam was geweest als Lucifer zelf – het allemaal kreeg. Dat Cuccetti in de ogen van half Venetië een leugenaar en een dief was, deed er helemaal niet toe als die oude vrouw werkelijk had gewild dat hij haar bezit zou erven. Moesten alleen de goeden worden beloond?

Maar waarom dan dat appartement, en vanwaar die Dillis en die Tiepolo's en die Salathé? Brunetti keek naar de oude man, die ondertussen in slaap leek te zijn gevallen, en had een aanvechting om hem bij de schouders te pakken en door elkaar te schudden tot hij de waarheid zou vertellen.

27

Zachtjes, om de slapende man niet te storen, haalde Brunetti signora Altavilla's sleutelring uit zijn zak, die hij uit de bewijzenkamer had meegenomen voordat hij de Questura verliet. Hij hield hem tussen zijn handen en gebruikte zijn duimnagel om de metalen ring open te wrikken, waarna hij de derde sleutel – de sleutel die op geen van beide deuren paste – naar de nauwe opening schoof. Hij duwde hem langzaam, langzaam de ring rond tot hij in zijn hand lag. Vervolgens boog hij zich voorover, legde de sleutel op Morandi's rechterdij, stopte de sleutelring weer in zijn zak, sloeg zijn armen over elkaar en leunde weer naar achteren in zijn stoel.

Hij vond het opdringerig om naar de slapende man te kijken, dus richtte hij zijn blik op het raam en de muur aan de overkant van het kanaal terwijl hij ondertussen aan apen dacht. Hij had onlangs een artikel gelezen waarin experimenten werden beschreven die bedacht waren om het aangeboren rechtvaardigheidsgevoel bij een bepaald soort apen te testen, hij was vergeten welke soort. Zodra de leden van de groep eraan gewend waren dat ze allemaal dezelfde beloning voor een bepaalde handeling kregen, werden ze boos wanneer een van hen een grotere beloning kreeg dan zijn groepsgenoten. Hoewel de oorzaak van hun opwinding niet meer was dan het verschil tussen een stuk komkommer en een druif, vond Brunetti dat ze op een heel menselijke manier reageerden: een onverdiende beloning was aanstootgevend, zelfs voor degenen die er niets bij verloren. Als daar het vermoeden bij kwam dat de ontvanger van de druif zich schuldig had gemaakt aan bedrog of diefstal, werd het gevoel van verontwaardiging nog sterker. In het geval van avvocato Cuccetti was er altijd alleen maar sprake geweest van een vermoeden van diefstal, meer niet, al was hij beloond met aanzienlijk meer dan een druif. Er was echter genoeg tijd verstreken om, zelfs als het vermoeden zou worden bevestigd, niet meer bang te hoeven zijn voor juridische consequenties. Zelfs als bewezen werd dat hij de druif had gestolen, werd die niet meer teruggegeven.

Morandi was niet verrast geweest toen er een politieman verscheen: hij was ervan uitgegaan dat de politie wel móest komen vanwege datgene wat hij had gedaan. Vanwege het testament van madame Reynard? Omdat hij een bezoek aan signora Altavilla had gebracht? Omdat hij had gepleit voor iets wat tegen haar verschrikkelijke eerlijkheid inging? Of omdat hij haar bij haar schouders had gepakt en door elkaar had geschud? Of tegen de grond had gegooid, en daarbij wel of niet de radiator had gezien?

Af en toe belden er mensen aan en dan deed de Tolteek de deur voor hen open, maar ze waren allemaal met andere dingen bezig en namen niet de moeite om in het kamertje te kijken. Wat zouden ze gezien hebben als ze dat wel hadden gedaan? Ook een bewoner van het huis zeker, weggevallen van de zorgen van de dag – en was dat zijn zoon die bij hem zat?

'Wat wilt u?' vroeg de oude man op vlakke toon.

Brunetti zag dat Morandi klaarwakker was en dat hij de sleutel in zijn hand hield. Hij wreef hem tussen duim en wijsvinger, alsof het een munt was waarvan hij wilde weten of hij vals was of niet.

'Ik wil meer over die sleutel weten,' zei Brunetti.

'Ze had hem dus toch,' zei Morandi kalm.

'Ja.'

De oude man schudde meewarig het hoofd. 'Ik wist wel dat ze hem had, maar ze zei dat hij daar niet was.'

'Daar was hij ook niet,' zei Brunetti.

'Wat?'

'Ze had hem aan iemand anders gegeven.'

'Haar zoon?'

'Een vriendin.'

'O,' zei Morandi berustend, en hij voegde eraan toe: 'Ze had hem aan mij moeten geven.'

'Heeft u haar erom gevraagd?'

'Natuurlijk,' zei Morandi. 'Daarom ben ik daar naartoe gegaan, om hem terug te halen.'

'Maar?'

'Maar ze wilde hem niet geven. Ze zei dat ze wist wat het was en dat het niet terecht was dat ik hem had. Of dat ik *ze* had.'

'Aha,' zei Brunetti. 'Had signora Sartori het aan haar verteld?'

De oude man schudde zich, zoals Brunetti honden had zien doen. Het begon met zijn hoofd en breidde zich uit naar zijn schouders en een deel van zijn armen. Nog twee slierten haar raakten los van zijn hoofdhuid en drapeerden zich over de revers van zijn jas. Brunetti wist niet of hij de vraag van zich af probeerde te schudden of het antwoord dat werd verlangd. Toen zijn lichaam weer stil zat zei de oude man nog steeds niets.

'Ik denk dat signora Sartori het aan haar verteld moet hebben,' zei Brunetti gelaten, alsof hij zojuist een uiterst ingewikkelde gedachtegang had gevolgd en dit de enige conclusie was waar die op uit kon komen.

'Wat verteld moet hebben?' vroeg de man langzaam, maar door vermoeidheid, niet door argwaan.

'Wat u en signora Sartori hebben gedaan,' antwoordde Brunetti.

Alsof hij zich plotseling realiseerde dat zijn haar in de war zat, bracht Morandi zijn hand omhoog en drapeerde de losse slierten een voor een over de roze koepel van zijn hoofd. Hij drukte ze op hun plaats en hield vervolgens zijn hand erop alsof hij op een teken wachtte dat ze zich aan het oppervlak hadden gehecht.

Hij liet zijn hand zakken en zei zonder Brunetti aan te kijken: 'Ze had het niet moeten vertellen. Maria, bedoel ik. Maar sinds ze... sinds dit met haar is gebeurd, kijkt ze niet meer uit wat ze zegt, en ze...' Hij maakte zijn zin niet af, drukte nogmaals zijn haar aan, hoewel dat niet nodig was, en keek Brunetti aan alsof hij een reactie van hem verwachtte. 'Ze raakt de weg kwijt.'

'Wat zeggen de dokters ervan?' vroeg Brunetti.

'Ach, dokters,' antwoordde Morandi boos, en hij maakte een wegwerpgebaar naar een plek schuin achter hem, alsof de dokters daar op een rijtje stonden en zich zouden moeten schamen. 'Eentje zei dat het een kleine beroerte is geweest, maar een andere zegt dat het misschien het begin van Al... van iets anders is.' Toen Brunetti niets zei en de dokters zijn opmerkingen niet bestreden, ging Morandi verder. 'Het is gewoon ouderdom. En zorgen.'

'Wat naar dat ze zorgen heeft,' zei Brunetti. 'Ze verdient rust.'

Morandi glimlachte en boog zijn hoofd, als om een compliment dat hij niet verdiende. 'Ja, dat is zo,' zei hij. 'Ze is een fantastische vrouw. De beste van de hele wereld.' Brunetti hoorde de trilling in zijn stem. Hij wachtte, en Morandi voegde eraan toe: 'Ik ken niemand anders zoals zij.'

'U moet haar heel goed kennen, dat u zo aan haar verknocht bent, signore,' zei Brunetti.

Omdat Morandi zijn hoofd weer had laten zakken, zag Brunetti alleen zijn roze hoofdhuid en de donkere slierten die eroverheen lagen. Maar terwijl hij daarnaar keek werd het roze donkerder en zei Morandi: 'Ze is alles.'

Brunetti zweeg even en zei toen: 'U hebt geluk.'

'Dat weet ik,' zei Morandi, en opnieuw hoorde Brunetti zijn stem trillen.

'Hoe lang kent u haar al?'

'Vanaf zestien juli negentiennegenenvijftig.'

'Toen was ik nog een kind,' zei Brunetti.

'Nou, ik was toen al een man,' zei Morandi, en hij liet er op zachtere toon op volgen: 'Maar niet zo'n goeie, en ook niet zo'n aardige.'

'Maar toen kwam u haar tegen?' moedigde Brunetti hem aan.

Morandi keek op en Brunetti zag weer diezelfde glimlach, vreemd kinderlijk. 'Ja.' Hij zweeg even en zei toen: 'Om halfvier 's middags.'

'U bent een gelukkig man dat u zich die dag nog zo duidelijk kunt herinneren,' zei Brunetti, die zich realiseerde dat hij niet meer wist op welke datum hij Paola had ontmoet. Hij wist in welk jaar het was geweest, dat wel, en hij wist nog waarom hij in de bibliotheek had moeten zijn, en wat het onderwerp was geweest van het stuk dat hij moest schrijven, dus als hij in zijn universiteitspaperassen zou nakijken wanneer hij die colleges had gevolgd, kon hij waarschijnlijk in ieder geval wel de maand achterhalen, maar de datum was weg. Hij zou het beschamend vinden om het aan Paola te vragen, want als zij het uit haar hoofd wist, zou hij zich een ellendeling voelen dat hij het niet meer wist. Maar voor hetzelfde geld zou ze zeggen dat hij een sentimentele dwaas was dat hij zoiets wilde onthouden, wat waarschijnlijk waar was. Wat Morandi ook tot een sentimentele dwaas maakte, nam hij aan.

'Hoe heeft u haar ontmoet?' vroeg Brunetti.

Morandi glimlachte bij die vraag en bij de herinnering. 'Ik werkte als manusje-van-alles in het ziekenhuis en ik moest naar een kamer toe om te helpen om een van de patiënten op een brancard te tillen, zodat ze hem voor onderzoek naar beneden konden brengen, en Maria was daar al. Die hielp de zuster.' Hij keek naar de muur links van Brunetti en zag misschien die ziekenhuiskamer. 'Maar het waren allebei kleine vrouwtjes en ze kregen het niet voor elkaar, dus toen vroeg ik of ze even opzij wilden gaan, en ik heb die man op de brancard getild, en toen ze me bedankten, glimlachte Maria, en… nou ja, ik denk…' Zijn stem stierf weg, maar de glimlach bleef.

'Weet u, op dat moment wist ik,' zei hij tegen Brunetti, van man tot man, al dacht Brunetti dat meer vrouwen dan mannen dit zouden begrijpen, 'dat zij de ware was. En dat is in al die jaren nooit veranderd.'

'U bent een gelukkig man,' herhaalde Brunetti, die bedacht dat iedere man, of iedere vrouw, die zich tientallen jaren in dat gevoel kon koesteren een gelukkig mens was. Maar waarom waren ze dan nooit getrouwd? Hij dacht terug aan de schurkachtige eerste indruk die Morandi had gemaakt en vroeg zich af of hij misschien nog ergens een gezin had waar hij mee opgescheept zat. Paola had het weleens over mannen die een Mrs Rochester op zolder hadden: had Morandi die?

'Ik vind van wel,' zei Morandi, met de sleutel nog steeds in zijn hand.

'Hoe lang woont signora Sartori al hier?' vroeg Brunetti met een vaag gebaar naar de ruimte om hen heen, onschuldig alsof de afschriften van alle betalingen aan het verzorgingshuis vanaf de dag dat ze er was binnengekomen niet op zijn bureau lagen.

'Drie jaar nu,' zei hij, een tijd die begonnen was, wist Brunetti, met de storting van de eerste cheque van Turchetti.

'Het is een heel goed huis. Ze heeft geluk dat ze hier zit,' zei Brunetti. Hij stond zich niet toe om het over de ervaring van zijn moeder te hebben en zei dus alleen maar: 'Ik weet dat ze in sommige andere huizen in de stad niet zo goed voor de mensen zorgen als de zusters hier.' Toen Morandi niet reageerde, liet hij erop volgen: 'Ik heb verhalen gehoord over de staatszorg.'

'We hebben veel geluk gehad,' zei Morandi ernstig, zonder toe te happen. Brunetti wist niet of dat opzet of toeval was.

'Ik heb gehoord dat het heel duur is,' zei Brunetti, op de toon van de ene burger tegen de andere.

'We hadden wat opzij gezet,' zei Morandi.

Brunetti boog zich naar voren en pakte de sleutel uit Morandi's hand. 'Is dit van de plek waar ze zijn?' vroeg hij, terwijl hij hem omhooghield. Toen de oude man geen antwoord gaf, stopte Brunetti de sleutel in het horlogezakje van zijn broek.

Morandi legde zijn rechterhand op zijn dij, als wilde hij de plek bedekken waar de sleutel had gelegen. Daarna legde hij zijn linkerhand op de andere dij. Hij keek Brunetti aan, zijn gezicht bleker dan het geweest was. 'Heeft zij het verteld?'

Brunetti wist niet of hij signora Sartori of signora Altavilla bedoelde, dus hij antwoordde: 'Het maakt niet uit wie het verteld heeft, toch, signore? Het gaat erom dat ik de sleutel heb en dat ik weet wat daar is.'

'Ze zijn van niemand, hoor,' zei de oude man met klem. 'Ze zijn allemaal dood, alle mensen die ze wilden hebben.'

'Hoe bent u eraan gekomen?'

'Die oude Française had ze in haar huis. In een wasmand.' Hij moest de bezorgde trek hebben gezien die over Brunetti's gezicht gleed, want hij zei: 'Nee, ze zaten in een plastic doos onderin. Er kon niets mee gebeuren.'

'Ah,' zei Brunetti. 'Maar hoe bent u eraan gekomen?' Hij gebruikte de meervoudsvorm van 'u'.

Morandi reageerde op dat woord. 'Maria wist er niets van. Die zou het maar niks hebben gevonden. Helemaal niks. Die zou me ze nooit hebben laten meenemen.'

'Ah,' zei Brunetti, en hij vroeg zich af hoe vaak hij dat nog moest zeggen als hij, zoals nu, weer iets te horen kreeg wat waarschijnlijk niet waar was. Morandi had ze al tientallen jaren in zijn bezit, en zij wist er niets van?

'Ik heb ze van Cuccetti gekregen. Op de avond dat we getuige zijn geweest van dat papier.' Het viel Brunetti op dat de man zich er niet toe kon brengen om het een testament te noemen. Vervolgens voegde Morandi er boos aan toe: 'Dat heb ik geëist.'

'Waarom?'

'Omdat ik hem niet vertrouwde,' zei Morandi met grote heftigheid.

'En het appartement?' vroeg Brunetti, in plaats van door te gaan op het onderwerp van Cuccetti's eerlijkheid.

'Dat had hij me meteen al in het begin beloofd, toen hij vroeg of we iets wilden tekenen. Ik vertrouwde hem toen al niet, en ik vertrouwde hem later ook niet. Ik wist wat voor vent het was. Hij zou me eerst dat appartement geven, en dan zou hij daarna een manier vinden om het weer terug te krijgen. Een wettelijke manier. Hij was per slot van rekening advocaat,' zei Morandi, waarschijnlijk op dezelfde manier als waarop hij zou zeggen dat een vogel een gier was.

Brunetti, door de wol geverfd als het om advocaten ging, knikte.

'Dus toen heb ik gezegd wat ik wilde.'

'Hoe wist u dat ze er waren, en wat het waren?'

'Die oude vrouw praatte vaak met Maria, en ze had erover verteld, dat ze veel geld waard waren, en Maria heeft het aan mij verteld.' Voordat Brunetti een verkeerd idee zou krijgen, zei hij er vlug achteraan: 'Nee, het is niet wat u denkt. Het was gewoon iets wat ze verteld had, toen ze het over haar werk had, en over de patiënten en de dingen die ze haar vertelden.' Hij wendde zijn blik even af, alsof hij het pijnlijk vond om te merken dat hij in gezelschap verkeerde van iemand die in staat was zoiets over signora Sartori te denken. 'Het idee kwam van mij, niet van haar. Zij wist er niets van. En ze heeft nooit geweten dat ik ze heb.'

Maar, dacht Brunetti onaardig, hoe wist ze dan van die sleutel?

'Wat zei Cuccetti?'

'Wat kon hij zeggen?' zei Morandi bruusk. 'Die oude vrouw had niet lang meer te gaan. Dat kon iedereen zien, dus ik wist dat hij snel moest zijn.' Morandi leek niet in de gaten te hebben wat dit over hemzelf zei, maar Brunetti onthield zich van commentaar.

'Ik zei tegen hem dat ik niets zou tekenen zolang ik ze niet had.' Terwijl de oude man zijn verhaal vertelde, zag Brunetti weer waarom hij hem een schurk had gevonden.

Zijn toon was hard geworden, evenals zijn ogen; zijn mond ging steeds verbetener staan. Brunetti's gezicht was de onbewogenheid zelf.

'En op een gegeven moment ging het helemaal mis met die oude vrouw – ik weet niet meer wat het was. Ademhaling, of zo. En hij raakte in paniek, Cuccetti, en toen moet hij naar haar huis zijn gegaan om ze te halen, en hij heeft ze meegenomen naar het ziekenhuis en heeft ze bij haar in de kast gelegd.'

'Waarom zou hij dat doen?' vroeg Brunetti.

Morandi hoefde niet over het antwoord na te denken. 'Als iemand er dan naar vroeg, kon hij zeggen dat ze had gevraagd of hij ze voor haar wilde halen zodat ze er nog een keer naar kon kijken.' Zijn knikje maakte duidelijk hoe slim hij dat van Cuccetti vond. 'Maar ze heeft ze niet gezien. Ze was toen al kierewiet.'

Brunetti moest weer aan Dantes hagedissen denken, aan hoe die keer op keer van vorm veranderden en steeds weer, onontkoombaar, de gedaante aannamen van wat ze ooit geweest waren.

'Dus toen heeft u getekend?'

'Ja,' zei Morandi.

'En was dat ook echt signora Sartori's handtekening?'

Morandi moest nogmaals blozen, veel heviger dan eerder het geval was geweest. Zijn stoerheid verdween; het was letterlijk alsof hij weer leegliep. 'Ja,' zei hij, en hij boog zijn hoofd in afwachting van de klap van Brunetti's volgende vraag.

'Wat heeft u tegen haar gezegd?'

Morandi wilde iets zeggen, maar barstte toen uit in een nerveuze hoestbui. Hij boog zich voorover met zijn hoofd boven zijn knieën en bleef zo zitten tot het hoesten voorbij was. Daarna duwde hij zich weer overeind, leunde achterover en sloot zijn ogen. Brunetti zou hem niet weer in slaap laten vallen; hij zou hem nog eerder een por in zijn zij geven dan dat hij dat zou laten gebeuren. De oude man deed zijn ogen open en zei: 'Ik heb tegen haar gezegd dat ik had gezien dat die oude vrouw het schreef. Dat Cuccetti en ik erbij waren geweest en dat zij het zelf had geschreven.'

'Wie heeft het echt geschreven?' vroeg Brunetti.

Morandi haalde zijn schouders op. 'Dat weet ik niet. Het lag op tafel toen ik de kamer binnenkwam.' Hij keek Brunetti aan en zei met iets van gretigheid in zijn stem: 'Dus ze kan het geschreven hebben, hè?'

Brunetti negeerde dit. 'Het kon door iedereen zijn ondertekend?' vroeg Brunetti neutraal. 'Maar u en signora Sartori hebben voor haar handtekening ingestaan?'

Morandi knikte en deed vervolgens zijn rechterhand voor zijn ogen, alsof hij niet kon aanzien wat Brunetti wist. Brunetti wendde zijn blik even af, en toen hij weer keek zag hij dat er tranen tussen zijn vingers door liepen.

Nadat de oude man zo een tijdje was blijven zitten, boog hij zich opzij en haalde een enorme witte zakdoek uit zijn broekzak. Hij veegde zijn ogen af en snoot zijn neus, vouwde de zakdoek netjes op en stopte hem weer in zijn zak.

Alsof hij Brunetti's vraag niet had gehoord, zei Morandi: 'Die oude vrouw is een paar dagen later doodgegaan. Drie. Vier. En toen moest het testament worden bekrachtigd en zouden er vragen aan ons worden gesteld. Ik heb Maria op het hart gedrukt dat ze moest zeggen dat we het haar hadden zien tekenen, omdat we anders allemaal in de problemen zouden komen.'

'En dat heeft ze gedaan?'

'Ja. Toen wel.'

‘Maar later?’

‘Later geloofde ze me op een gegeven moment niet meer.’

‘Was dat vanwege dat appartement?’

‘Nee, want ik had haar verteld dat ik dat van mijn tante had geërfd. Die woonde in Turijn en is rond die tijd gestorven, dus toen heb ik tegen Maria gezegd dat het van haar af kwam.’

‘Geloofde ze u?’

‘Ja. Natuurlijk.’ Toen hij Brunetti’s gezicht zag, zei hij bijna smekend: ‘Alstublieft, meneer. U moet van me aannemen dat Maria eerlijk is. Ze zou nooit kunnen liegen, zelfs al zou ze het willen. En ze gelooft ook niet dat anderen het kunnen.’ Hij zweeg even, maar was nog niet uitgesproken. ‘En ik had het ook nooit gedaan. Niet tegen haar. Niet tot dat moment. Omdat ik wilde dat we een huis hadden waar we trots op konden zijn en waar we samen konden zijn.’

Die wens was hem anders wel goed uitgekomen, dacht Brunetti onwillekeurig.

‘Wat heeft u met die tekeningen gedaan?’ vroeg Brunetti. Hij was het zat. Hij had er genoeg van om steeds te moeten nadenken bij alles wat Morandi zei om te bepalen welke van de twee personen die hij in hem gezien had aan het woord was.

Morandi leek die vraag verwacht te hebben en zei met een vaag gebaar naar Brunetti’s broekzak, alsof ze daar zaten: ‘Ik heb ze naar de bank gebracht.’

Brunetti had zich bijna tegen het voorhoofd geslagen en uitgeroepen: ‘Natuurlijk, natuurlijk.’ Mensen als Morandi woonden niet in grote appartementen vlak bij de San Marco, en niemand verwachtte van arme mensen dat ze een kluisje hadden. Maar wat kon die sleutel anders zijn dan de sleutel van een kluisje?

'Wanneer heeft ze de sleutel gepakt?'

Morandi trok zijn lippen samen als een schooljongen die een standje krijgt voor een klein vergrijp. 'Een week geleden. Weet u nog, die warme dag?' Die herinnerde Brunetti zich inderdaad nog: ze hadden 's avonds op het terras gegeten, maar er was plotseling een einde aan de warmte gekomen.

'Ik ging naar buiten om een sigaret te roken op het campo, en ik heb mijn jas op het bed laten liggen. Ze moet de sleutel hebben gepakt toen ik buiten was. Ik merkte het pas toen ik thuiskwam en de deur opendeed, maar toen was het te laat om nog terug te gaan naar het casa di cura, en toen ik de volgende dag aan haar vroeg of ze hem had, zei ze dat ze niet wist waar ik het over had.'

'Wist ze wat voor sleutel het was?' vroeg Brunetti.

Morandi schudde zijn hoofd. 'Ik weet het niet, ik weet het niet. Ik had nooit gedacht dat ze er iets van af wist of begrepen had wat er gebeurd was. Van dat appartement. Of van die tekeningen.' Zijn blik haakte zich aan Brunetti vast en hij zei, terwijl zijn verwarring in elk woord te horen was: 'Maar ze moet het wel geweten hebben, denkt u niet?' Brunetti gaf geen antwoord, en Morandi zei: 'Om die sleutel te pakken? Dan moet ze het toch geweten hebben? Al die jaren?' Er klonk iets van wanhoop in zijn stem bij het besef dat hij zich misschien zou moeten afvragen wat dit betekende voor zijn kijk op en geloof in de heilig verklaarde Maria.

Brunetti wist niets te zeggen. Mensen wisten dingen waarvan ze zeiden en dachten dat ze ze niet wisten. Echtgenoten kwamen veel meer over elkaar te weten dan ooit de bedoeling was geweest.

'Ik moet die sleutel hebben,' zei Morandi opeens. 'Ik moet hem hebben.'

'Waarom?' vroeg Brunetti, ook al wist hij het wel.

'Om de rekeningen te betalen.' De oude man keek om zich heen en ging met zijn hand over het fluweel van de bank. 'U weet hoe die staatszorghuizen zijn: u heeft ze zelf gezien. Daar kan ik haar niet naartoe laten gaan.' Bij de gedachte daaraan kwamen de tranen weer, maar dit keer was Morandi zich er niet van bewust. 'Daar zou je nog geen hond naartoe sturen,' zei hij radeloos.

Brunetti, die zijn moeder er niet naartoe gestuurd had, zei niets.

'Ik moet ze betalen. Ik kan haar nu niet verkassen, niet hiervandaan naar zo'n gribus.' Hij verslikte zich in een snik, evenzeer daardoor verrast als Brunetti. Morandi hees zich plotseling met moeite overeind en liep naar de deur. 'Ik hou het niet, hierbinnen,' zei hij, en hij verdween naar de lift.

28

Brunetti had geen andere keus dan hem achterna te gaan, maar hij nam dit keer de trap en was eerder beneden dan de lift. Morandi's gezicht werd wat zachter toen hij hem daar zag, en ze liepen samen in de vroege avondzon naar buiten. De oude man liep terug naar dezelfde bank, en binnen enkele minuten hadden de vogeltjes hun vliegroute gewijzigd en landden niet ver van zijn voeten. Ze taxieden naar hem toe, maar hij had ze niets te geven, en leek ook geen notitie van ze te nemen.

Brunetti ging ook zitten en liet wat ruimte tussen hen vrij.

De oude man haalde een pakje shag uit zijn zak en rolde slordig een sigaret, waarbij hij tabak op zijn broek en schoenen morste. Hij stak hem aan, nam drie diepe halen en leunde achterover, zonder acht te slaan op de vogeltjes, die op hun beurt geen acht sloegen op de tabak die om ze heen op de grond viel. Ze keken naar hem op, maar hun verontwaardigde gekwetter maakte geen indruk op Morandi. Hij bleef trekjes van zijn sigaret nemen, tot zijn hoofd in rook gehuld was en hij weer een hoestbui kreeg. Toen die afgelopen was gooide hij de sigaret vol afkeer van zich af en wendde zich tot Brunetti.

'Ik mag van Maria niet roken in huis,' zei hij, en het klonk bijna alsof hij er trots op was.

'Vanwege uw gezondheid?' vroeg Brunetti.

De oude man keek hem aan, zijn gezicht ontdaan van

emotie bij het idee. 'O, was dat maar waar,' zei hij zacht, en hij keek gauw een andere kant op.

Morandi keek het plein rond, alsof hij iemand zocht die er wel om maalde of hij rookte of niet. Daarna richtte hij zijn aandacht weer op Brunetti en zei: 'U moet me de sleutel geven, signore.' Hij deed zijn best om redelijk te klinken, maar slaagde er slechts in om wanhopig te klinken. Zijn gezicht stond ernstig en hij probeerde een vriendelijk glimlachje, dat langzaam weer verdween.

'Hoeveel zijn er nog over?' vroeg Brunetti.

Morandi's ogen vernauwden zich en hij begon te vragen: 'Hoe bedoelt…' maar deed er vervolgens het zwijgen toe. Hij vouwde zijn handen, duwde ze tussen zijn dijen en leunde naar voren. Toen zag hij de vogeltjes; ze hipten zonder angst naderbij en begonnen te kwetteren naar dat vertrouwde gezicht. Hij haalde nog wat graankorrels uit zijn jaszak en liet ze tussen zijn voeten vallen. De vogeltjes pikten er gretig naar.

Met zijn hoofd nog steeds gebogen en zijn aandacht schijnbaar op de vogeltjes gericht, zei hij: 'Zeven.'

'Weet u wat het zijn?'

'Nee,' zei de oude man, en hij schudde zijn hoofd bij het idee. 'Ik ben wel in galeries geweest om naar andere tekeningen te kijken, en in musea. Daar mag ik tegenwoordig gratis in, vanwege mijn leeftijd. Maar ik kan niet onthouden wat ik zie, en die namen zeggen me allemaal niks.' Hij deed zijn handen van elkaar en hief ze op om uiting te geven aan zijn onwetendheid en verwardheid. 'Dus ik moet gewoon die man vertrouwen die tegen me zegt wat het zijn.'

'En wat ze waard zijn,' voegde Brunetti eraan toe.

Morandi knikte. 'Ja. Hij was patiënt toen Maria nog in het ziekenhuis werkte. Zij had me over hem verteld. Ik moest weer aan hem denken toen... toen ik ze moest gaan verkopen.'

'Vertrouwt u hem?'

Morandi keek hem aan, en Brunetti zag een flits van intelligentie toen de oude man zei: 'Ik heb geen keus, hè?'

'U zou naar iemand anders kunnen gaan,' opperde Brunetti.

'Het is net een maffia,' zei Morandi met absolute zekerheid. 'Of je nou naar de een gaat of naar de ander: het is één pot nat. Ze belazeren je allemaal.'

'Maar misschien zou een ander u minder belazeren,' zei Brunetti.

Morandi haalde zijn schouders op. 'Ze weten ondertussen allemaal wie ik ben en bij wie ik hoor.' Hij zei het alsof hij zeker wist dat dit zo was.

'Wat gebeurt er als ze op zijn?' vroeg Brunetti.

Morandi liet zijn hoofd zakken en zag dat de vogeltjes zich nog steeds rond zijn voeten verdrongen en naar hem opkeken en voedsel eisten. 'Dan zijn ze op.' Hij klonk gelaten. Brunetti wachtte en uiteindelijk zei de oude man: 'Misschien krijg ik er genoeg voor om het nog twee jaar uit te zingen.'

'En dan?' vroeg Brunetti met de vasthoudendheid van een bulldog.

Morandi's schouders gingen omhoog en hij slaakte een diepe zucht. 'Wie weet wat er in twee jaar kan gebeuren?'

'Wat hebben de dokters tegen u gezegd?' vroeg Brunetti met een knikje in de richting van het casa di cura.

'Waarom vraagt u dat?' wilde de oude man weten. Zijn eerdere scherpte was weer terug.

'Omdat u zich zorgen leek te maken. Daarstraks, toen u het erover had.'

'En dat is voor u genoeg om het te willen weten?' vroeg Morandi, alsof hij een antropoloog was die met een volstrekt nieuwe vorm van gedrag werd geconfronteerd.

'Ze leek me een vrouw die al genoeg narigheid in haar leven heeft meegemaakt,' waagde Brunetti te zeggen. 'Ik had gehoopt dat er niet nog meer achteraan zou komen.'

Morandi's blik dwaalde af naar de ramen op de tweede verdieping van het casa di cura, ramen die volgens Brunetti weleens van de eetzaal konden zijn waar hij signora Sartori voor het eerst had gezien. 'O, er komt altijd meer achteraan,' zei Morandi. 'En nog meer en nog meer, en op een gegeven moment is het voorbij en dan komt er niks meer.' Hij keek weer naar Brunetti en zei: 'Zo is het toch?'

'Ik weet het niet,' was het beste wat Brunetti kon bedenken, al duurde het even voor hij het kon opbrengen om iets te zeggen. 'Ik had haar graag wat rust gegund.'

Morandi moest hierom glimlachen, maar dat was niet prettig om te zien. 'Die hebben we al niet meer sinds we zijn verhuisd.'

'Naar San Marco?' vroeg Brunetti.

Hij knikte, waarbij een van de haarslierten losliet en opzij viel, tegen zijn buurman aan. 'Daarvoor ging het allemaal goed. We werkten, en we praatten met elkaar, en ik denk dat ze gelukkig was.'

'Was u dat niet?'

'O,' zei hij, en dit keer was het een echte glimlach, 'ik ben in mijn leven nog nooit zo gelukkig geweest.'

'Maar toen?'

'Maar toen bood Cuccetti me dat huis aan. We zaten in een huurwoning in Castello. Eenenveertig vierkante meter; begane grond. We waren net sardientjes in blik,' zei hij, en het was duidelijk dat zijn gedachten teruggingen naar die tijd. Hij glimlachte opnieuw en zei: 'Maar wel gelukkige sardientjes.'

Hij haalde diep adem, zoog de lucht door zijn neusgaten naar binnen om zich weer groot te maken. 'Maar toen begon hij over dat huis dat we konden krijgen. Meer dan honderd vierkante meter. Bovenste verdieping, twee badkamers. Het had wel een kasteel kunnen zijn, zo mooi klonk het.'

Hij keek naar Brunetti alsof hij hem – een man die geen idee had wat het was om in een huis van eenenveertig vierkante meter te wonen – ervan wilde doordringen wat dit betekende voor mensen zoals zij. Brunetti knikte. 'Dus ik zei dat ik het zou doen. En dat ik zou zorgen dat Maria meedeed, want Cuccetti had gezegd dat hij twee getuigen nodig had. En toen moest ik denken aan die tekeningen die die oude vrouw had. Daar had ze Maria over verteld.' Hij hield zijn hoofd een beetje scheef en vroeg, in alle oprechtheid: 'Denkt u dat het daardoor misgegaan is? Doordat ik hebberig werd en tegen hem gezegd heb dat ik die tekeningen wilde hebben?'

'Ik weet het niet, signor Morandi,' zei Brunetti. 'Daar kan ik niet over oordelen.'

'Maria weet dat het toen allemaal misgegaan is. Ze weet alleen niet waarom,' zei de oude man, en zijn wanhoop was hoorbaar. 'Dus het maakt niet uit wat ik denk, of wat u denkt. Ze weet dat er iets slechts gebeurd is.' Morandi schudde zijn hoofd en bleef het schudden alsof bij elke beweging zijn schuld werd hernieuwd.

'Wat is er gebeurd toen u naar signora Altavilla toe ging?' vroeg Brunetti.

Zijn hoofd viel stil. Hij staarde Brunetti aan en sloeg opeens zijn armen over elkaar, als om te laten zien dat hij er genoeg van had en dat hij niets meer zou zeggen. Maar vervolgens zei hij tot Brunetti's verrassing: 'Ik ging naar haar toe om te praten, om haar proberen duidelijk te maken dat ik die sleutel nodig had. Ik kon haar niet over die tekeningen vertellen. Dan had ze het misschien tegen Maria gezegd, en die zou dan weten wat ik gedaan had.'

'Wist ze het dan niet?'

'O nee, die wist van niks,' zei hij heel gauw. 'Ze heeft ze nooit gezien. Ik heb ze nooit in huis gehad. Toen Cuccetti ze aan me gaf, heb ik ze meteen naar de bank gebracht, en ik heb elk jaar contant voor die kluis betaald. Dus Maria kon helemaal niet weten dat ik ze had.' De mogelijkheid alleen al liet angst in zijn stem doorklinken.

'Maar ze wist wel dat u die sleutel had?' zei Brunetti, en hij bedacht dat ze er in de loop der jaren vast wel achter was gekomen waar hij voor diende.

'Maria is niet achterlijk,' zei Morandi.

'Daar twijfel ik niet aan.'

'Ze wist dat die sleutel belangrijk was, ook al wist ze niet hoe het zat. Dus ze heeft hem gepakt en aan haar gegeven.'

'Dat weet u?'

Morandi knikte.

'Heeft ze het tegen u gezegd?'

'Ja.'

'Wanneer? Waarom?'

'Eerst wou ze niks zeggen. Maar – ik heb al gezegd dat ze niet kon liegen – op een gegeven moment zei ze dat ze hem gepakt had. Maar ze wou niet zeggen wat ze ermee gedaan had.'

'Hoe bent u daarachter gekomen?'

Morandi keek over het plein naar de gevel van het gebouw, als een zeeman die een vuurtoren zocht. Zijn mond vertrok en hij maakte een dierlijk geluid van pijn, daarna boog hij zich weer naar voren en begroef zijn gezicht in zijn handen. Dit keer begon hij te snikken zoals een kind snikt, plotseling en ontroostbaar, alle hoop op toekomstig geluk vervlogen.

Brunetti kon het niet verdragen. Hij stond op en liep naar de kerk, waar hij stil bleef staan voor de steen die vermeldde dat het de doopkerk van Vivaldi was. Er gingen minuten voorbij. Hij meende het gesnik nog steeds te kunnen horen, maar durfde zich niet om te draaien om te kijken.

Nadat hij de inscriptie nog een keer had gelezen, liep Brunetti terug naar de bank en ging weer zitten.

Opeens pakte Morandi Brunetti's pols beet. 'Ik heb haar geslagen.' Zijn gezicht was vlekkerig en rood, en twee slierten haar hingen neer aan weerszijden van zijn neus. Hij hikte van een laatste restje verdriet en zei het toen nog een keer, alsof de bekentenis hem zou louteren: 'Ik heb haar geslagen. Dat heb ik nog nooit gedaan, in al die jaren dat we samen zijn geweest.' Brunetti wendde zijn blik af, maar hoorde de oude man zeggen: 'En toen zei ze dat ze de sleutel aan haar had gegeven.'

Hij trok aan Brunetti's pols tot die zich omdraaide en hem aankeek. 'U moet het begrijpen. Ik moest die sleutel hebben. Ze laten je niet in de kluis als je die sleutel niet hebt, en ik moest het casa di cura betalen. Anders moest ze naar de staatszorg. Maar dat kon ik haar niet vertellen, want dan had ik haar alles moeten vertellen.' Zijn greep werd steviger om extra gewicht te verlenen aan wat hij te zeggen had. Hij wilde iets zeggen, moest hoesten, en zei toen met een fluisterstem: 'En dan zou ze geen respect meer voor me hebben.'

Brunetti dacht terug aan wat signora Orsoni had verteld over de rechtvaardigingen die haar zwager aanvoerde telkens wanneer hij gewelddadig was geweest. En hier luisterde hij naar net zo'n verhaal. Maar wat een kloof zat er tussen. Of niet? Met zijn rechterhand maakte hij Morandi's vingers een voor een van zijn pols los. Om die handeling te bekrachtigen nam hij de hand van de oude man en legde die op Morandi's dij.

'Wat is er gebeurd toen u naar signora Altavilla toe ging?' vroeg Brunetti.

De oude man leek van zijn stuk gebracht. 'Dat heb ik al gezegd. Ik heb de sleutel aan haar gevraagd.' Hij ging met zijn handen over zijn gezicht en trok daarmee wat haarslierten los, die over zijn kraag vielen.

'Gevraagd?'

Morandi toonde zich niet verrast over dat woord of over de toon waarop Brunetti het herhaalde. 'Oké,' zei hij schoorvoetend. 'Ik heb gezegd dat ze de sleutel aan me moest geven.'

'Of anders?'

Daar schrok hij van. 'Niks of anders. Zij had de sleutel en ik wou dat ze die aan me gaf. Als ze dat niet wilde, dan kon ik daar niets tegen doen.'

'U had kunnen dreigen,' opperde Brunetti.

Er stond zowel verbijstering als verwarring op Morandi's gezicht te lezen, en Brunetti had de indruk dat dat niet gespeeld was. 'Maar het is een vrouw.'

Brunetti zei maar niet dat signora Sartori ook een vrouw was, en dat dat hem er niet van had weerhouden om haar te slaan. In plaats daarvan zei hij op kalme toon: 'Wat is er gebeurd?'

Morandi keek weer naar de grond en Brunetti zag zijn hoofd rood worden van schaamte. 'Heeft u haar geslagen?' vroeg Brunetti.

Terwijl hij zijn blik op de grond gericht hield, als een kind dat aan een standje probeert te ontkomen, schudde Morandi zijn hoofd een paar keer. Brunetti weigerde zich te laten manipuleren door het zwijgen van de ander en vroeg nogmaals: 'Heeft u haar geslagen?'

Morandi sprak zo zacht dat het bijna niet te horen was. 'Niet echt.'

'Wat bedoelt u daarmee?'

'Ik heb haar beetgepakt,' zei hij. Hij wierp Brunetti een snelle blik toe en keek toen weer naar het plaveisel. Brunetti zei niets. 'Ze zei dat ik weg moest gaan, dat ik haar toch niet kon overhalen om de sleutel te geven. En toen liep ze naar de deur.'

'Wat wilde ze met die sleutel gaan doen?' vroeg Brunetti.

Morandi keerde Brunetti een wezenloos gezicht toe. 'Ik weet het niet. Dat heeft ze niet gezegd.' Brunetti's verbeelding wedijverde met zijn kennis van de wet. De enige die het recht had om het kluisje te openen was de eigenaar van de sleutel, die altijd vergezeld werd door een medewerker van de bank met een tweede sleutel. Ieder ander die er gebruik van wilde maken had een gerechtelijk bevel nodig, en om dat te krijgen was er bewijs van een misdrijf nodig. Maar na al die jaren was er geen sprake meer van een misdrijf.

Morandi had tegen de bank kunnen zeggen dat hij hem was kwijtgeraakt. Het zou een hoop tijd hebben gekost, maar uiteindelijk zou hij toegang hebben gekregen tot het kluisje en de inhoud ervan. De sleutel op zich betekende niets: degene die hem had, had daarmee geen enkele macht of bevoegdheid; alleen degene die bevoegd was mocht het kluisje openen. Signora Altavilla had dit niet geweten, en Morandi blijkbaar ook niet. Loze dreigementen. Loos gevaar.

Onverbiddelijk vroeg Brunetti: 'Wat is er gebeurd?'

Het duurde een hele tijd, en Morandi was niet verplicht te antwoorden, maar dat wist hij evenmin, en dus zei hij: 'Ze liep naar de deur en ik probeerde haar tegen te houden.' Terwijl hij sprak bracht Morandi zijn handen omhoog en kromde ze. 'Ik riep haar naam, en toen ze zich omdraaide, pakte ik haar schouders beet, maar toen ik haar gezicht zag, moest ik weer denken aan wat ik beloofd had.' Hij keek Brunetti aan. 'Ik wilde mijn handen weghalen, maar ze rukte zich al los en liep toen naar de deur en deed die open.'

'En u?'

Zijn stem klonk nog kleiner, en zachter. 'Ik schaamde me zo diep. Eerst had ik Maria geslagen, daarna die oude vrouw beetgepakt. Ik kende haar niet eens, en ik pakte haar zo bij haar schouders.'

'Is dat het enige wat u gedaan hebt?' drong Brunetti aan.

Morandi bedekte zijn ogen met één hand. 'Ik schaamde me zo diep dat ik niet eens mijn excuses kon maken. Ze deed de deur voor me open en zei dat ik weg moest gaan, dus ik kón verder helemaal niks doen.' Hij stak een hand naar Brunetti uit, maar herinnerde zich toen wat er eerder was gebeurd toen hij hem aanraakte en trok hem terug. 'Mag ik u iets vertellen?'

'Ja.'

'Ik begon op de trap te huilen, op weg naar beneden. Ik had Maria geslagen en daarna dat arme mens de stuipen op het lijf gejaagd. Ik moest binnen blijven wachten tot ik uitgehuild was. Die keer dat ik Maria had geslagen, had ik mezelf beloofd dat ik nooit meer iets slechts zou doen, de rest van mijn leven niet, en nu had ik het toch weer gedaan.

Dus ik zei tegen mezelf dat als ik echt van Maria hield zoals ik zei dat ik van haar hield, dat ik dan nooit van mijn leven meer zoiets zou doen.' Hij zweeg even, keek Brunetti met een gegeneerd lachje aan en zei: 'Niet dat dat nog erg lang zal duren.' Het glimlachje verdween en hij ging verder. 'En ik heb me voorgenomen om nooit meer te liegen en nooit meer ook maar iets te doen wat Maria niet leuk zou vinden.'

'Waarom?'

'Ik heb al gezegd waarom. Omdat ik me zo schaamde voor wat ik had gedaan.'

'Maar wat dacht u dat er zou gebeuren als u deed wat u beloofd had?' vroeg Brunetti.

Morandi zette de punt van zijn rechterwijsvinger midden op zijn dij en drukte die een paar keer in; hij wachtte elke keer tot het deukje was verdwenen voor hij opnieuw drukte.

'Wat zou er dan gebeuren, signor Morandi?'

Hij drukte, wachtte, drukte, wachtte, het juiste moment zou wel komen. Ten slotte zei Morandi: 'Want dan zou ze misschien, als ze dat wist, van me houden.'

'U bedoelt weer van u houden?' vroeg Brunetti.

Morandi's verbazing was totaal: dat las Brunetti in de wezenloze ogen waarmee hij hem aankeek. 'Nee. Van me houden. Dat heeft ze nooit gedaan. Niet echt. Maar ik verscheen in haar leven toen ze al tegen de veertig liep, dus toen heeft ze mij genomen en is met me gaan samenwonen. Maar ze heeft nooit van me gehouden, niet echt.' De tranen kwamen weer te voorschijn en vielen op zijn overhemd, maar Morandi had er geen erg in. 'Niet zoals ik van haar hou.'

Hij schudde zich weer op die hondachtige manier. 'Wij zijn de enigen die dat weten,' zei hij tegen Brunetti, en hij legde een vluchtige hand op zijn arm – even aanraken en weg, alsof hij bang was voor zijn hand. 'Maria weet het niet, of ze weet niet dat ik het weet. Maar ik weet het wel. En nu weet u het ook.'

Geconfronteerd met deze vreselijke waarheden en hun nog vreselijker consequenties, wist Brunetti niet wat hij moest zeggen. Er was geen antwoord op te vinden, noch in de gevel van de kerk, noch in die van het casa di cura.

Brunetti stond op. Hij bood de oude man een hand om hem overeind te helpen. 'Ik loop wel even met u mee naar huis.'

29

De oude man moest de trap op worden geholpen. Brunetti verbloemde dit feit door te zeggen dat hij nieuwsgierig was naar het uitzicht dat je vanaf een bovenste verdieping in dit deel van de stad op de Campanile en de Basilica zou hebben en signor Morandi te vragen of hij het misschien mocht zien. Brunetti hield de oude man stevig onder zijn arm vast en bleef op elke overloop even stilstaan onder het mom van een oude knieblessure die hem parten speelde. Ze kwamen boven aan, Morandi blij dat het hem minder moeite had gekost dan een veel jongere man, en Brunetti blij dat de oude man de confrontatie met zijn eigen gebreken bespaard was gebleven.

Morandi maakte de deur open en stapte opzij om zijn gast als eerste binnen te laten. Omdat hij wist dat deze oude man al drie jaar alleen in het appartement woonde, had Brunetti zich ingesteld op rommel, zo niet erger, maar wat hij zag kwam als een complete verrassing. De late middagzon scheen door de gang vanuit een kamer aan het eind. Het licht werd weerkaatst door het glimmende *cotto Veneziano*. Het zag eruit als de originele vloer, iets wat je nog maar zelden tegenkwam op de bovenverdiepingen van palazzi. Het was tegenwoordig bijna niet meer na te maken en heel moeilijk te repareren. Het plafond was niet echt hoog, maar de toegangshal was groot en de gang was ongewoon breed.

'U kunt de Basilica vanuit die kamer zien,' zei Morandi. Hij liep de gang in en liet het aan Brunetti over om hem te volgen. Er stonden geen meubels langs de muren, en er waren geen deuren naar de kamers aan weerszijden. Brunetti wierp een blik in een van de kamers en zag dat die helemaal leeg was, hoewel de ramen blonken en de vloer hem tegemoet glom. Opeens drong tot Brunetti door hoe koud het er was, hoe de kou uit de vloer omhoog en door de muren heen kwam.

In de laatste kamer was het uitzicht inderdaad schitterend, maar er stonden zo weinig meubels – een tafel en twee stoelen – dat het aanvoelde als een huis dat niet langer bewoond was en dat alleen nog maar open was voor bezichtiging door eventuele toekomstige kopers. In de verte borrelden de koepels omhoog, hun kruisen getooid met kleine bolletjes, en daarachter zag Brunetti de achterkant van de vleugels van de engel die uitkeek over het *bacino*. Achter hem zei Morandi: 'Maria kon daar uren naar staan kijken. Ze werd er gelukkig van als ze dat zag. In het begin.' Hij kwam naast Brunetti staan en samen keken ze uit over de symbolen van de macht van God en de macht van de staat, en Brunetti werd vervuld van de majesteit die dit alles ooit had gehad, en niet langer had.

'Signor Morandi,' zei hij, en hij gebruikte het formele '*Lei*' en deed geen grammaticale concessie aan de dingen die de oude man hem had verteld, 'vertelde u de waarheid toen u dat daarstraks tegen me zei, dat u uw leven wilde beteren?'

'O ja,' antwoordde hij meteen, en hij klonk net als Brunetti's kinderen jaren geleden, wanneer ze hun catechismusvragen oefenden.

'Geen leugens meer?' vroeg Brunetti.

'Nee.'

Brunetti moest denken aan de raadseltjes die ze vroeger weleens op kregen toen ze op school zaten. Er was er een over een kip en een vos en een kool die een rivier over moesten, en een over negen parels op een weegschaal, en een over een man die altijd loog. Hij had nog vage herinneringen aan de vragen, maar de antwoorden waren allemaal verdwenen. Als Morandi altijd loog, dan moest het ook een leugen zijn dat hij niet meer zou liegen, of niet soms?

'Zou u op het hart van Maria Sartori durven zweren dat u signora Altavilla alleen maar bij de schouders hebt gepakt en dat u haar op geen enkele manier pijn hebt gedaan?'

De oude man naast hem zei niets. Toen, als iemand die aan een tai chi-oefening begon, liet hij eerst zijn armen slap langs zijn zij hangen en bracht vervolgens langzaam zijn handen omhoog tot schouderhoogte, de vingers gekromd naar de grond. Maar in plaats van ze naar zich toe te trekken om zich op te maken voor een duw tegen een onzichtbare kracht, liet hij ze neerkomen op iets onzichtbaar vóór hem. En toen zag Brunetti dat zijn vingers zich spanden, en Morandi zag dat Brunetti die beweging zag.

De oude man liet zijn handen zakken en zei: 'Dat is het enige wat ik gedaan heb. Maar ik heb haar geen pijn gedaan.'

'Wat had ze aan? En waar stonden jullie?'

Morandi deed zijn ogen dicht en probeerde zich de scène weer voor de geest te halen. 'We stonden in de gang. Vlak bij de deur. Dat heb ik al gezegd. Ze heeft me nooit echt binnengelaten, nou ja, niet meer dan een paar stappen van de deur.' Hij zweeg even en neeg zijn hoofd. 'Ik weet niet meer wat ze aanhad: een blouse, geloof ik. Het was in ieder geval geel, dat weet ik nog wel.'

Brunetti dacht zelf ook terug aan de dode vrouw op de grond in de woonkamer van het huis. Het dikke, blauwe vest en de felgele blouse eronder. 'Alleen die blouse?' vroeg hij.

'Ja. Ik weet nog dat ik dacht dat ze beter iets warmers aan had kunnen trekken. Het was fris die avond.'

Alsof de kaalheid hem nu pas opviel, keek Brunetti om zich heen en vroeg: 'Waar is de rest van het meubilair?'

'O, dat heb ik ook moeten verkopen. Maria heeft drie uur per dag een *badante*, die komt elke middag om haar te wassen en haar haar te borstelen en te zorgen dat haar kleren schoon zijn.' Voor Brunetti ernaar kon vragen, zei hij: 'En dat is duur, want het casa di cura staat alleen maar hulp toe als het legaal is, dus dat maakt het twee keer zo duur, met de btw en alles.'

Het was zichtbaar gaan waaien op de Piazza, en de uiteinden van de vlaggen aan de andere kant van de Basilica woeien af en toe in het zicht en wuifden naar hen. 'Wat gaat u doen, signor Morandi?'

'O, ik ga alles verkopen hier, beetje bij beetje, en dan hoop ik dat ik het lang genoeg kan uitzingen om alles te betalen zolang ze nog leeft.'

'Hebben de dokters een termijn genoemd?'

Morandi haalde zijn schouders op, niet langer boos op de 'dokters'. Hij zei alleen maar: 'Pancreas,' alsof het daarmee wel duidelijk zou zijn voor Brunetti. Dat was het ook.

'En daarna?'

'O, daar heb ik nog niet over nagedacht,' zei hij, en Brunetti geloofde hem. 'Ik moet hier gewoon zijn zolang zij er nog is. Niet dan?'

Niet in staat die vraag te beantwoorden, vroeg Brunetti: 'En dit hier?' Hij maakte een gebaar om zich heen, naar het appartement dat eigendom was geweest van Cuccetti's vrouw en daarna was overgegaan op Morandi, waarna zowel Cuccetti als zijn vrouw waren gestorven. 'U zou het kunnen verkopen.'

Morandi reageerde zichtbaar verbaasd. 'Maar als Maria misschien nog thuiskomt, al was het maar voor een paar dagen, voordat...' De oude man keek naar Brunetti en glimlachte. Hij wees met zijn kin naar het winderige panorama achter het raam. 'Dan zou ze dat nog graag willen zien, dus...'

'Het moet een hoop geld waard zijn.'

'O, dat zal me een zorg zijn,' zei Morandi, alsof hij het over een paar oude schoenen had, of over een stapel kranten, netjes bijeengebonden voor de vuilnisman. 'Maria heeft geen familie, en ik heb alleen een neef, maar die is vijftig jaar geleden naar Argentinië vertrokken en heeft verder nooit meer iets van zich laten horen.' Hij zweeg en dacht even na; Brunetti zei niets. 'Dus het zal wel naar de staat gaan. Of naar de gemeente. Het kan me niet schelen. Het maakt niet uit.' Hij keek de kamer rond, liet zijn blik langs het balkenplafond gaan en keek toen weer door het raam naar buiten; de vlaggen waren meer gaan wapperen, en Brunetti meende de wind te kunnen horen.

Na een tijdje zei de oude man: 'Weet u dat ik dit nooit een prettig huis heb gevonden? Ik heb nooit het gevoel gehad dat het van mij was. Ik heb me rot gewerkt om de huur van dat oude huis te betalen, dat huis in Castello, dus dat was echt van mij. Van ons. Maar dit hier is me zo in de schoot komen vallen; het is net alsof ik het gevonden heb, of van iemand gestolen heb. En het heeft me alleen maar ongeluk gebracht, dus het zal mooi zijn als iemand anders het neemt.'

'Waar woont u?' vroeg Brunetti, die heel goed besefte wat een rare vraag dat was om aan iemand te stellen als je in zijn huis stond.

Maar Morandi had geen moeite om hem te begrijpen.

'Ik zit meestal in de keuken. Dat is de enige ruimte waar ik stook. En de slaapkamer, maar daar slaap ik alleen maar.' Hij draaide zich om, alsof hij aanstalten maakte om Brunetti dat deel van het huis te laten zien. Brunetti liet hem een paar stappen nemen, en terwijl zijn rug naar hem toe gekeerd was, haalde hij de sleutel uit zijn zak en legde die op de tafel onder het raam.

Brunetti riep hem, en toen Morandi weer langzaam naar het raam toe kwam, stak Brunetti zijn hand naar hem uit. 'Dank u dat u me het uitzicht hebt laten zien, signore,' zei hij. 'Het is schitterend.'

'Ja hè?' zei de oude man. Hij negeerde Brunetti's hand omdat hij naar de koepels keek, en naar de vlaggen, en de wolken die wegvluchtten naar het westen. 'Is het niet treurig,' ging Morandi verder, 'dat we ons zo veel zorgen maken over huizen, en hoe we eraan moeten komen en hoe we ze mooi moeten maken vanbinnen, terwijl het mooiste daar buiten te zien is, en dat we daar niets aan kunnen veranderen?' Dit keer was het Morandi die in de richting van de Basilica wuifde, en zijn gebaar omvatte de kerk en het verleden en de glorie die voorbij was.